LE NOUVEL ENTRAÎNEZ-VOUS

grammaire
niveau avancé
450
nouveaux
exercices

Évelyne SIRÉJOLS
Pierre CLAUDE

CLE
INTERNATIONAL

Responsable de projet
Édition multi-supports
Raphaëlle Mourey

Assistante d'édition
Corinne Schulbaum

Informatique éditoriale
Véronique Béguigné
Dalila Abdelkader

Structuration informatique
Corinne Schulbaum

Conception graphique/Mise en page
DESK

à Véronique

AVANT-PROPOS

Cette nouvelle édition des *450 exercices de grammaire*, disponible également sur CD-ROM pour permettre un travail plus ciblé et plus approfondi d'un point grammatical, propose de nombreuses modifications. Tout d'abord, la présence systématique de **deux bilans** permet de vérifier les acquisitions à la fin d'un chapitre. De nombreux exercices ont été modifiés, dans leur forme et dans leur contenu **lexical** et surtout **civilisationnel.**

Ce cahier s'adresse à **un public de niveau avancé** en français ; il a pour objectif **le réemploi et l'ancrage de structures grammaticales** préalablement étudiées : les exercices proposés doivent permettre à l'apprenant de fixer ses acquisitions par le maniement des formes syntaxiques. Complément des méthodes, il offre un véritable entraînement grammatical.

Les dix-neuf chapitres de cet ouvrage, introduits par un proverbe ou un dicton, couvrent les faits de langue les plus fréquemment étudiés à ce niveau d'apprentissage, avec une organisation semblable à celle des méthodes actuelles qui mettent en relation besoins langagiers de la communication quotidienne et progression grammaticale.

Conçus pour des étudiants de 3ᵉ et 4ᵉ année, les exercices sont **faciles d'accès** ; les énoncés sont brefs, sans pour autant être éloignés des réalisations langagières authentiques : les auteurs se sont inspirés de situations de communication réelles et ont pris soin d'introduire des éléments de civilisation française contemporaine.

Les exercices sont présentés de **façon claire**, accompagnés d'exemples, évitant ainsi l'introduction d'un métalangage avec lequel l'apprenant est peu familiarisé. Les exercices, composés de huit phrases chacun, sont classés dans un même chapitre du plus simple au plus élaboré.

Chaque aspect grammatical est présenté à travers une **variété d'exercices** à difficulté progressive ; **leur typologie est connue des apprenants** : exercices à trous, exercices à choix multiple, exercices de transformation et de mise en relation.

Deux bilans terminent chaque chapitre, mettant en scène les différents aspects grammaticaux étudiés. Ils permettent d'évaluer le degré d'acquisition de la difficulté grammaticale abordée et, si nécessaire, de retravailler les points encore mal acquis.

La conception pédagogique de chaque activité veut amener l'apprenant à réfléchir sur chaque énoncé, tant du point de vue syntaxique que du point de vue sémantique. Les exercices dont les réponses sont nécessairement dirigées n'impliquent pas pour autant un travail automatique sans réflexion sur les faits de langue étudiés.

Quant aux temps des verbes, dont la maîtrise est souvent difficile, ce n'est pas seulement leur formation qui importe mais aussi leur **emploi** et leur **valeur**.

Afin de faciliter l'**entraînement des apprenants autonomes**, chaque exercice trouve sa correction, ou les différentes formes acceptables, dans le livret *Corrigés*, placé à l'intérieur de l'ouvrage ; le professeur ou l'élève peut ainsi décider de le retirer ou de le conserver dès le début de l'apprentissage.

L'index devrait également faciliter l'utilisation de ce cahier ; grâce aux multiples renvois à l'intérieur des chapitres, il permet d'avoir accès à une difficulté grammaticale particulière ne figurant pas dans le sommaire.

Ce cahier devrait ainsi apporter à l'étudiant une plus grande maîtrise de la langue en lui donnant l'occasion d'affiner sa compétence linguistique… et par là même sa compétence de communication en français.

SOMMAIRE

I. L'INTERROGATION/LA NÉGATION/L'INTERRO-NÉGA-TION/L'EXCLAMATION
A. L'interrogation 5
B. La négation 11
C. L'interro-négation 13
D. L'exclamation 16
Bilans 17

II. DÉTERMINANTS ET PRÉPOSITIONS
A. Les déterminants 19
B. Les prépositions 23
Bilans 26

III. AUTRES PRÉPOSITIONS
A. Prépositions de lieu 28
B. Prépositions de temps 29
C. Prépositions diverses 30
Bilans 33

IV. LES TEMPS DU PASSÉ
A. Emploi de l'imparfait, du passé composé
   et du plus-que-parfait 34
B. Le passé simple : forme et emplois 38
C. Le passé antérieur et le passé surcomposé :
   formes et emplois 42
D. La concordance des temps
   dans le discours rapporté au passé 46
Bilans 49

V. LES PRONOMS PERSONNELS COMPLÉMENTS
A. Emplois et place des pronoms 51
B. Les pronoms neutres *le*, *en* et *y* 58
C. Les constructions indirectes avec *à* et *de* 61
Bilans 64

VI. LES PRONOMS RELATIFS
A. *Qui, que, dont, où, ce dont* et *quoi* 66
B. *Lequel, laquelle, duquel, de laquelle,*
   auquel et *à laquelle* 71
C. La mise en relief 75
Bilans 76

VII. LE CONDITIONNEL
A. Le conditionnel présent : emplois 78
B. Le conditionnel passé : forme et emplois 82
C. Concordance des temps 87
Bilans 90

VIII. LE SUBJONCTIF
A. Le subjonctif présent 92
B. Le subjonctif passé 94
C. Valeurs et emplois 97
Bilans 101

IX. LE PASSIF
A. Le passif avec l'indicatif. Valeurs et emplois 103
B. Le passif avec le conditionnel et le subjonctif 108
C. Le passif avec *par* ou *de* 110

D. Les verbes pronominaux à sens passif ... 111
Bilans 114

X. LES CONSTRUCTIONS VERBALES
A. Les formes impersonnelles 116
B. Les constructions verbales avec *à* et *de* 117
C. Les constructions verbales suivies
   de l'infinitif 121
D. Constructions avec l'indicatif ou l'infinitif 123
E. Le subjonctif et l'infinitif 125
F. L'indicatif et le subjonctif 127
Bilans 130

**XI. PRONOMS POSSESSIFS, DÉMONSTRATIFS,
INTERROGATIFS ET INDÉFINIS**
A. Les pronoms possessifs 132
B. Les pronoms démonstratifs 134
C. Les pronoms interrogatifs 137
D. Les pronoms indéfinis 140
Bilans 142

XII. LE FUTUR ET LE FUTUR ANTÉRIEUR
A. Le futur : emplois 144
B. Le futur antérieur : morphologie 145
C. Le futur antérieur : valeurs et emplois 146
Bilans 150

XIII. LES FORMES EN -ANT
A. L'adjectif verbal 152
B. Le gérondif présent et passé 154
C. Le participe présent et le participe
   présent passé 158
Bilans 162

XIV. LA SITUATION DANS LE TEMPS
A. Les repères temporels : déterminants
   et prépositions 164
B. La durée 167
C. La périodicité 169
D. L'antériorité 170
Bilans 172

XV. LA CONSÉQUENCE 174
Bilans 179

XVI. L'OPPOSITION 181
Bilans 186

XVII. LA RESTRICTION ET LA CONCESSION
A. La restriction 187
B. La concession 188
Bilans 194

XVIII. LES ARTICULATEURS DU DISCOURS
A. Les articulateurs temporels 196
B. Les articulateurs logiques 198
Bilans 205

XIX. LA PONCTUATION 206
Bilans 214

I. L'INTERROGATION/LA NÉGATION/ L'INTERRO-NÉGATION/L'EXCLAMATION

Qui ne dit mot consent.

A. L'INTERROGATION

1 **Français parlé (P) ou français soutenu (S) ?**

Exemples : Pouvez-vous m'indiquer la place de la Concorde ? *(S)*

C'est quoi la majorité qualifiée ? *(P)*

a. Peux-tu me rapporter du pain ? (   )

b. Sais-tu où elle habite ? (   )

c. Auriez-vous la monnaie de 20 euros ? (   )

d. Vous avez quelle heure ? (   )

e. Que pense-t-elle du nouveau Premier ministre ? (   )

f. Se sont-ils échangé leurs numéros de téléphone ? (   )

g. Vous savez à quelle heure elle arrive ? (   )

h. Où comptez-vous prendre le métro ? (   )

2 **Soulignez les phrases en langage parlé.**

Exemples : <u>Tu viens comment ?</u>

Pourquoi nous quittez-vous si tôt ?

a. Prendrez-vous l'avion ?

b. Tu fais quoi après ton cours ?

c. Où a-t-elle appris l'espagnol ?

d. Tu sais à quelle heure il sort ce soir ?

e. Nous ferons la côte bretonne cet été ?

f. Qu'as-tu choisi ?

g. Avec qui ont-ils dîné hier soir ?

h. Est-ce qu'on sort samedi ?

3 Associez questions et réponses correspondantes.

a. Tu connais la nouvelle ?
b. Pourriez-vous me recevoir ?
c. À combien est ce blouson ?
d. Auriez-vous une cigarette ?
e. À qui parlait-elle ?
f. Tu as quel âge ?
g. Tu as du feu ?
h. On se voit quand ?

1. Demain, 18 heures.
2. Tiens, mon briquet !
3. 65 euros.
4. Non, raconte !
5. Bien volontiers. Quelles sont vos disponibilités ?
6. Je suis désolé, je ne fume pas.
7. Elle téléphonait à son frère.
8. 25, bientôt 26.

4 Réécrivez les phrases suivantes en style soutenu.

> *Exemple :* Ils font quoi ce week-end ?
>
> → **Que font-ils ce week-end ?**

a. Tu lis quoi ? → ....
b. Vous savez où sont les Philippines ? → ....
c. Est-ce que tu vas bien ? → ....
d. Tu as compris quoi ? → ....
e. Ils sont allés où ? → ....
f. Pourquoi on doit partir maintenant ? → ....
g. Elle fait la cuisine comment ? → ....
h. Qu'est-ce qu'ils attendent pour téléphoner ? → ....

5 Complétez les questions suivantes par *qui, que* ou *quoi* précédé ou non d'une préposition.

> *Exemple :* **À qui** vous adressez-vous ? – À l'adjoint au maire.

a. Tu penses .... ? – À mon déménagement.
b. .... as-tu besoin ? – D'un stylo.
c. .... faites-vous ce soir ? – Nous voyons des amis.
d. .... vous avez discuté ? – Avec nos collègues.
e. .... a laissé ce message ? – M. Bagon.
f. Il fait une recherche .... ? – Sur la génétique.
g. .... comptent-ils faire ? – Ils pensent s'installer à Rome.
h. .... notez-vous ce rendez-vous ? – Pour le directeur commercial.

6 Employez un niveau de langue plus élevé. Utilisez *que* lorsque c'est possible.

> *Exemples :* Vous prenez quoi ? → **Que** prenez-vous ?
>
> Jean s'intéresse à quoi ? → **À quoi** Jean s'intéresse-t-il ?

a. Tu t'occupes de quoi ? → ....
b. On doit présenter quoi ? → ....
c. Mme Lanvin a besoin de quoi ? → ....
d. Cet article traite de quoi ? → ....

e. Vous lisez quoi ? → ....

f. Ils achètent quoi ? → ....

g. On va voir quoi ? → ....

h. Mathilde travaille sur quoi ? → ....

7 **Posez des questions portant sur les mots soulignés.**

Exemples : Elle doit penser <u>à sa retraite</u>.

Elle doit penser <u>à fermer la porte</u>.

→ ***À quoi*** doit-elle penser ?

a. Elle a commandé <u>un canapé en cuir</u>. → ....

b. Je suis préoccupé <u>par mon avenir</u>. → ....

c. Ils ont besoin <u>de prendre l'air</u>. → ....

d. Nous parlons <u>de nos prochaines vacances</u>. → ....

e. Jean se renseigne <u>sur la nouvelle Renault</u>. → ....

f. Ils apportent <u>un gâteau</u>. → ....

g. Elle observe <u>les insectes</u>. → ....

h. Ça sert <u>à ouvrir les huîtres</u>. → ....

8 **Associez questions et réponses.**

a. De qui vous plaignez-vous ?   1. De ma jambe.

b. À qui s'adresse-t-il ?   2. Sur mon mari.

c. Tu souffres de quoi ?   3. Avec de la gouache.

d. Avec qui êtes-vous en relation ?   4. Avec M. Paquet.

e. À quoi se raccroche-t-elle ?   5. À son banquier.

f. Sur qui comptez-vous ?   6. Du nouvel ingénieur.

g. Avec quoi peint-elle ?   7. Sur Voltaire.

h. Sur qui est cette biographie ?   8. À sa famille.

9 **Complétez les questions suivantes par** *comment, combien (de), pourquoi, quand, (d') où* **ou** *quand***.**

Exemple : ***Combien*** de nuits pensez-vous rester ? – Trois nuits.

a. .... marche ce fax ? – Regarde, c'est très simple.

b. .... se marie-t-elle ? – En juin.

c. .... tu lis ce journal ? – Pour mon travail.

d. .... téléphonez-vous ? – De la gare Saint-Lazare.

e. .... pièces comporte cet appartement ? – Quatre.

f. .... as-tu rangé ton portefeuille ? – Dans mon sac.

g. Paul ne vient pas, ... ? – Il est grippé.

h. Vous avez besoin de .... ? – De 150 euros.

10 Posez des questions portant sur les éléments soulignés.

> *Exemple :* Samedi soir, ta sœur m'a semblé triste.
>
> → **Quand** ma sœur t'a-t-elle semblé triste ?
>
> → **Comment** ma sœur t'a-t-elle semblé samedi soir ?

a. Nous partirons à Londres en avion.

→ ....

→ ....

b. Il traversera le désert avec Michel.

→ ....

→ ....

c. L'an dernier, j'ai appris à jouer aux échecs en regardant Dominique jouer.

→ ....

→ ....

d. À cause de l'orage, nous sommes rentrés plus tôt de la campagne.

→ ....

→ ....

e. Ce matin, il a mangé deux tartines, il ne paraissait pas malade !

→ ....

→ ....

f. Ils ont traversé à bicyclette la vallée de l'Eure.

→ ....

→ ....

g. Pour son anniversaire, il a invité une quinzaine d'amis.

→ ....

→ ....

h. Elle a accepté avec joie notre invitation pour le mois d'août.

→ ....

→ ....

11 Reformulez ces questions en style soutenu.

> *Exemple :* Joseph, il revient quand ? → **Quand Joseph revient-il ?**

a. Ce micro-ondes, il marche comment ? → ....

b. Vous nous quittez déjà, pourquoi ? → ....

c. Marie voyage comment ? → ....

d. Vous en pensez quoi ? → ....

e. Le dernier métro passe à quelle heure ? → ....

f. Le musée de Cluny, c'est où ? → ....

g. Cet enfant pleure, pourquoi ? → ....

h. « Protagoniste », vous l'écrivez comment ? → ....

12 Posez des questions portant sur les éléments soulignés.

> *Exemple :* La semaine de 35 heures a été instaurée en France par une loi <u>de 1999</u>.
>
> → *En quelle année* la semaine de 35 heures a-t-elle été instaurée en France ?

a. En 1936, le gouvernement du Front populaire instituait <u>deux</u> semaines de congés payés par an.

→ ....

b. <u>Avant 1999</u>, la semaine de travail était de 39 heures.

→ ....

c. En 1892, les enfants âgés de moins de 16 ans pouvaient travailler jusqu'à <u>10 heures par jour</u>.

→ ....

d. Le travail est autorisé en France de façon continue à partir de <u>16 ans</u>.

→ ....

e. <u>Avant guerre</u>, la journée de travail dépassait les 8 heures.

→ ....

f. Les charges salariales retenues au salarié représentent <u>environ 23 % du salaire brut</u>.

→ ....

g. Le SMIC* est révisé chaque année <u>le 1er juillet</u>.

→ ....

h. En ce début du XXIe siècle, les femmes gagnent <u>environ 20 %</u> de moins que les hommes.

→ ....

13 Complétez ces questions par *lequel, duquel* ou *auquel* écrit à la forme qui convient.

> *Exemple :* Parmi ces deux formules, *laquelle* vous attire le plus ?

a. Vous me parlez d'un de vos souvenirs d'enfance. Mais .... au juste ?

b. .... de ces deux enfants est le vôtre ?

c. Je t'avais donné plusieurs itinéraires ; par .... es-tu passé ?

d. Vous craignez que certains députés ne votent pas la loi. .... pensez-vous ?

e. Il dit que certains romans de Frédéric Dard ne lui plaisent pas. .... fait-il allusion ?

f. Vous êtes mélomane et vous adorez Strauss ! .... parlez-vous ?

g. Dans .... de ces quatre cafés lui avez-vous donné rendez-vous ?

h. Nous proposons plusieurs marques de bière. .... préférez-vous ?

14 Demandez des précisions en utilisant *lequel, duquel, auquel, quoi* ou *qui* écrit à la forme qui convient.

> *Exemple :* Adressez-vous à ce jeune homme. – *Auquel/À qui ?*

a. Occupez-vous de ces dossiers. – ....

b. Intéressez-vous à ce problème délicat. – ....

c. Prenez garde à cette femme. – ....

d. Tenez compte de ces données statistiques. – ....

---

* SMIC : Salaire Minimum Interprofessionnel de Croissance.

e. Souvenez-vous de votre dernière expérience. – ....

f. Faites attention aux délais. – ....

g. Réfléchissez à nos projets. – ....

h. N'oubliez pas, vous avez besoin de justificatifs. – ....

15 **Soulignez la forme correcte.**

Exemple : À laquelle – <u>À quelle</u> – De laquelle saison partez-vous en vacances ?

a. Vos congés d'été ont en général la même durée. Quelle – Laquelle – De laquelle ?

b. Par quel – Auquel – Lequel type de vacances êtes-vous le plus attirés ?

c. Lesquelles – Auxquelles – Quelles sont vos destinations préférées ?

d. Quels – Lesquels – Desquels loisirs avez-vous pendant vos congés ?

e. Lequel – Quel – Duquel de ces pays êtes-vous tentés de visiter : le Guatemala, le Pérou, la Colombie, le Mexique ?

f. Duquel – Auquel – Sur lequel avez-vous déjà pris des informations ?

g. Pendant vos vacances, auxquelles – desquelles – à quelles activités consacrez-vous votre temps libre ?

h. Parmi ces trois formules : circuit découverte, séjour village, stage sportif, laquelle – de laquelle – quelle vous correspond le mieux ?

16 **Voici des informations sur l'habitat des Français. Posez des questions sur les éléments soulignés.**

Exemple : Les Français consacrent <u>près de 30 %</u> de leurs revenus au logement.

→ ***Quel pourcentage*** de leurs revenus les Français consacrent-ils au logement ?

a. <u>Au début des années 2000</u>, les charges et le loyer ont augmenté d'environ 25 % à Paris.

→ ....

b. De plus en plus de Franciliens rêvent <u>de s'installer en province</u>.

→ ....

c. <u>Les trois quarts</u> des Français bricolent chez eux.

→ ....

d. La cuisine est devenue <u>le centre de la vie familiale</u>.

→ ....

e. Les chambres sont conçues <u>pour le repos et le rangement</u>.

→ ....

f. Dans la salle de bains, la douche remplace <u>la baignoire</u>.

→ ....

g. La surface moyenne des jardins en France est de <u>650 mètres carrés</u>.

→ ....

h. <u>Quatre pièces</u> réparties sur 90 mètres carrés composent en moyenne le logement des Français.

→ ....

17 Posez des questions sur l'alimentation des Français.

Exemple : Les dépenses <u>alimentaires</u> représentent 18,2 % du budget.

→ ***Quelles dépenses*** représentent 18,2 % du budget ?

a. Les repas sont <u>de moins en moins longs et copieux</u>.

→ ....

b. Seul le petit déjeuner a pris plus d'importance ; il dure <u>une vingtaine de minutes</u>.

→ ....

c. Depuis le début des années 80, on observe <u>une baisse de la consommation des boissons</u>
<u>alcoolisées</u>.

→ ....

d. En 2000, une majorité de Français s'est révélée opposée <u>aux OGM</u>*.

→ ....

e. Les urbains comme les ruraux adoptent de plus en plus <u>les produits cuisinés surgelés</u>.

→ ....

f. Un quart des Français déjeunent <u>à la cantine ou au restaurant</u>.

→ ....

g. La consommation de produits frais répond à des préoccupations <u>de santé et de gourman-</u>
<u>dise</u>.

→ ....

h. L'e-business facilite <u>la vie domestique</u>.

→ ....

B. LA NÉGATION

18 Soulignez les phrases négatives.

Exemples : Il ne croit que ce qu'il voit.

<u>En avril, ne te découvre pas d'un fil !</u>

a. J'ai peur que l'avion n'ait du retard.

b. Il ne prend que rarement sa voiture.

c. Pauline n'aime ni le sport ni la musique.

d. Nous n'avons guère le temps de passer vous voir.

e. Ne vendez pas la peau de l'ours avant de l'avoir tué !

f. Elle ne fait que se plaindre.

g. Je doute qu'il ne connaisse notre adresse.

h. Ne pas claquer la porte.

---

* OGM : *Organisme Génétiquement Modifié.*

19 Assemblez questions et réponses.

a. Quand allez-vous vous pacser* ?   → 1. Personne.

b. Qui croire ?

                                        2. Jamais.

c. Que répondras-tu ?

                                        3. Non.

d. Où allez-vous pour Pâques ?

                                        4. Rien.

e. À qui pensez-vous ?

                                        5. À personne.

f. Voulez-vous sortir ?

g. Que décidez-vous ?

                                        6. Nulle part.

h. Allez-vous parfois au théâtre ?

20 Répondez négativement aux questions suivantes en employant : *ne... plus, ne... jamais, ne... rien, ne... personne, ne... aucun(e), ne... nulle part, ne... guère*.

    Exemple : Avez-vous beaucoup de travail cette semaine ?

               → ***Je n'ai guère de travail.***

a. De temps en temps, partez-vous en week-end ? → ....

b. Où passez-vous vos vacances ? → ....

c. Qui voyez-vous pendant votre temps libre ? → ....

d. Que faites-vous le soir ? → ....

e. Avez-vous beaucoup d'amis ? → ....

f. Suivez-vous toujours des cours de peinture ? → ....

g. Voyez-vous souvent votre famille ? → ....

h. Faites-vous des projets pour l'avenir ? → ....

21 Réécrivez ce texte à la forme négative.

Audrey a décidé de quitter la ville pour la campagne. Elle ressent le besoin d'être proche de la nature. Elle a toujours quelque chose à faire. Comptable de métier, célibataire endurcie, elle travaille beaucoup : elle a acheté un ordinateur et s'est connectée à Internet. Comme ça, elle peut communiquer à distance pour le travail et le plaisir. Elle retourne parfois à Vannes, qui est pourtant assez loin de chez elle. Elle y a des clients et des amis à voir de temps en temps. Elle y fait quelques courses. En dehors du travail, elle a plein d'autres activités. Elle est très heureuse de son mode de vie.

    → Audrey ***n'a pas décidé*** de quitter la ville pour la campagne. ....

....

....

....

....

....

....

---

* *Se pacser : néologisme formé sur l'acronyme PACS (PActe Civil de Solidarité) : contrat reconnaissant une union entre deux persones de sexe opposé ou de même sexe.*

....
....
....
....
....
....
....
....

22 Dites le contraire en employant *ne... ni... ni* ou *ni... ni... ne*.

Exemple : J'aime la musique classique et le jazz.

→ Je *n'*aime *ni* la musique classique *ni* le jazz.

a. Elle étudie la littérature et les langues.

→ ....

b. Le piano et la flûte sont mes instruments préférés.

→ ....

c. Nous jouons au squash et au tennis.

→ ....

d. Bertrand et Martine viendront nous rejoindre.

→ ....

e. Nous avons visité le musée Picasso et le Centre Pompidou.

→ ....

f. Ils ont vécu au Japon et en Allemagne.

→ ....

g. Madeleine et Alice veulent s'installer en province.

→ ....

h. Son frère et ses amis lui ont téléphoné.

→ ....

C. L'INTERRO-NÉGATION

23 Soulignez les phrases interro-négatives.

Exemples : <u>Pourquoi tu ne prends pas le métro ?</u>

<u>Elle ne voyage qu'en avion ?</u>

a. Tu n'enregistres qu'une seule valise ?

b. D'où arrive ce train ?

c. N'est-ce pas le bus pour Antibes ?

d. Ce TGV ne dessert que Lyon et Marseille ?

e. Où se fait la correspondance ?

f. Ne voyagez-vous pas en première classe ?

g. Pourquoi n'a-t-elle pris qu'un aller simple ?

h. À quelle heure passe le prochain RER ?

24 Vous pensez que votre interlocuteur répondra affirmativement. Reformulez ces questions à la forme interro-négative.

> *Exemple :* Nous sommes-nous déjà rencontrés ?
> → ***Ne nous sommes-nous pas déjà rencontrés ?***

a. Travaillez-vous chez France Télécom ?

→ ....

b. Vous connaissez Aline Dumont ?

→ ....

c. C'est une de vos amies ?

→ ....

d. Elle vous a invitée chez ses parents en Normandie ?

→ ....

e. Avaient-ils organisé une soirée costumée pour l'anniversaire de leur fille ?

→ ....

f. Vous avez dansé une bonne partie de la nuit ?

→ ....

g. Vous souvenez-vous d'un homme habillé en Lucky Luke ?

→ ....

h. En êtes-vous certaine ? Eh bien, c'était moi !

→ ....

25 Répondez aux questions suivantes par *oui* ou *si*.

> *Exemples :* Ne sentez-vous pas la fraîcheur ? – ***Si.***
> Voulez-vous ma veste ? – ***Oui.***

a. N'aimez-vous pas ce paysage ? – ....

b. Êtes-vous sensible à la nature ? – ....

c. C'est apaisant, n'est-ce pas ? – ....

d. Mais n'habitez-vous pas à Lille ? – ....

e. Vous aimeriez vous installer sur la côte normande ? – ....

f. N'y avez-vous jamais songé ? – ....

g. Vraiment, cela fait partie de vos projets ? – ....

h. Reviendrez-vous bientôt me rendre visite ? – ....

26 D'après les réponses, posez les bonnes questions.

> *Exemples :* ***Êtes-vous mariée ?*** ← Oui, je suis mariée.
> ***N'avez-vous pas d'enfants ?*** ← Si, j'ai deux fils.

a. .... ← Oui, j'habite dans la région.

b. .... ← Si, je travaille, je suis professeur.

c. .... ← Oui, j'enseigne à Dijon.

d. .... ← Si, mon mari est aussi enseignant.

e. .... ← Oui, nous aimons la Bourgogne.

f. ....

    ← Si, nous sommes tous les deux de la région.

g. ....

    ← Oui, nous connaissons beaucoup de monde ici.

h. .... ← Oui, nous aimons la vie ici.

27   **Imaginez la question en fonction de la réponse donnée.**

    Exemple :   ***Vous n'êtes libre ni dimanche soir ni lundi soir ?***

              ← Dimanche non, mais lundi si.

a. ....

    ← Si, j'aime la cuisine brésilienne mais pas les plats portugais.

b. ....

    ← Au restaurant non, mais dans un café, bien volontiers !

c. ....

    ← Si, je visite très souvent des expositions d'art moderne, mais je vais rarement dans des

       galeries de peinture.

d. ....

    ← La sculpture, si, mais pas le modelage.

e. ....

    ← Si, j'aime beaucoup les sculptures de Rodin mais peu celles de Carpeaux.

f. ....

    ← Oui, j'adore Kandinsky mais la peinture de Klee me laisse indifférente.

g. ....

    ← À l'opéra oui, mais pas au concert.

h. ....

    ← Si, je suis allée souvent à l'Opéra Garnier mais encore jamais à l'Opéra-Bastille.

28   **Posez librement des questions portant sur les loisirs. Tenez compte des réponses données.**

    Exemples : ***Vous jouez au tarot ?*** ← Oui, j'y joue presque tous les soirs.

              Elle achète beaucoup de CD de techno ? ← Non, ce n'est pas sa musique

              préférée.

a. .... ← Si, nous en prenons.

b. .... ← Oui, j'en télécharge de temps en temps.

c. .... ← Oui, j'y vais parfois.

d. .... ← Si, ils y assistent assez souvent.

e. .... ← Oui, elles les fréquentent.

f. .... ← Oui, nous y jouons chaque semaine.

g. .... ← Si, j'en fais régulièrement.

h. .... ← Si, on les écoute toujours avec plaisir.

D. L'EXCLAMATION

29 Faites des compliments en suivant le modèle suivant.

> *Exemple :* Elle porte : un beau tailleur. → ***Quel beau tailleur !***

a. une jolie robe → ....

b. des chaussures ravissantes → ....

c. un manteau superbe → ....

d. un sac original → ....

e. une broche splendide → ....

f. des bijoux raffinés → ....

g. des lunettes magnifiques → ....

h. un maquillage discret → ....

30 Plaignez-vous en employant *que de, quel(s)* ou *quelle(s)*.

> *Exemple :* Un monde fou fait la queue devant une salle de cinéma.
>
> → ***Que de monde !***
>
> → ***Quelle queue !***

a. La pluie n'arrête pas, un vrai déluge !

→ ....

→ ....

b. C'est un projet très ambitieux, un vrai travail de titan !

→ ....

→ ....

c. Il fait une chaleur torride ; le soleil est écrasant !

→ ....

→ ....

d. Vous êtes pris dans un embouteillage monstrueux ; il y a des voitures à perte de vue.

→ ....

→ ....

e. Ses mensonges sont permanents ; il est menteur comme un arracheur de dents !

→ ....

→ ....

f. Il fait un froid de canard ! Les routes sont bloquées par la neige.

→ ....

→ ....

g. Un avion s'est écrasé ; une catastrophe, cinquante victimes.

→ ....

→ ....

h. Un quartier de la ville est inondé d'eau ; les dégâts sont conséquents.

→ ....

→ ....

31 Complétez les exclamations suivantes par *que de, comme, quel(s)* **ou** *quelle(s)*.

    Exemple : **Comme** c'est calme ici !

a. .... il a grandi depuis l'année dernière !

b. .... bonne mine tu as !

c. .... changements en un an !

d. .... belles vacances nous allons passer !

e. .... nous allons bien nous reposer !

f. .... soleil magnifique !

g. .... bagages à monter !

h. .... plaisir de se revoir !

Bilans

32 Voici un extrait de dialogue que vous devez restituer dans son intégralité.

    – *On dirait que tu as grandi depuis l'année dernière !, s'est exclamé Vincent en accueillant son jeune frère à la descente du train.*

    Ferdinand trouvait aussi que son frère aîné avait changé. Il avait l'air tout fripé, étriqué, mal à l'aise dans son pantalon trop ample.

    – *Comment vont les affaires ?*

    – *On a connu mieux !, se contenta de répondre Vincent, la mine sombre.*

    Ferdinand voulut en savoir plus. Le dialogue s'engagea :

Ferdinand : .... **(1)** ?

Vincent :   Dans la région, l'année a été dure pour tout le monde. Tu sais que le principal employeur local a fait faillite ?

Ferdinand : .... **(2)** personnes ont été licenciées ?

Vincent :   Plus de 2 000 salariés, sans parler des fournisseurs. Certains commerces sont aussi très touchés.

Ferdinand : .... **(3)** ?

Vincent :   La plupart. Même le mien.

Ferdinand : .... **(4)** ! Pourtant, l'épicerie, c'est une valeur sûre !

Vincent :   Les gens ont peur pour l'avenir. Ils économisent sur tout.

Ferdinand : .... **(5)** ?

Vincent :   Si ! D'abord sur la nourriture !

Ferdinand : .... **(6)** ?

Vincent :   Encore un effet de la mondialisation et de la World Compagnie !

Ferdinand : Tu ne devais pas relancer l'élevage de papa ? Ce serait le bon moment ?

Vincent :   Les investissements sont trop lourds. .... **(7)** !

Ferdinand : Je comprends ; mais .... **(8)** ?

Vincent :   Tu pourrais vraiment ?

Ferdinand : .... *(9)* ! Ce serait une association. Une prise de participation.

Vincent : .... *(10)* ! On va en reparler sérieusement à la maison, ... *(11)* ?

---

33 Complétez ce dialogue en tenant compte des questions, des réponses et des exclamations données.

– Alors, raconte ! Comment s'est passé ton séjour à Nice ?

– Très bien ; Nice est une si belle ville que je ne l'ai pas quittée !

– Tu veux dire que tu .... *(1)* Anne ?

– Non, mais je lui ai téléphoné et elle est venue passer une journée avec moi.

– .... *(2)* ?

– Bien, elle se plaît beaucoup à Vence.

– .... *(3)* ?

– Elle y habite depuis deux ans et elle a arrêté de travailler ; elle s'occupe de ses filles.

– Tu .... *(4)* à Antibes ?

– Non, puisque je suis restée la semaine entière à Nice.

– Alors, qu'as-tu fait ?

– J'ai visité la vieille ville ; .... *(5)* merveille et ....
(6) dépaysement ! On se croirait en Italie.

– Tu .... *(7)* ?

– Si, bien sûr que j'ai visité le musée Matisse mais j'ai été un peu déçue par les œuvres exposées. .... *(8)*, toi ?

– Non, quand j'ai voulu le visiter, il était en travaux et donc fermé. Et la Promenade des Anglais, tu .... *(9)* ?

– Exactement telle que je me l'imaginais.

– .... *(10)* ?

– Ce que j'ai préféré, je crois que c'est le marché aux Fleurs. ....
(11) couleurs, ... *(12)* variété ! J'aurais pu y passer des matinées entières.

– .... *(13)* occupais-tu le reste de tes journées ?

– L'après-midi, j'allais à la plage ou je me promenais près des ruines du château et, le soir, je dînais sur le port.

– .... *(14)* ?

– Si, parfois je me sentais un peu seule. Tu sais, la prochaine fois, tu pourrais m'accompagner, non ?

– .... *(15)* bonne idée ! .... *(16)* ?

– Pourquoi pas pour le pont de l'Ascension ?

– .... *(17)*

II. DÉTERMINANTS ET PRÉPOSITIONS

À chacun sa vérité.

A. LES DÉTERMINANTS

34 Complétez le texte suivant par *le, l'* ou *un*.

> *Exemple :* **Le** palais de Tokyo est **un** temple de l'art moderne à Paris.

a. ...... parc magnifique est situé dans ...... 15ᵉ arrondissement ; c'est ...... jardin André Citroën.

b. Nous avons découvert ...... point de vue intéressant sur Paris en montant au sommet de ...... Arc de triomphe.

c. ...... nettoyage de la cathédrale d'Amiens a coûté ...... prix exorbitant.

d. ...... guide qui nous a accompagnés nous a permis de découvrir ...... quartier peu connu des touristes : ...... quartier de la Goutte d'or.

e. J'aime beaucoup ...... canal Saint-Martin ; ...... dimanche, je t'y amènerai.

f. ...... bord de la Seine attire de nombreux promeneurs ; ...... été, on peut y prendre ...... soleil.

g. On peut dire que ...... cimetière du Père-Lachaise est ...... lieu culte de Paris, comme ...... Marais ou ...... Quartier latin.

h. ...... départ de la promenade en bateau-mouche a lieu toutes les trentes minutes sous ...... pont d'Iéna.

35 Complétez le texte suivant par *le, la, l', les, un* ou *une*.

Un matin, en sortant de chez moi, c'est-à-dire de .... (a) appartement que j'occupe au troisième étage d'......... (b) vieil immeuble, ... (c) matin dont je parle, je découvris sur .... (d) palier devant ma porte .... (e) adorable petit chien tout noir. Il me regardait d'......... (f) œil doux et ne semblait pas du tout égaré. Quoique un peu étonnée, je descendis .... (g) escalier et, à ma grande surprise, ... (h) chien me suivit. .... (i) rue dans laquelle j'habite est assez passante et .... (j) voitures y sont nombreuses. Je me dirigeai vers .... (k) station de métro située à .... (l) centaine de mètres, je me retournai et je constatai que .... (m) animal marchait toujours sur mes pas. Il portait .... (n) collier ; je me penchai ; .... (o) nom y était gravé : Courandeau. C'était .... (p) nom de mes voisins de palier. Comment n'y avais-je pas pensé plus tôt ? Évidemment, c'était .... (q) nouvelle acquisition de ma voisine !

36 Complétez les phrases suivantes par *le* si nécessaire.

> *Exemples :* ... Lundi prochain, nous allons visiter un appartement.
>
> On a rendez-vous *le* 3 octobre à 18 heures.

a. ...... jeudi de l'Ascension est toujours férié.

b. ...... mardi dernier, j'ai retrouvé une amie d'enfance.

c. ...... jour de Noël, certains magasins restent ouverts.

d. Toute la famille s'est réunie pour ...... Pâques.

e. Vous n'aurez pas de cours ...... lundi, c'est la Pentecôte !

f. On fleurit les cimetières pour ...... 1er Novembre.

g. ...... dimanche en huit, nous partirons au bord de la mer.

h. Ils se sont rencontrés ...... lundi, à l'aéroport ; ...... jeudi suivant, ils décidaient de vivre ensemble !

37 Associez les éléments suivants pour obtenir des phrases.

1. Il y a de ─────────────────────────→ a. grands restaurants.

b. plages immenses.

c. innombrables cafés.

d. célèbres boîtes de nuit.

2. Il y a d'

e. parcs d'attractions remarquables.

f. pensions de famille calmes.

g. adorables ruelles.

3. Il y a des

h. quartiers pittoresques.

38 Réécrivez les phrases suivantes en ajoutant l'adjectif entre parenthèses. Faites les accords nécessaires (parfois plusieurs possibilités).

> *Exemples :* Elle a des garçons. (sérieux) → Elle a *des* garçons sérieux.
>
> Elle a des garçons. (beau) → Elle a *de* beaux garçons.

a. Dans ce port, il y a des voiliers. (magnifique)

→ ....

b. Il regarde des bateaux. (vieux)

→ ....

c. Je photographie des paysages. (sauvage)

→ ....

d. Elle collectionne des flacons de parfum. (petit)

→ ....

e. Nous faisons des marches en montagne. (long)

→ ....

f. Vous avez pris des photos ? (bon)

→ ....

g. Tu as fait des progrès en ski ! (énorme)

→ ....

h. Nous avons passé des week-ends en Champagne. (merveilleux)

→ ....

39 Replacez les adjectifs donnés entre parenthèses dans les phrases suivantes.

Exemples : Nous parlons des publications du mois. (nouvelles)

→ Nous parlons *des nouvelles* publications du mois.

Je prends des chaussures de randonnée. (bonnes)

→ Je prends *de bonnes* chaussures de randonnée.

a. J'ai besoin des lunettes de Sophie. (vieilles)

→ ....

b. Ils ont des amis. (nombreux)

→ ....

c. Tu as fait des affaires. (excellentes)

→ ....

d. Elle achète des pommes de terre. (nouvelles)

→ ....

e. Il fait des efforts en mathématiques. (gros)

→ ....

f. Nous avons reçu des nouvelles de nos amis. (mauvaises)

→ ....

g. Elle s'occupe des enfants du quartier. (jeunes)

→ ....

h. Tu es contente des fleurs que je t'ai offertes ? (jolies)

→ ....

40 Insérez dans les phrases suivantes les adjectifs entre parenthèses. Faites les accords nécessaires (parfois deux possibilités).

Exemple : Désiré tronçonne un arbre. (vieux/mort)

→ Désiré tronçonne un *vieil arbre mort*.

a. J'ai changé les piles de ma montre. (petit/doré)

→ ....

b. Pour le mariage, elle s'est acheté une robe. (beau/rayé)

→ ....

c. Amsterdam ! Vous avez visité cette ville ? (hollandais/magnifique)

→ ....

d. Je me souviens : elle fumait des cigares. (cubain/gros)

→ ....

e. Vous aviez des amis, je crois. (étranger/vieux)

→ ....

f. Le cassoulet, c'est un plat du Sud-Ouest. (copieux/typique)

→ ....

g. Pour l'anniversaire de Daniel, on s'est offert un dîner. (excellent/gastronomique)

→ ....

h. Olivier est marié avec une Autrichienne. (beau/quadragénaire)

→ ....

41 **Complétez les phrases suivantes avec** *il/elle est* **ou** *c'est*.

Exemple : M. Fonte, *il est* peintre ; *c'est* un jeune artiste.

a. Mlle Pareau, ... une bonne infirmière. .... nouvelle dans le service.

b. Je vous recommande ce fleuriste ; .... très original. .... spécialisé dans les compositions florales.

c. Vous ne connaissez pas Faudel ? .... un chanteur algérien. .... très populaire en France.

d. Johnny Halliday, ... un chanteur français mais .... d'origine belge.

e. Le professeur de français, ... sympathique. Je crois que .... une Québécoise.

f. Cette femme, ... un mannequin ; .... suédoise ; .... ma voisine.

g. .... Paul, ... kinésithérapeute, ... un de mes vieux amis.

h. Je vous présente ma cousine ; .... la fille de mon oncle, ... étudiante aux Beaux-Arts.

42 **Répondez par des phrases négatives.**

Exemple : Lisez-vous des bandes dessinées ?

→ Je *ne* lis *pas de* bandes dessinées.

a. Avez-vous un téléphone portable ?

→ ....

b. Mangez-vous des fruits de mer ?

→ ....

c. Prendrez-vous des vacances cet été ?

→ ....

d. Avez-vous un micro-ordinateur chez vous ?

→ ....

e. Faites-vous de la peinture ?

→ ....

f. Avez-vous un musicien favori ?

→ ....

g. L'été, faites-vous de l'équitation ?

→ ....

h. As-tu des amis du côté de Bastia ?

→ ....

43 Répondez aux questions suivant le modèle donné.

> *Exemples :* Vous mangez des crudités ? (peu)
>
> → Je mange **peu de** crudités.
>
> Tu bois du vin ? (eau)
>
> → Pas **du** vin mais **de l'**eau !

a. Vous voulez un café ? (thé)

→ ....

b. Tu as des fruits ? (assez)

→ ....

c. On commande une glace ? (un gâteau)

→ ....

d. Vous mangez des pommes de terre ? (trop)

→ ....

e. Tu bois de la bière ? (beaucoup)

→ ....

f. Tu prends des sucreries ? (énormément)

→ ....

g. Vous achetez des bonbons ? (chewing-gums)

→ ....

h. Vous buvez de l'alcool ? (pas du tout)

→ ....

44 Complétez les expressions suivantes par *le, la* ou *les* si nécessaire.

> *Exemples :* On parle de **la** pluie et du beau temps.
>
> Ils vivent d'... amour et d'... eau fraîche.

a. Je suis morte de ...... fatigue.

b. Il est rongé par ...... soucis.

c. Tu as accepté avec ...... empressement.

d. Elle est morte de ...... maladie du XXᵉ siècle : le cancer.

e. J'accepte avec ...... plus grande joie votre invitation.

f. Ils ont agi par ...... envie.

g. Cet homme vit de ...... charité publique.

h. Elle est venue sans ...... enthousiasme.

B. LES PRÉPOSITIONS

45 Complétez cette commande par les quantités suivantes : *une bouteille, une carafe, une assiette, un demi, une tasse, une portion, une coupe* **ou** *un plateau.*

> *Exemple :* On a commandé : de la soupe. → **Une assiette de soupe**.

a. de la glace au chocolat. → ....

b. du fromage. → ....

c. des hors-d'œuvre. → ....

d. de l'eau. → ....

e. du vin rosé. → ....

f. un chocolat chaud. → ....

g. des frites. → ....

h. de la bière. → ....

46 Composez un menu à partir des produits suivants. Assemblez les éléments qui vont ensemble.

a. un bol   1. de pommes de terre

b. une rondelle   2. de fromages

c. une friture   3. de pâtisseries

d. une casserole   4. de fruits de saison

e. un gratin   5. de soupe

f. un plateau   6. de saucisson

g. une coupe   7. de petits légumes

h. un assortiment   8. de poissons

47 Associez les éléments suivants pour commander vos plats.

Exemple : mousse – foie de volaille – truffes

→ Je voudrais *une mousse de foie de volaille aux truffes.*

a. sauté – veau – orange

→ Je voudrais ....

b. pizza – champignons – fromage

→ Je voudrais ....

c. poulet – ferme – estragon

→ Je voudrais ....

d. gigot – agneau – curry

→ Je voudrais ....

e. marinade – poissons – tomate

→ Je voudrais ....

f. salade – fruits – cannelle

→ Je voudrais ....

g. tarte – fraises – chantilly

→ Je voudrais ....

h. crème – marrons – café

→ Je voudrais ....

48 Complétez par *de* ou *en* pour indiquer la matière.

> *Exemples :* un bracelet **en** argent
>
> une jupe **de/en** laine

a. une bague ...... or

b. un pantalon ...... lin

c. un chemisier ...... coton

d. un pendentif ...... émail

e. des bottes ...... cuir

f. un collier ...... perles

g. une broche ...... cuivre

h. une veste ...... daim

49 Rayez ce qui ne convient pas (parfois plusieurs possibilités).

> *Exemples :* une tenue (de/~~en~~/~~à~~) ville
>
> une robe (~~de~~/~~en~~/à) rayures
>
> un pyjama (de/en/~~à~~) coton

a. une robe (de/en/à) soirée

b. une chemise (de/en/à) fleurs

c. un pull (de/en/à) cachemire

d. un manteau (de/en/à) fourrure

e. un gilet (de/en/à) carreaux

f. un foulard (de/en/à) pois

g. un blouson (de/en/à) demi-saison

h. un sac (de/en/à) dos

50 Complétez librement le nom de ces appareils et ustensiles.

> *Exemples :* une pince à **épiler**
>
> une lampe de **poche**

a. des lunettes de ....

b. une table de ....

c. une tasse à ....

d. un portrait de ....

e. une machine à ....

f. un livre de ....

g. une agence de ....

h. une montre à ....

51 Indiquez si ces modificateurs désignent une finalité (F) ou un contenu (C).

> *Exemples :* un verre de vin **(C)**
>
> un verre à vin **(F)**

a. un couteau à poisson ( )

b. une carafe d'eau ( )

c. une cuiller à café ( )

d. un pot à lait ( )

e. un verre à moutarde ( )

f. une coupe à glace ( )

g. une tasse de thé ( )

h. un plateau de fromages ( )

52 Complétez ces phrases par *de, d', de l', de la, du, d'un, d'une* ou *des*.

> *Exemple :* Le Festival international **du** cinéma a lieu à Cannes. C'est une ville pleine **de** charme située sur la Côte **d'**Azur, au bord **de la** mer Méditerranée.

a. Les habitants .... Grenoble ont .... chance. À partir .... mois .... décembre, ils peuvent faire .... ski. Les stations .... Alpes se trouvent à une petite heure .... voiture.

b. .... jour à l'autre, le temps change. Hier, ... sommet .... tour Eiffel, on distinguait très nettement les collines .... Saint-Cloud. Aujourd'hui, le ciel est couvert .... nuages et on ne voit même pas le dôme .... Invalides !

c. Pour le vernissage .... exposition, je vais mettre une robe .... laine. J'ai besoin .... ceinture assez large. Peux-tu me prêter celle .... ton tailleur gris ?

d. Sur la route .... Évreux, on connaît un excellent restaurant ; c'est le père .... amie qui le tient. Prenez les spécialités .... maison : le civet .... lièvre et la tarte aux pommes .... chef.

53 | Associez ces éléments pour faire des phrases (parfois plusieurs possibilités).

a. C'est la clé
b. Donne-moi ton livre
c. J'attends la fin
d. Écoute le début
e. Regarde, c'est le prof
f. Elle a cours
g. On attend la séance
h. Elle a acheté un tapis

de
de l'
de la
du
d'

1. physique.
2. 21 heures.
3. film.
4. Turquie.
5. français.
6. chambre 312.
7. histoire.
8. conférence.

Bilans

54 | Rendez à ce texte les déterminants et les prépositions qui lui ont été retirés.

...... *(1)* retour ...... *(2)* Gisèle :

Ici, ... *(3)* pays, on s'est longtemps demandé ce qu'était devenue Gisèle, ... *(4)* femme ...... *(5)* Julien. ...... *(6)* beau matin, elle a fait sa valise. ...... *(7)* armoires ...... *(8)* linge, ... *(9)* buffet ...... *(10)* ...... *(11)* cuisine, ... *(12)* placards, ... *(13)* tiroirs ...... *(14)* chacune ...... *(15)* tables, etc., elle a tout vidé, tout emporté avec elle.

Il ne restait ...... *(16)* Julien que ses propres vêtements, quelques papiers administratifs et ...... *(17)* photos ...... *(18)* sa famille. Celles qui avaient été prises ...... *(19)* temps ...... *(20)* son mariage avaient disparu pour ...... *(21)* plupart ou avaient été amputées ...... *(22)* coups ...... *(23)* ciseaux rageurs ...... *(24)* toute présence ...... *(25)* Gisèle.

...... *(26)* premiers mois passés, Julien avait repris ...... *(27)* poil ...... *(28)* ...... *(29)* bête. On lui avait même soupçonné ...... *(30)* liaison avec Monique, ... *(31)* sœur ...... *(32)* Gisèle. Et puis hier, quinze ans après, ... *(33)* impossible s'est produit. Gisèle est revenue, ... *(34)* sourire ...... *(35)* lèvres, comme si ...... *(36)* rien n'était, comme si ...... *(37)* n'était partie que ...... *(38)* veille ...... *(39)* soir pour rendre ...... *(40)* petite visite ...... *(41)* sa vieille mère malade !

55 Complétez ce texte par des déterminants et des prépositions si nécessaire.

...... *(1) déclin* ...... *(2) mariage :*

En France, ... *(3) couple traditionnel a* ...... *(4) plomb dans* ...... *(5) aile ! Cependant,* ...... *(6) affaiblissement* ...... *(7) nombre* ...... *(8) mariages n'est pas propre* ...... *(9) notre pays ; toute* ...... *(10) Europe connaît* ...... *(11) même phénomène. Mais la France (où* ...... *(12) taux* ...... *(13) nuptialité n'atteint que 4,4 pour 1 000 habitants) est, avec* ...... *(14) Finlande et* ...... *(15) Suède, un* ...... *(16) pays où on se marie le moins. Parallèlement,* ...... *(17) nombre* ...... *(18) couples candidats* ...... *(19) divorce a triplé depuis* ...... *(20) années 60.*

Plusieurs types ...... *(21) explications peuvent être avancés.* ...... *(22) facteurs juridiques ont joué : notamment* ...... *(23) divorces par consentement mutuel,* ...... *(24) succès* ...... *(25) PACS*, et jusqu'en 1996* ...... *(26) avantages fiscaux pour* ...... *(27) couples non mariés qui ont* ...... *(28) enfants. De même,* ...... *(29) crise et* ...... *(30) allongement* ...... *(31) études ont eu tendance* ...... *(32) repousser* ...... *(33) insertion dans* ...... *(34) monde* ...... *(35) travail et* ...... *(36) rendre plus tardive* ...... *(37) indépendance financière* ...... *(38) enfants.*

En fait, ... *(39) éléments expliquent surtout* ...... *(40) recul* ...... *(41) âge moyen* ...... *(42) moment* ...... *(43) mariage (en 1995, 28,7 ans pour les hommes et 26,6 ans pour les femmes). En réalité,* ...... *(44) changements plus profonds sont intervenus dans* ...... *(45) couple. Par* ...... *(46) travail,* ...... *(47) femme a acquis* ...... *(48) certaine autonomie ; de plus,* ...... *(49) repères traditionnels, notamment ceux liés* ...... *(50) religion ont perdu* ...... *(51) terrain.*

Pourtant, ... *(52) couple reste* ...... *(53) valeur sûre mais sa forme a changé. Il a fait place* ...... *(54) cohabitation hors* ...... *(55) mariage qui s'est fortement développée depuis le début des années 80.*

---

* *PACS :* PActe Civil de Solidarité : *contrat reconnaissant une union entre deux personnes de sexe opposé ou de même sexe.*

III. AUTRES PRÉPOSITIONS

On ne voit bien qu'avec le cœur, l'essentiel est invisible pour les yeux.
Antoine de Saint-Exupéry

A. PRÉPOSITIONS DE LIEU

56 Écrivez le contraire des expressions soulignées.

    Exemple : Le maire veut développer les commerces <u>hors</u> centre-ville.

            → Le maire veut développer les commerces **du** centre-ville.

a. J'habite <u>loin de</u> chez mes parents.

→ ....

b. Dans le train, je prendrai la couchette située <u>au-dessus de</u> la tienne.

→ ....

c. Les toilettes sont situées <u>à gauche de</u> la salle de bains.

→ ....

d. <u>Au pied de</u> la butte Montmartre, on croise toujours des foules de touristes.

→ ....

e. En terme de popularité, le Président se placerait <u>devant</u> le Premier ministre.

→ ....

f. Le cabinet d'avocat est situé <u>en bas de</u> mon immeuble.

→ ....

g. Je te téléphonerai <u>après</u> le week-end de Pentecôte.

→ ....

h. On se retrouvera <u>à l'intérieur du</u> jardin.

→ ....

57 Complétez les phrases suivantes par : *le long de, contre, en face de, à l'opposé de, vers, autour de, près de* **ou** *sous*.

    Exemple : J'ai laissé ton vélo **hors du** garage ; je n'avais pas la clé.

a. On a installé des coussins tout .... son lit pour qu'il ne se fasse pas mal.

b. Nous marcherons un peu .... canal, ça nous promènera.

c. Regarde si tes chaussons n'ont pas glissé .... ton lit !

d. Vous vous dirigerez .... Fontainebleau mais vous tournerez avant.

e. Ils se sont installés .... la ferme de ses parents.

f. Ne posez pas vos cannes à pêche .... le mur ; elles risquent de tomber !

g. L'école se trouve .... l'église, vous ne pouvez pas la manquer !

h. La poste, vous lui tournez le dos ; elle est exactement .... village.

58 Faites des phrases en associant ces éléments (parfois plusieurs possibilités).

a. Les enfants n'aiment pas vivre	pour	1. ce porche.
b. On passera	devant	2. ses amis.
c. C'est le train	chez	3. Amiens.
d. Garez-vous	en	4. ton nez.
e. Je te retrouverai	sous	5. appartement.
f. Martine restera	par	6. la corniche.
g. Abritons-nous	vers	7. le restaurant.
h. Tes lunettes sont juste	en face de	8. le rayon des jouets.

59 Complétez les phrases suivantes par *de... à, de... vers* ou *de... jusqu'à*.

Exemple : Nous avons suivi l'autoroute pendant 33 kilomètres, *de* Beaune *à* Chalon-sur-Saône.

a. Ils ont entièrement traversé la France, ... Dunkerque .... Menton. Quel voyage !

b. Pour aller .... Nice .... Paris, il faut compter neuf heures en voiture.

c. Le vendredi soir, la circulation est toujours dense .... centre de Marseille .... la mer : les gens partent en week-end.

d. Attention, gros ralentissement sur le boulevard périphérique .... la porte de Vincennes .... la porte de Bagnolet.

e. Ils ont marché .... Luxembourg .... l'Opéra-Bastille ; je comprends qu'ils soient fatigués !

f. .... Marseille .... Paris, le TGV sud-est roule à une moyenne de 260 km/h.

g. Je voudrais prendre le train .... Moscou .... Pékin : c'est un de mes rêves.

h. Tu ne mets que trois minutes pour aller .... chez toi .... ton école ? Tu as de la chance !

B. PRÉPOSITIONS DE TEMPS

60 Complétez les phrases suivantes par : *dès, à partir de, avant de, au début de, d'ores et déjà, jusqu'à, au bout de, après* ou *d'ici là*.

Exemple : Hier soir, nous avons veillé *jusqu'à* 3 heures, je n'en pouvais plus !

a. .... partir, n'oubliez pas de faire sortir le chat !

b. Elle s'est endormie .... les premières minutes ; quel dommage !

c. Ils l'ont attendu puis .... une trentaine de minutes, ils sont partis sans lui.

d. Quand tu seras majeur, tu feras ce que tu voudras mais, ..., tu fais ce que je te demande.

e. Le bilan de cette opération est .... connu : 8 000 euros de dons collectés au profit de la recherche médicale.

f. Le magasin ouvrira .... 1er septembre.

g. Le tonnerre a grondé ; quelques secondes .... on a senti les premières gouttes.

h. Je n'aime plus du tout Orléans, pourtant, ... mon séjour, je m'y plaisais.

61 **Complétez ces phrases par :** *sous, dans, en, avant, d'ici, dès, vers, par, de, pour* **ou** *depuis.*

> *Exemple :* Nous prendrons nos vacances en Bretagne *dans* trois mois.

a. Je te passerai un coup de fil .... la fin de la semaine.

b. Elle n'est pas retournée à Nice .... son enfance.

c. Nous aurons nos résultats de partiel .... fin janvier.

d. Phileas Fogg a fait le tour du monde .... quatre-vingts jours.

e. Votre facture sera honorée .... quatre-vingt-dix jours.

f. Mon mari est parti en mer .... cinq mois.

g. Il gagne 46 000 euros .... an, ce qui est un bon salaire.

h. Pour les vendanges, les saisonniers sont payés environ 6 euros .... l'heure.

62 **Rayez ce qui ne convient pas.**

> *Exemple :* Mon frère a contracté un emprunt (~~en~~/~~dans~~/sur) quinze ans pour acheter sa maison.

a. Elle a demandé à partir en préretraite (dès/au bout de/pour) l'âge de 55 ans.

b. (Depuis/À partir de/Après) la rentrée des classes, on sent que l'été est terminé.

c. (Depuis/Pour/Sous) quelques mois, la France ne peut plus frapper de monnaie nationale.

d. Ce plat se prépare (pour/dans/en) une vingtaine de minutes.

e. Nous n'avons encore rien décidé (vers/pour/sur) les prochaines campagnes publicitaires.

f. Il n'a pas cessé de pleuvoir (pendant/depuis/pour) les fêtes de fin d'année.

g. Jonathan aura terminé ses études (d'ici/durant/sur) l'année prochaine.

h. Les étudiants ont beaucoup progressé (au bout/au cours/à partir) du premier trimestre.

C. PRÉPOSITIONS DIVERSES

63 **Associez les éléments suivants pour faire des phrases.**

a. Je t'assure que tu peux compter	1. avec le temps.
b. Les députés se sont élevés	2. en car.
c. Ne ris pas, il se prend	3. selon vos professeurs.
d. Quel étourdi, il est parti	4. dans les 20 ans.
e. Tout s'arrange	5. sur Hélène.
f. Élise doit avoir	6. pour un grand poète.
g. Je vous déconseille d'y aller	7. contre ce projet de loi.
h. Vous n'aurez aucune difficulté	8. sans ses papiers.

64 Complétez les phrases suivantes avec *par* ou *pour*.

Exemple : Ils se sont finalement décidés ***pour*** une petite voiture.

a. Qu'entendez-vous .... « rapidement » ?

b. Ils sont arrivés ici .... quel hasard ?

c. C'est .... cette raison que j'ai démissionné.

d. Si tu n'envoies pas ce pli .... la poste aujourd'hui même, il ne le recevra jamais à temps.

e. .... tous les temps, mon père portait ce vieux blouson.

f. .... tout vous avouer, je n'ai pas aimé ce roman.

g. Les professeurs de philosophie passent souvent .... des originaux.

h. Elle a été engagée .... son sens de l'organisation.

65 Complétez les phrases suivantes à l'aide de : *sous, sur, pour, en, sans, envers, d'après, contre* **ou** *avec*.

Exemple : Le juge a préféré passer ***sous*** silence une partie du dossier.

a. Cette sortie est réservée aux clients .... achats.

b. Aujourd'hui, les enfants ont peu de respect .... les personnes âgées.

c. Louise a peint cette toile .... nature.

d. Tu as un peu tendance à prendre tes désirs .... des réalités.

e. L'INSEE* mène de grandes enquêtes .... la population française.

f. Et la citrouille se transforma aussitôt .... carrosse.

g. Elle a agi .... sa volonté ; on l'y a forcée.

h. Je n'arriverai jamais à faire tout ça, même .... l'aide de ma sœur.

66 Rayez ce qui ne convient pas.

Exemples : Le chien s'est enfui : il a sauté (~~au-dessus~~/par-dessus) la clôture.

Les avions n'ont pas le droit de passer (au-dessus/~~par-dessus~~) des grandes villes.

a. Ils ont acheté un sandwich (avant/devant) de monter dans le train.

b. Les bagages sont rangés (derrière/à l'arrière) de la voiture, dans le coffre.

c. Mon portefeuille a glissé (au-dessous du/sous le) fauteuil et je ne peux pas l'attraper.

d. Ses amis ne vivent pas en banlieue mais (dans/à l'intérieur de) Perpignan.

e. Regarde cette photo ; je suis juste (derrière/à l'arrière de) la mariée.

f. Vous verrez la pharmacie, elle se trouve un peu (avant/devant) le grand carrefour.

g. Mme Delile, ce n'est pas ici, elle habite (au-dessous de/sous) chez moi.

h. Je n'ai pas dit sur le bureau, sinon tu le verrais, mais (dans le/à l'intérieur du) bureau.

---

* INSEE : Institut National de la Statistique et des Études Économiques.

67 Complétez les phrases suivantes avec : *à l'encontre de, à la rencontre de, en raison de, à raison de, envers, vers, à défaut de, faute de, hors de* **ou** *hormis*.

Exemples : Joseph est très reconnaissant ***envers*** sa famille.

Les premières télévisions ont été commercialisées ***vers*** le début des années 50.

a. On ne peut rien lui reprocher .... ses retards répétés.

b. Les bus ne circuleront pas le jeudi 6 juin .... l'arrêt de travail des conducteurs.

c. Mon fils n'a pas poursuivi ses études .... moyens.

d. Son état de santé s'est nettement amélioré ; il est désormais .... danger.

e. Si vous ne suivez pas ces conseils, vous allez .... nombreux problèmes.

f. .... quelques minutes de gymnastique quotidienne, elle retrouvera vite une allure de jeune fille.

g. .... pain, nous nous contenterons de biscottes.

h. Nous lui avons proposé de passer la nuit chez nous ; .... notre suggestion, il a repris la route.

68 Complétez les phrases suivantes avec : *à la faveur de, en faveur de, à part, de la part de, à travers, en travers de, quant à, quitte à, de fait* **ou** *en fait*.

Exemples : Brigitte se pensait malade ; ***en fait***, elle attendait un enfant.

Les Français ont réduit leur consommation de vin : ***de fait***, ils boivent beaucoup plus d'eau minérale.

a. .... partir avant la fin du film, je préfère ne pas aller au cinéma.

b. Les députés ont voté une nouvelle loi .... l'emploi des jeunes.

c. Je vous apporte une galette et un petit pot de beurre .... ma mère.

d. .... son contrat de travail, il n'en a jamais reçu de copie.

e. Après la tornade de cette nuit, on a trouvé un arbre couché .... l'allée.

f. Tous les étudiants se sont présentés au cours ce matin, ... Catherine Baudin.

g. Les prisonniers se sont évadés .... la nuit.

h. On retrouve l'empreinte des auteurs du XIXe siècle .... la littérature contemporaine.

Bilans

---

69 Rendez à ce texte les prépositions qui lui font défaut.

De Brest à Gibraltar :

Barnabé a gardé une forme de jeune homme. .... *(1)* des avertissements de ses enfants, il a décidé d'aller à pied .... *(2)* Brest .... *(3)* Gibraltar. Le départ se fera .... *(4)* lundi matin, ... *(5)* trois jours. « .... *(6)* 60 ans, explique-t-il, il faut se lancer des défis, ... *(7)* affronter la vieillesse ». .... *(8)* un an, ... *(9)* la campagne, ... *(10)* les routes de France et d'Espagne, il va marcher huit heures .... *(11)* jour. .... *(12)* intempéries, ... *(13)* la pluie, ... *(14)* le vent, il lui faudra parfois suspendre son défi. Mais, ... *(15)* ces circonstances, il jure de tenir son engagement.

.... *(16)* qu'il a ce projet en tête, ses amis le trouvent déjà rajeuni. Un rêve .... *(17)* soi, ne serait-ce pas la meilleure des cures de jouvence ?

---

70 Complétez ce texte par les prépositions suivantes : en dépit des, à partir de, hors de, parmi, face aux, dans, derrière, et, depuis, dès, à travers, sur, pendant, en, pour, par, à, de **ou** après.

Le Tour de France :

.... *(1)* 1903, les étés français sont ponctués .... *(2)* le Tour. .... *(3)* changements de modes .... *(4)* de mœurs, chaque mois .... *(5)* juillet ajoute .... *(6)* l'épopée des « géants de la route ». Et chaque année, des millions de personnes se passionnent .... *(7)* cette course désormais entrée .... *(8)* la légende.

.... *(9)* 1905, les coureurs doivent faire leurs preuves .... *(10)* premières étapes de montagne. Tout le monde peut suivre cette course .... *(11)* les ondes, ... *(12)* 1929 puisque la TSF* diffuse les premiers enregistrements directs. .... *(13)* les années 30, les coureurs sont organisés .... *(14)* équipes nationales et .... *(15)* eux, suivent des caravanes publicitaires.

Aujourd'hui, le Tour rassemble de nombreux coureurs venus de partout. Il se déroule .... *(16)* trois semaines, passe aussi bien .... *(17)* la France que .... *(18)* ses frontières. .... *(19)* Eugène Christophe qui sera le premier champion à revêtir le Maillot jaune en 1919, d'autres grands noms figurent .... *(20)* les vainqueurs du Tour : Jacques Anquetil, Eddy Merckx, Bernard Hinault, Greg Lemond, Miguel Indurain ...

---

* TSF : Transmission Sans Fil *(pour la radio)*.

IV. LES TEMPS DU PASSÉ

Si jeunesse savait, si vieillesse pouvait.

A. EMPLOI DE L'IMPARFAIT, DU PASSÉ COMPOSÉ ET DU PLUS-QUE-PARFAIT

71 Réécrivez à l'imparfait les phrases suivantes pour exprimer des états.

Exemple : Le peuple redoute autant la disette que les bourgeois craignent la banqueroute.

→ En 1789, le peuple **redoutait** autant la disette que les bourgeois **craignaient** la banqueroute.

a. La *Picasso* apporte à l'image de Citroën un véritable « coup de jeune ».

→ En 2000, *la Picasso apportait à l'image de Citroën un véritable « coup de jeune ».*

b. L'Algérie se trouve sous domination turque.

→ Au début du XIXᵉ siècle, *l'Algérie s'est trouvée sous domination turque.*

c. Napoléon III est président de la République.

→ Avant de s'autoproclamer empereur, *Napoléon III était président de la République.*

d. Il ne se lève jamais avant 10 heures le dimanche.

→ Adolescent, *il ne s'est levé jamais avant 10 heures le dimanche.*

e. Mon oncle parcourt tous les jours dix kilomètres à pied.

→ Jusqu'à l'âge de 90 ans, *mon oncle parcourait tous les jours dix km à pied.*

f. Romain Gary exerce une brillante carrière de diplomate.

→ Avant de se consacrer à la littérature, *Romain Gary exerçait une brillante carrière de diplomate.*

g. Jacques et moi, nous allons régulièrement au théâtre.

→ À Paris, *Jacques et moi, nous allions régulièrement au théâtre.*

h. Il choisit avec attention les légumes les plus frais.

→ Quand il allait au marché, *il choisait avec attention les légumes les plus frais.*

72 Répondez aux questions suivantes en employant le passé composé (attention à l'accord des participes passés).

Exemple : Tu as pris assez d'argent ? → Non, *je n'en ai pas pris assez.*

a. Tu as déchiffré la partition sans trop d'efforts ?

→ Non, *je ne l'ai pas déchiffrées sans trop d'efforts*

b. Brigitte a envoyé les cartes postales à ses amis ?

→ Non, *elle n'a pas les envoyées à ses amis.*

c. Vous avez fait des travaux chez vous ?

→ Oui, *nous l'avons faits chez nous*

d. Tu as lu le dernier bouquin de Jacques Attali ?

→ Non, *je n'en ai pas lu*.

e. Le gardien a réparé les boîtes aux lettres ?

→ Oui, *le gardien l'a réparée*.

f. La police a identifié les coupables ?

→ Non, *la police n'ont pas les identifiés*.

g. Les services de la météo ont annoncé cette pluie ?

→ Non, *les services de la météo ne l'ont pas annoncée*.

h. Tu as donné ta démission ?

→ Non, *je ne l'ai pas donnée*.

73 Accordez si nécessaire le participe passé dans les phrases suivantes. Attention, la personne qui s'exprime est une femme qui parle en son nom *(je)* et parfois aussi en celui de son amie *(nous)*.

Exemple : Il n'est pas beau, c'est vrai ; pourtant, il nous a séduit**es** l'une et l'autre !

a. Nous lui avons prêté...... notre appartement.

b. Nous lui avons parlé...... avec franchise.

c. Les copines que nous avons aperçu**es**... ce matin te cherchaient.

d. Le jus d'orange nous a désaltéré...... et nous a rendu...... notre tonus.

e. Je me suis enfin relevé**e**... de cette mauvaise grippe.

f. Ils m'ont accompagné...... au piano et à la flûte.

g. Nous leur avons proposé**s**.... de repeindre toute la cuisine.

h. T'avons-nous convaincu...... qu'il était trop vieux pour t'épouser ?

74 Accordez si nécessaire les participes passés suivants.

Exemples : Hélène s'est tordu... la cheville.

Nous nous sommes rencontré**s** un samedi.

a. Déçue, je me suis opposé**e**... à cette décision.

b. Vous vous êtes parlé...... sans vous mettre en colère. *parler à quelqu'un*

c. Ils se sont aperçu**s**.... qu'ils avaient étudié dans le même lycée.

d. Elle s'est juré...... de ne plus fumer le matin.

e. Ils se sont donné...... rendez-vous place de la Bastille.

f. Nous nous sommes rendu...... compte de notre erreur.

g. Ils se sont installé**s**.... à Paris il y a trois ans.

h. Vous vous êtes raté**s**.... de trois minutes.

vous avez raté qui ? → vous.

75 Conjuguez au temps qui convient le verbe entre parenthèses.

Exemple : À travers les femmes qu'il a aimées, Paul Léautaud recherchait sa mère. Il le *savait* (savoir) et l'a même écrit.

a. Trois jeunes ont été tués hier soir dans la banlieue de Strasbourg alors qu'ils .... *circulaient* (circuler) dans une voiture volée.

b. L'idée de défense européenne *est devenue*........ (devenir) une espèce de serpent de mer communautaire.

c. À l'aéroport, l'hôtesse nous ..*avons dit*.......... (dire) que notre avion ne partait que le lendemain.

d. Nathalie a arrêté la cigarette le mois dernier. Elle ..*a fumé*............ (fumer) plus d'un paquet par jour.

e. Max Linder était un immense comédien qui ne ...*mesurait*........ (mesurer) qu'un mètre cinquante-sept.

f. Nous n'avions pas de dictionnaire. C'est pour cette raison que nous *n'ont pas corrigé*..... (ne pas corriger) toutes les fautes.

g. Avant la crise, Frédéric ...*travaillait*........ (travailler) pour un constructeur naval. Depuis, il a totalement changé d'activité.

h. Louis II a menacé de ruine la Bavière en construisant des châteaux extravagants. Son entourage ....*disait*............. (dire) qu'il était fou.

---

76 **Reconstituez les phrases suivantes.**

a. Je suis allé voir *Tirez sur le pianiste* hier soir.

b. Nous avons passé un instant formidable avec nos amis.

c. En rentrant, Lucien a cherché à retrouver les gens avec lesquels

d. J'étais malade comme un chien.

e. L'immeuble avait brûlé en 1895

f. Avant de devenir patron de son entreprise,

g. Jusqu'à la guerre,

h. Elle s'était mariée à 15 ans

1. il avait été manutentionnaire.

2. sa vie avait été très agréable.

3. puis avait été reconstruit l'année suivante.

4. puis était devenue danseuse dans un cabaret.

5. il avait vécu dix ans plus tôt.

6. C'est un classique, pourtant je ne l'avais jamais vu.

7. Ils avaient été si déçus de ne pas nous voir l'été dernier.

8. J'avais attrapé le paludisme.

---

77 **Écrivez au plus-que-parfait les phrases suivantes.**

Exemple : Avant d'acheter ma nouvelle voiture, j'**avais remboursé** (rembourser) toutes mes dettes.

a. Il est vrai que ses premiers films m'*avaient plu*..... (plaire) ; en les revoyant récemment, j'ai compris que j'*avais été*....... (être) sous l'emprise de mon romantisme d'adolescent.

b. Nous avions acheté un graveur de CD à Singapour. En fait, nous .*étions allés*.. (aller) chercher bien loin ce que nous aurions pu trouver à côté de chez nous.

c. Hier, j'ai croisé la chanteuse qui ..*avait représenté*. (représenter) la France au concours de l'Eurovision en 1973.

d. Jean Barois est mort. Sur la fin, il .*était devenu*... (devenir) complètement mystique.

e. Ces hommes affamés .*n'avaient rien avalé*. (ne rien avaler) depuis trois jours.

f. Job .*avait donné*... (donner) tout son bien aux pauvres, avant que Dieu ne le lui rendit.

g. Avant de rencontrer Edwige, Luc .*n'avait jamais ri*. (ne jamais rire) d'aussi bon cœur.

h. Avant notre arrivée, Sylvie .*avait composé*. (composer) une décoration florale absolument ravissante !

78 Transformez les phrases suivantes en employant l'imparfait, le passé composé et, lorsque cela est possible, le plus-que-parfait.

> *Exemple :* Dans le métro, on rencontre toutes sortes de gens. Ceux qui font la manche comme ceux qui se donnent en spectacle.
>
> → Dans les années 80, dans le métro, on **rencontrait** toutes sortes de gens. Ceux qui **faisaient** la manche comme ceux qui se **donnaient** en spectacle.

a. Elle va souvent en Normandie, c'est la région qui l'a vue naître.

→ Avant sa maladie, *elle était venue souvent en Normandie, c'est la région qui l'avait vue naître.*

b. Marion travaille dans une boîte de nuit qui a eu beaucoup de succès auprès des jeunes Toulousains pendant la guerre.

→ Avant son mariage, *Marion avait travaillé dans une boîte de nuit qui a eu beaucoup de succès auprès des jeunes Toulousains pendant la guerre.*

c. Les guides me disent que, le matin, il faut éviter de passer par le nord.

→ Hier, *les guides m'ont dit que, le matin, il fallait éviter de passer par le nord.*

d. Elvire est effondrée et accuse Dom Juan car il l'a déshonorée.

→ Dans sa première scène, *Elvire était effondrée et accusait Dom Juan car il l'avait déshonorée.*

e. Malgré la circulation, on constate que le vélo est très pratiqué à Paris.

→ Au début des années 90, *Malgré la circulation, on a constaté que le vélo était très pratiqué à Paris.*

f. Adèle traverse l'océan car elle veut avouer son amour au lieutenant Pinson.

→ À 20 ans, *Adèle a traversé l'océan car elle a voulu avouer son amour au lieutenant Pinson.*

g. Michel Poicard aime Patricia, une jeune américaine qui est venue faire ses études en France.

→ Avant sa mort, *Michel Poicard avait aimé Patricia, une une américaine qui est venue faire ses études en France.*

h. Le ministre de l'Intérieur renforce la répression contre les immigrés clandestins qu'il trouve trop nombreux.

→ À la suite des attentats de l'été 95, *le ministre d'Intérieur a renforcé la répression contre les immigrés clandestins qu'il trouvait trop nombreux.*

79 Transformez les phrases suivantes en les réécrivant au passé.

> *Exemple :* Anna est en vacances. Je reçois une carte dans laquelle elle me dit qu'elle a retrouvé une vieille amie.
>
> → Anna **était** en vacances. J'**ai reçu** une carte dans laquelle elle me **disait** qu'elle **avait retrouvé** une vieille amie.

a. L'air est si doux que nous passons notre temps dehors. Nous prenons le petit déjeuner, nous déjeunons et nous dînons en famille dans le jardin.

→ L'air était *si doux que nous passions notre temps dehors. Nous avons pris le petit déjeuner, nous déjeunions et nous dînions en famille dans le jardin.*

b. Le facteur monte le courrier tous les matins. Je l'attends avec impatience car j'espère chaque jour un mot de toi.

→ Le facteur montait *le courrier tous les matins. Je l'attendais avec impatience car j'espérais chaque jour un mot de toi.*

c. Je vois passer un bateau qui est toutes voiles dehors et je me demande où il peut aller avec une mer pareille.

→ L'autre jour, j'avais vu passer un bateau *qui était toutes voiles dehors et je m'avais demandé où il a pu aller avec une mer pareille*

d. André Gide aime beaucoup Marivaux. Mais pour dix pièces de Marivaux, il ne donne pas une seule pièce de Molière.

→ André Gide aimait *beaucoup Marivaux. Mais pour la pièces de Marivaux, il n'a pas donné une seule pièce de Molière.*

e. Mon fils ne lit pas assez. Il a des lacunes terribles. Je le lui dis souvent mais il n'y a rien à faire.

→ Mon fils n'avait pas assez lu. *Il avait des lacunes terribles. Je le lui avait dit souvent mais il n'y a rien à faire*

f. Tu vends ta collection de timbres pour une bouchée de pain. Tu as donc un tel besoin d'argent !

→ Tu as vendu *ta collection de timbres pour une bouchée de pain. Tu avait donc un tel besoin d'argent.*

g. J'aime jouer au football. Je l'ai pratiqué, comme tous les gosses de mon âge, dans la cour de récréation.

→ J'aimais *jouer au football. Je l'avais practiqué, comme tous les gosses de mon âge, dans la cour de récréation*

h. Les promoteurs s'acharnent sur le Sud de la France et le transforment en une vaste zone urbaine hétéroclite.

→ Les promoteurs se sont acharnés *sur le Sud de la France et le transformait en une vaste zone urbaine hétéroclite.*

B. LE PASSÉ SIMPLE : FORME ET EMPLOIS

80 Soulignez dans le texte suivant les verbes au passé simple.

Elle <u>reposa</u> assez tranquillement jusqu'à deux heures du matin ; mais alors je l'entendis se plaindre : je lui parlai, elle n'était plus en état de me répondre. Elle ne fit que me serrer la main très légèrement, et elle avait le visage d'une personne mourante. La frayeur alors s'empara de moi : je tombai dans l'égarement ; de ma vie je ne sentis rien d'aussi terrible. Il me sembla que tout l'univers était un désert où j'allais rester seule : je compris combien je l'aimais, combien elle m'avait aimée ; tout cela se peignit dans mon cœur d'une manière si vive que cette image-là me désola. (D'après *La Vie de Marianne* de Marivaux).

81 Mettez les verbes soulignés au passé simple.

Exemple : Il est entré dans la taverne avec son ami.

→ Il **entra** dans la taverne avec son ami.

a. Ils ont salué l'assistance.

→ ....

b. Nous avons tous levé nos verres pour boire à leur santé.

→ ....

c. Juliette a entrepris de chanter une chanson de Piaf.

→ ....

d. Moi, j'ai souri de voir cette heureuse assistance.

→ ....

e. Vous, vous avez continué à vider vos verres sans retenue.

→ ....

f. Des étudiants sont accourus pour lui demander de raconter une histoire.

→ ....

g. Le poète s'est un peu fait prier avant d'accepter.

→ ....

h. Finalement, il a pris la parole.

→ ....

82 Reconstituez les phrases suivantes.

a. Vincent était allongé sur son lit

b. Tarzan mangeait tranquillement sa banane.

c. J'étais devant mon poste de télévision.

d. Alors qu'Alice ne s'y attendait pas,

e. Laurent promenait son caniche.

f. J'étais seul sur le balcon

g. Il faisait chaud, ce soir-là.

h. Marc ressentait une curieuse douleur derrière la nuque.

1. quand j'aperçus la voiture du baron.

2. Brusquement, un énorme briard les poursuivit.

3. la voiture fonça sur elle.

4. Tout à coup, je vis le visage de Madeleine sur l'écran.

5. Soudain, le singe se jeta sur lui.

6. lorsque la lumière s'éteignit.

7. Sans attendre, Claire appela SOS Médecins*.

8. J'enlevai ma veste d'un geste rapide.

83 Conjuguez au passé simple les verbes entre parenthèses.

Ce matin-là, Michel s'était levé de bonne humeur. Il faisait beau, chaud et il avait fait un rêve tendre, plein du plaisir que procurent d'agréables rencontres. Il se **servit** (servir) un bol de café, ... (allumer) la radio et... c'est à ce moment-là que les choses .... (commencer) à se détraquer. Un journaliste racontait sur un ton badin toutes les misères du monde. La guerre avait éclaté là, telle maladie connaissait un développement

---

* SOS Médecins : service téléphonique d'urgences médicales.

ahurissant ici, tel train avait déraillé en Inde et entraîné dans la mort des centaines de gens. Une fameuse équipe de football s'était inclinée devant une autre, inconnue ; une vedette de cinéma avait divorcé d'avec une Miss Monde ; la TVA* allait encore augmenter... L'œil triste, les oreilles terrassées par tant de catastrophes, il en .... (oublier) la biscotte qu'il tenait du bout des doigts et ne la .... (voir) pas se désintégrer dans son café. Consterné, il .... (aller) vider le tout dans l'évier et .... (pousser) un gros soupir qui .... (avoir) pour effet de réveiller les chats qui .... (aller) se réfugier dans le lit encore tiède...

84 **Écrivez les verbes entre parenthèses à l'imparfait ou au passé simple.**

> *Exemple :* En entrant, il **aperçut** (apercevoir) Paul qui **fumait** (fumer) un cigare.

a. Je .... (prendre) le train qui .... (partir) pour Nice.

b. Les Bourgeois de Calais .... (remettre) les clés de la ville aux Anglais.

c. Ils .... (décider) d'abandonner la course. Les autres n'.................... (être) pas assez entraînés.

d. Il y .... (avoir) une vague plus haute que les autres qui .... (engloutir) le navire.

e. La dame .... (prendre) le billet de 20 euros et le .... (tendre) au mendiant.

f. Ils .... (emplir) la remorque de gravats qui .... (être) bien trop lourds.

g. J'.................... (entendre) le « bang » du Concorde qui .... (passer) au-dessus de la maison.

h. Elle .... (servir) une soupe qui .... (sentir) délicieusement bon.

85 **Écrivez les phrases suivantes au passé en utilisant le passé simple et, éventuellement, d'autres temps du passé.**

> *Exemple :* Il nous raconte l'histoire de ses tristes amours.
> → Il nous **raconta** l'histoire de ses tristes amours.

a. Olympe le séduit parce qu'elle a un corps parfait.

→ ....

b. Juliette est sensuelle, ce qui lui plaît beaucoup.

→ ....

c. La douceur d'Antonia et son caractère passionné le ravissent.

→ ....

d. Pourtant, il ne peut garder l'amour d'aucune des trois.

→ ....

e. La première se brise sous ses yeux car ce n'est qu'une poupée mécanique que Robert Houdin a conçue.

→ ....

---

* TVA : Taxe sur la Valeur Ajoutée.

f. La deuxième est vénale et ne fait que se moquer de lui.

→ ....

g. Quant à la troisième, elle ne survit pas à la maladie qu'elle a héritée de sa mère.

→ ....

h. C'est ici que notre poète termine son histoire.

→ ....

86 **Passé simple, imparfait ou plus-que-parfait ? Complétez les phrases suivantes en conjuguant le verbe entre parenthèses.**

Exemple : Napoléon **prit** (prendre) la parole et **dit** (dire) : « Merci », ce qui **était** (être) rare de la part de l'Empereur qui **n'avait pas appris** (ne pas apprendre) la politesse.

a. Je .... (manger) tranquillement mon steak frites lorsque tu .... (arriver).

b. Tu me .... (dire) que nous .... (oublier) le rendez-vous et que nous .... (être) en retard.

c. Je te .... (demander) de quel rendez-vous il .... (s'agir) et tu .... (hausser) les épaules.

d. Tu .... (recevoir) ma lettre mais tu ne me .... (répondre) jamais.

e. Le pétrole .... (jaillir) à l'endroit où j'........................ (construire) ma maison.

f. J'........................ (avoir) à peine le temps de retirer ma serviette que tu me .... (pousser) dehors.

g. Le temps .... (presser), Anne, Pauline et Pierre .... (descendre) quatre à quatre l'escalier.

h. Alain et Marie .... (s'engouffrer) dans un taxi qui les .... (attendre).

87 **Réécrivez les phrases suivantes en employant le passé simple, l'imparfait ou le plus-que-parfait.**

Exemple : La reine d'Angleterre, Elisabeth Ire, meurt à Richmond le 24 mars 1603.

→ La reine d'Angleterre, Elisabeth Ire, **mourut** à Richmond le 24 mars 1603.

a. Son père Henri VIII épouse six femmes. La première, Catherine d'Aragon, met au monde une fille. → ....

....

b. Henri divorce après dix-huit ans de mariage car Catherine ne lui donne pas de garçon.

→ ....

....

c. Anne Boleyn est ravissante. Henri la fait exécuter car de méchantes rumeurs courent sur son compte. → ....

....

d. De plus, elle non plus ne lui donne pas d'héritier mâle. → ....

....

e. Jeanne Seymour accouche du seul héritier mâle du roi mais cette naissance lui est fatale. → ....
....

f. Henri et Anne de Clèves divorcent l'année même de leur mariage. → ....
....

g. On décapite la belle Catherine Howard parce qu'elle déshonore la couronne. → ....
....

h. Catherine Parr est plus une infirmière qu'une épouse pour le vieux roi qui la précède dans la mort. → ....
....

C. LE PASSÉ ANTÉRIEUR ET LE PASSÉ SURCOMPOSÉ : FORMES ET EMPLOIS

88 Réécrivez ces phrases au passé antérieur.

Exemple : J'aperçois mon ami. → J'**eus aperçu** mon ami.

a. Nous vainquons la concurrence. → ....

b. Nous passons le mur du son. → ....

c. Tu perds ton temps. → ....

d. Elles descendent la piste noire. → ....

e. Elles émeuvent les juges. → ....

f. Il désigne le coupable. → ....

g. Ils dorment à la belle étoile. → ....

h. Elle disparaît derrière la porte. → ....

89 Complétez les phrases en utilisant le passé antérieur.

Exemples : Mon père **n'eut pas plutôt quitté** (ne pas plutôt/quitter) la maison que je descendis quatre à quatre chez Catherine.

Je **ne fus pas plutôt arrivé** (ne pas plutôt/arriver) chez Catherine qu'elle sauta dans mes bras.

a. La cloche .... (ne pas plutôt/sonner) que tous les élèves furent dehors.

b. Jean .... (ne pas plutôt/rendre) l'âme que ses enfants s'étripèrent pour partager sa fortune.

c. On .... (ne pas plutôt/ouvrir) les portes que les clients se ruèrent dans le magasin.

d. Vous .... (ne pas plutôt/monter) que tout le monde vous emboîta le pas.

e. Nous .... (ne pas plutôt/partir) que nos successeurs investirent les lieux.

f. Les pompiers .... (ne pas plutôt/éteindre) l'incendie à Brignoles qu'un autre se déclara à Barjols.

g. Les militaires .... (ne pas plutôt/sortir) du pays que la guerre civile éclata.

h. Il .... (ne pas plutôt/acheter) sa nouvelle voiture qu'il se la fit voler.

90 **Remplacez le passé simple souligné par le passé antérieur.**

Exemple : Quand les alliés <u>libérèrent</u> le pays, beaucoup s'improvisèrent « résistants de la première heure ».

→ Quand les alliés ***eurent libéré*** le pays, beaucoup s'improvisèrent « résistants de la première heure ».

a. Dès que je le <u>vis</u>, je tombai amoureuse de lui !

→ ....

b. Le commissaire Maigret arrêta Philippe Demesse quand il <u>descendit</u> du train.

→ ....

c. Son agence l'envoya passer un mois à Vienne quand elle <u>revint</u> de New York.

→ ....

d. Quand nous <u>terminâmes</u> le déjeuner, nous parlâmes déjà du dîner.

→ ....

e. Ils débouchèrent une bouteille de champagne quand ils <u>apprirent</u> la nouvelle.

→ ....

f. Dès qu'elle <u>sut</u> qu'elle était enceinte, elle téléphona à sa sœur.

→ ....

g. Quand il <u>finit</u> le premier volume, il commença le second.

→ ....

h. Vous achetâtes les billets d'avion quand vous <u>décidâtes</u> d'aller en Corée.

→ ....

91 **Reconstituez les phrases suivantes.**

a. Quand vous eûtes passé le pas de la porte,

b. Après avoir salué le public, une fois que le rideau fut tombé,

c. Dès lors que nous eûmes économisé assez d'argent,

d. À peine nous fûmes-nous mis au travail

e. Aussitôt qu'elle l'eut vu, malgré les années passées,

f. Quand j'eus compris que c'était de moi qu'on parlait,

g. Les naufragés firent de grands gestes dans sa direction

h. Quand le courant se fut calmé,

1. elle reconnut son tortionnaire.

2. qu'il y eut une coupure d'électricité.

3. nous pûmes maîtriser le radeau.

4. Molière s'assit et perdit connaissance.

5. j'éclatai de rire.

6. nous achetâmes une voiture neuve.

7. vous fûtes saisies d'angoisse.

8. aussitôt qu'ils eurent aperçu le navire.

92 Réécrivez les verbes suivants au passé surcomposé et terminez les phrases selon votre imagination en utilisant le passé composé.

> *Exemple :* Quand j'eus pris...
>
> → Quand j'*ai eu pris conscience du danger, je me suis mis à trembler*.

a. Lorsqu'elle eut compris...

→ ....

b. Au moment où tu eus regardé...

→ ....

c. Dès que nous eûmes constaté...

→ ....

d. À l'instant où ils eurent attrapé...

→ ....

e. Quand j'eus vu...

→ ....

f. À partir du moment où on eut choisi...

→ ....

g. À l'instant où tu eus ralenti...

→ ....

h. Aussitôt qu'elles eurent décidé...

→ ....

93 Écrivez les verbes entre parenthèses au passé surcomposé.

> *Exemple :* Lorsqu'elle *a eu décidé* (décider) de se taire, elle n'a plus prononcé un seul mot de la journée.

a. Quand tu .... (connaître) tes résultats, tu m'as téléphoné.

b. Dès que j'............................ (arrêter) de fumer, j'ai pris dix kilos.

c. Quand tu .... (prendre) ton billet pour l'Afrique, ton père et moi avons pensé que tu ne rentrerais jamais.

d. Dès lors que vous leur .... (rendre) l'argent qu'ils vous avaient avancé, ils ne vous ont plus importunés.

e. Ils se sont rués sur le réfrigérateur sitôt qu'ils .... (trouver) la cuisine.

f. Aussitôt que les informations .... (commencer), ils ont fait taire tout le monde.

g. Dès qu'elle .... (apprendre) que tu ne reviendrais plus, elle a téléphoné à une agence d'intérim.

h. À partir du moment où Gilberte .... (rencontrer) Valentin, elle a décidé d'aller vivre à la campagne.

94 Reconstituez les phrases suivantes.

a. Tu t'es mise en colère

b. Quand Georges a eu beaucoup lu,

c. Dès que Jean-Paul et Mireille ont eu compris la vérité,

d. À partir du moment où tu as eu décidé de venir,

e. Dès lors que j'ai eu envie de revoir Barbara,

f. Lorsque vous avez eu tourné à gauche,

g. À l'instant où nous avons eu changé d'avis,

h. Quand j'ai eu gagné au Loto,

1. personne n'a pu te faire changer d'avis.

2. je lui ai téléphoné tous les jours.

3. j'ai aussitôt arrêté de travailler.

4. ils sont allés tout dire à la police.

5. il a eu envie d'écrire.

6. Jérôme est devenu tout miel.

7. vous êtes tombés directement sur la place du marché.

8. quand je t'ai eu fait remarquer ton erreur.

95 Remplacez dans les phrases suivantes le passé surcomposé par le passé antérieur et le passé composé par le passé simple.

Exemple : Dès qu'il a eu vu *Citizen Kane*, il a su qu'il allait être réalisateur.
→ Dès qu'il **eut vu** *Citizen Kane*, il **sut** qu'il allait être réalisateur.

a. Elle est tombée foudroyée dès qu'elle a eu porté le verre à ses lèvres.

→ ....

b. Juste après que le prince l'a eu embrassée, elle s'est réveillée.

→ ....

c. Lorsqu'elle a eu ouvert les yeux, elle a pris conscience qu'elle était à l'hôpital.

→ ....

d. Nous l'avons laissé tomber aussitôt que nous avons eu compris qu'il mentait.

→ ....

e. Quand la raison l'a eu totalement quitté, il s'est mis à raconter les pires horreurs.

→ ....

f. Sitôt qu'elle a eu accepté ses conditions, il s'est montré plus calme.

→ ....

g. Aussitôt qu'ils ont eu voté pour lui, ils ont regretté leur geste.

→ ....

h. Nous nous sommes sentis mieux dès que nous avons eu appris que nous avions passé la frontière.

→ ....

96 Mettez dans chacune des phrases suivantes l'un des verbes entre parenthèses au passé antérieur et l'autre au passé simple.

Exemple : Lorsque vous lui **eûtes prêté** (prêter) la somme qu'il demandait, il vous **laissa** (laisser) en paix.

a. Dès qu'Agnès .... (repeindre) sa chambre, elle ....
(inviter) plein d'amis chez elle.

b. Je .... (chercher) un autre appartement aussitôt que nous ....
.... (prendre) la décision de nous séparer.

c. Ils .... (devenir) plus sympathiques dès lors qu'ils ....
(admettre) qu'ils exagéraient.

d. Juste après que j'........................... (rencontrer) Nathalie, nous ....
(se marier).

e. Sitôt qu'elle m'........................... (convaincre), elle me .... (faire)
confiance.

f. Lorsqu'elles .... (comprendre) la raison de la visite du propriétaire, elles
le .... (mettre) à la porte.

g. Tu .... (rentrer) te coucher dès que tu .... (congratuler)
l'orateur.

h. Aussitôt que nous .... (fermer) la porte, il .... (se
mettre) à cogner de toutes ses forces.

D. LA CONCORDANCE DES TEMPS DANS LE DISCOURS RAPPORTÉ AU PASSÉ

97 Reconstituez les phrases suivantes.

a. Elle tenait à savoir

b. La Fontaine disait que

c. Marine m'assurait qu'actuellement

d. Philippe ne savait pas
la semaine dernière

e. Les dernières statistiques affirmaient
qu'en France

f. Harpagon criait haut et fort

g. Julien prétendait

h. Quand il était enfant, on disait de
Flaubert

1. la raison du plus fort était toujours la meilleure.

2. qu'il voulait épouser Sandrine.

3. qu'il était l'idiot de la famille.

4. l'espérance de vie augmentait d'un an tous les
quatre ans.

5. à quelle heure arrivait mon train.

6. elle travaillait au moins soixante heures par
semaine.

7. s'il prenait des vacances cette année.

8. qu'il fallait manger pour vivre et non pas vivre
pour manger.

98 Rapportez au passé les propos suivants.

Exemple : « Le Premier ministre est sur un siège éjectable. »

→ Hier, Jean-Luc disait *que le Premier ministre était sur un siège éjectable.*

a. « J'ai raison. »

→ Hier, François disait ....

b. « Le cinéma français est en perte de vitesse. »

→ *Le Monde* de vendredi révélait ....

c. « Les gens mangent de moins en moins de viande. »

→ L'autre jour, mon boucher se plaignait de ce que ....

d. « Les tarifs du téléphone ne cessent de baisser. »

→ Ma voisine constatait ce matin ....

e. « Grâce aux 35 heures, nous partons plus longtemps en vacances. »

→ La semaine passée, mes parents remarquaient ....

f. « Il y a beaucoup de poussière chez moi. »

→ Madeleine disait tout à l'heure ....

g. « On ne voit pas le temps passer. »

→ Jeanne Calment disait à la presse ....

h. « On connaît depuis trente ans les dangers de l'amiante. »

→ Ce matin, ils annonçaient à la radio ....

99 Écrivez au temps qui convient (imparfait ou plus-que-parfait) les verbes entre paren-thèses.

> *Exemples :* Dominique **prétendait** (prétendre) qu'elle avait chanté Norma à la Scala.
>
> Nathan et Moïse juraient qu'ils **avaient vu** (voir) un fantôme dans l'église.

a. Anne et Benoît .... (admettre) qu'ils avaient mangé avant de venir.

b. Françoise .... (dire) qu'on ne s'était pas vu depuis trois ans.

c. Tu croyais que la France .... (arriver) en finale de l'Euro 2000*.

d. Tu .... (espérer) qu'elle avait pensé à arrêter le gaz avant de partir.

e. Vous constatiez que vous .... (gagner) moins d'argent cette année-là que l'année précédente.

f. Nous disions que vous .... (avoir) de la chance de trouver ce travail.

g. Sylvie et Émile .... (remarquer) que Nathalie avait changé ces derniers temps.

h. Le voleur prétendait qu'il .... (passer) la nuit devant la télévision.

100 Mettez au temps correct (passé composé ou plus-que-parfait) les verbes entre paren-thèses.

> *Exemples :* Jean-Luc **a demandé** (demander) à Marguerite si elle avait payé les impôts.
>
> Yves a juré à sa femme qu'il **avait quitté** (quitter) le bureau à 22 heures.

a. Michèle a demandé où j'........................... (trouver) ma paire de jumelles.

b. Un article de *L'Express* .... (affirmer) que le député avait détourné une grosse somme dans les années 80.

c. Gertrude .... (dire) qu'elle .... (aménager) un atelier dans la grange.

d. Fanny .... (prétendre) que Charles .... (perdre) une grosse somme au casino.

e. Le médecin .... (constater) que nous .... (maigrir) lors de notre séjour en Inde.

f. Alexandre .... (dire) qu'ils .... (avoir) mauvais temps pendant la traversée.

g. Tous .... (remarquer) que vous .... (boire) trop de whisky ce soir-là.

h. Nous .... (croire) que nous .... (gagner) au Loto.

---

* Euro 2000 : coupe d'Europe de football.

101 **Transposez au discours rapporté au passé les propos suivants.**

Exemple : « J'ai réussi ma vie. »

→ Mauricette constatait **qu'elle avait réussi sa vie**.

a. « J'ai travaillé toute la nuit. »

→ Vincent jurait ....

b. « On ne nous a pas laissé le temps de finir notre devoir. »

→ Les enfants disaient ....

c. « Ma mère m'a battu pendant des années. »

→ Lionel affirmait ....

d. « Nous n'avons tué personne ! »

→ Grégoire et Louis criaient ....

e. « Je suis parti trop en avance. »

→ Je constatais ....

f. « J'ai construit moi-même ma maison. »

→ Alice disait ....

g. « Tu as changé de moquette. »

→ Je remarquais ....

h. « Nous avons lu tout Balzac. »

→ Elles prétendaient ....

102 **Transposez au discours rapporté au passé les propos suivants.**

Exemple : Malgré sa défaite, l'équipe du Portugal a bien joué hier soir.

→ Il a reconnu **que malgré sa défaite, l'équipe du Portugal avait bien joué hier soir.**

a. « J'ai pêché une truite de trois kilos la semaine dernière. »

→ Christian a dit ....

b. « Qu'avez-vous fait en Espagne ? »

→ Les Delmas nous ont demandé ....

c. « Gustave n'a pas écrit à Bruno avant de partir. »

→ Isabelle m'a annoncé ....

d. « J'ai perdu ta montre en or depuis longtemps. »

→ Je lui ai avoué ....

e. « Nous sommes allés voir le film de Cedric Klapish jeudi dernier. »

→ Vous avez dit ....

f. « L'autre jour, j'ai rencontré Axel en faisant les courses. »

→ Tu as prétendu ....

g. « Émilie et Estelle ont eu un accident le mois dernier. »

→ Tu m'as appris ....

h. « Le vétérinaire a bien soigné mon chat. »

→ Vous m'avez assuré ....

103 Écrivez au temps qui convient (passé simple ou plus-que-parfait) les verbes entre parenthèses.

> *Exemples :* Laurent pensa que Thomas **avait oublié** (oublier) le rendez-vous.
>
> J'**avouai** (avouer) que j'avais passé la nuit chez mon frère.

a. Yannick .... (prétendre) qu'on lui avait dérobé son billet de train.

b. Murielle et Barnabé .... (dire) qu'ils .... (manger) des champignons vénéneux.

c. J'........................... (affirmer) que personne ne m'........................... (voir) entrer dans la banque.

d. Ils .... (reconnaître) qu'ils .... (dormir) pendant tout le spectacle.

e. Les paysans .... (se plaindre) qu'ils .... (avoir) une saison catastrophique.

f. Aude .... (confier) à Luce qu'elle .... (décider) de se marier.

g. Caroline .... (assurer) à ses parents qu'elle .... (réussir) tous ses examens.

h. Tu .... (murmurer) à l'oreille de Désiré que tu .... (préparer) une surprise pour la fête des Mères.

Bilans

104 Mettez les verbes entre parenthèses au temps du passé qui convient.

J' (trouver toujours) .... **(1)** que les restaurants parisiens (être) .... **(2)** très chers. Un jour, alors que je (se promener) .... **(3)** sur les bords de Seine, je (être pris) .... **(4)** soudain d'une faim violente. À cette époque, je (manger) .... **(5)** tout le temps, rien ne (pouvoir) .... **(6)** satisfaire mon appétit. « Ton père (être) .... **(7)** comme toi », me (dire) .... **(8)** un jour ma mère, « les gens (croire) .... **(9)** que c' (être) .... **(10)** un homme de cœur alors qu'il n' (être) .... **(11)** qu'un homme de ventre ! »

Bref, comme je ne (voir) .... **(12)** aucun « fast-food » à l'horizon, j' (entrer) .... **(13)** dans le premier restaurant venu. Il (avoir) .... **(14)** assez belle allure et le portier m' (accueillir) .... **(15)** très aimablement. Il (s'appeler) .... **(16)** La Tour d'Argent – le restaurant, pas le portier dont je ne (connaître) .... **(17)** jamais le nom –.

J' (entendre) .... **(18)** dire qu'en France il ne (falloir) .... **(19)** jamais parler d'argent, que c' (être) .... **(20)** très impoli. J' (retenir) .... **(21)** cette leçon et c'est pourquoi, quand le maître d'hôtel me (tendre) .... **(22)** la carte, je (ne rien dire) .... **(23)** quant aux prix.

Depuis, j' (faire) .... *(24) de gros progrès en français. Il faut dire que je travaille à Paris, à La Tour d'Argent, pour rembourser le repas que j'y (prendre)* .... *(25) il y a sept ans.*

105 | Réécrivez ce texte au passé simple en modifiant, si nécessaire, la structure des verbes soulignés.

Grand Prix de Monaco 2000 :

Cette année, le Grand Prix de Monaco <u>est</u> (1) le théâtre d'une impressionnante cascade d'imprévus. D'entrée, les nerfs <u>sont mis</u> (2) à rude épreuve : un incident électrique <u>survient</u> (3) lorsque les pilotes <u>sont</u> (4) sous les ordres du starter : le départ <u>est annulé</u> (5).

Le départ <u>est finalement donné</u> (6) et rien de fâcheux ne <u>se produit</u> (7) dans les minutes qui <u>suivent</u> (8). Mais soudain, un signal d'alarme <u>apparaît</u> (9) sur les écrans de contrôle. Le commissaire <u>présente</u> (10) le drapeau rouge et la course <u>est immédiatement arrêtée</u> (11).

Pourtant, les pilotes <u>n'ont pas</u> (12) tous le temps d'être informés de l'arrêt du Grand Prix et un accrochage <u>se produit</u> (13) dans l'épingle de descente. Deux voitures enchevêtrées <u>bloquent</u> (14) la piste.

Un nouveau départ <u>est alors donné</u> (15). Cette fois-ci, <u>c'est</u> (16) le bon.

Le cru 2000 <u>est</u> (17) une hécatombe. Défaillances, accrochages et abandons <u>se succèdent</u> (18) sans discontinuer.

Même Mika Hakkinen <u>n'est pas épargné</u> (19) par les ennuis : un objet <u>tombe</u> (20) dans son cockpit, <u>se coince</u> (21) sous sa pédale de frein, sa boîte de vitesses <u>rend</u> (22) l'âme en fin de course.

Le malheur des uns <u>est</u> (23) en partie responsable du triomphe de certains. Comme Barrichello qui <u>n'espérait</u> (24) sans doute pas finir à la deuxième place.

→ ....

....

....

....

....

....

....

....

....

....

....

....

....

....

....

V. LES PRONOMS PERSONNELS COMPLÉMENTS

Qui est le dernier, le loup le mange.

A. EMPLOIS ET PLACE DES PRONOMS

106 Répondez aux questions suivantes en remplaçant les mots soulignés par des pronoms.

Exemple : Ton père te prête <u>sa voiture</u> ? → Oui, il me *la* prête parfois.

a. Tu lui demandes <u>des conseils</u> ? → Oui, *je lui en demande*

b. Il te donne <u>la solution de tes problèmes</u> ? → Oui, *il me la donne*

c. Vous en informez <u>M. Lenoir</u> ? → Oui, *je l'en informe*

d. Elle le dit <u>à ses parents</u> ? → Oui, *elle le leur dit*

e. Tu leur expédies <u>leur courrier</u> ? → Oui, *je le leur expédie*

f. Nous leur envoyons <u>une invitation</u> ? → Oui, *vous leur envoyez une*

g. Vous nous communiquerez <u>vos coordonnées</u> ? → Oui, *nous vous les communiquerons*

h. Je vous emprunterai <u>de l'argent</u> ? → Oui, *nous vous en emprunterons*

107 Insérez le pronom entre parenthèses dans la phrase puis remplacez le nom par un pronom.

Exemple : J'abonnerai à ce journal. (toi)
→ Je *t'*abonnerai à ce journal.
→ Je *t'y* abonnerai.

a. On envoie aux États-Unis. (moi)
→ *On m'envoie aux États-Unis*
→ *On m'y envoie*

b. Je donnerai bientôt des nouvelles. (à toi)
→ *Je t' donnerai bientôt des nouvelles*
→ *Je t'en donnerai bientôt*

c. Louis accompagnera au zoo dimanche. (toi)
→ *Louis t'accompagnera au zoo dimanche.*
→ *Louis t'y accompagnera dimanche.*

d. Ils demandent le chemin le plus court. (à moi)
→ *Ils me demandent le chemin le plus court.*
→ *Ils me le demandent*

e. Tu déposes au coin de la rue. (moi)
→ *Tu me déposes au coin de la rue*
→ *Ty m'y déposes.*

f. Je prête mes patins à roulettes. (à toi)

→ Je te prête mes patins à roulettes.

→ Je te les prête.

g. Elle accordera ce rendez-vous. (à moi)

→ Elle m'accordera ce rendez-vous.

→ Elle me l'accordera.

h. Vous inviterez au restaurant demain soir ? (moi)

→ Vous m'inviterez au restaurant demain soir ?

→ Vous m'y inviterez ?

108 **Retrouvez ce que le pronom souligné remplace.**

Exemple :   Tu <u>la</u> lui a décorée selon son goût ?

1. ☐ à Jean   **2.** ☒ sa maison   **3.** ☐ ta chambre

a. Nous n'<u>y</u> sommes pas retournés depuis sa réouverture.

1. ☐ avec Luc   **2.** ☒ au Centre Pompidou   **3.** ☐ le Festival de Paris

b. Donne m'<u>en</u> une, s'il te plaît.

1. ☐ de la farine   **2.** ☐ la baguette de pain   **3.** ☒ une cigarette

c. Je ne le <u>lui</u> dirai pas.

1. ☐ bonjour   **2.** ☒ à Marion   **3.** ☐ aux Dufaux

d. On ne <u>les</u> y verra pas.

1. ☐ à Biarritz   **2.** ☐ en vacances   **3.** ☒ nos amis

e. Tu <u>la</u> leur laisses ?

1. ☒ ta télévision   **2.** ☐ aux voisins   **3.** ☐ à la propriétaire

f. Vous le <u>leur</u> demanderez.

1. ☒ à vos parents   **2.** ☐ à votre père   **3.** ☐ son vélo

g. Ils <u>l</u>'en sortiront.

1. ☐ de pension   **2.** ☐ au cinéma   **3.** ☒ leur fils

h. Je <u>la</u> leur rendrai prochainement.

1. ☐ à Michel et Suzon   **2.** ☐ à Marie   **3.** ☒ la clé

109 **Insérez les pronoms entre parenthèses dans les phrases suivantes.**

Exemple :   Je parlerai demain. (en/vous)

→ Je ***vous en*** parlerai demain.

a. Il a distribué hier soir. (leur/le)

→ Il le leur a distribué hier soir.

b. Elle portera ce soir. (les/nous)

→ Elle nous les portera ce soir.

c. Tu rends immédiatement. (lui/les)

→ Tu les lui rends immédiatement.

d. Je ne rangeais pas. (les/y)

→ Je ne les y rangeais pas.

e. Tu as refusé ? (leur/en)

→ Tu leur en as refusé ?

f. On a déjà interdit. (me/le)

→ On le m'a déjà interdit.

g. Je montrerai bientôt. (les/te)

→ Je te les montrerai bientôt

h. Elle demande souvent. (la/vous)

→ Elle vous la demande souvent

---

110 | **Associez questions et réponses.**

C'est toi qui as emprunté :

Oui, c'est moi qui :

a. les outils à Véronique ?

b. le pinceau à ta mère ?

c. un tournevis à tes parents ?

d. des pinces au plombier ?

e. mon marteau ?

f. notre valise à outils ?

g. une paire de ciseaux à la concierge ?

h. un rabot au menuisier ?

1. leur en ai emprunté un.

2. vous l'ai empruntée.

3. les lui ai empruntés.

4. te l'ai emprunté.

5. lui en ai emprunté un.

6. le lui ai emprunté.

7. lui en ai emprunté une.

8. lui en ai emprunté.

---

111 | **Observez les participes passés et faites les accords si nécessaire.**

Exemple : Ses papiers, il les aura perdus dans le métro.

a. Ce matin, la secrétaire, je l'ai sentie fatiguée.

b. Ses enfants, elle ne les a pas vus grandir.

c. La conférencière, vous ne l'avez pas écoutée parler.

d. La voiture, tu ne l'a pas sentie vibrer ?

e. Ces sonates, nous les avons écoutées mille fois.

f. La voisine, je ne l'ai pas entendue rentrer.

g. Ces photos, je les ai déjà vues, tu me les a montrées hier !

h. La sirène de midi, tu ne l'as pas entendue ?

---

112 | **Choisissez ce que le pronom remplace. Attention à la terminaison des participes passés (parfois plusieurs possibilités).**

Exemples : Elle se les est déjà achetées.

    1. ☐ des chaussures   **2.** ☐ les gants en daim   **3.** ☒ ces boucles d'oreilles

    Nous nous les sommes fait voler.

    1. ☒ les valises   **2.** ☐ des sacs   **3.** ☒ nos sacs

a. Il a commencé à la leur enseigner.

    1. ☐ à ses neveux   **2.** ☐ à Philippe   **3.** ☒ l'astronomie

b. On ne vous les aurait pas rendues ?

    1. ☐ des outils   **2.** ☒ vos archives   **3.** ☐ votre tournevis

c. Il les aura regardés partir.

    1. ☒ ses amis   **2.** ☐ leur fils   **3.** ☐ leurs filles

d. Je <u>les</u> ai sentis perdre leur sang-froid.

    1. ☒ Michel et Frédérique   **2.** ☐ Daniel   **3.** ☐ ton copain

e. Il nous <u>l'</u>a très bien installée.

    1. ☐ le lave-vaisselle   **2.** ☐ le micro-ondes   **3.** ☒ la cuisinière

f. On <u>l'</u>a regardé danser une partie de la soirée.

    1. ☐ des couples   **2.** ☐ cette jeune femme   **3.** ☒ un Américain

g. Elle ne <u>les</u> a plus jamais retrouvées.

    1. ☐ des cartes postales   **2.** ☐ des amis d'enfance   **3.** ☒ ses collègues

h. Je suis heureuse que tu me <u>l'</u>aies fait rencontrer.

    1. ☐ M. Aubois   **2.** ☐ Virginie et Christophe   **3.** ☒ Serge

113 Imaginez ce qui s'est passé en précisant la situation.

    Exemple : « Je vous l'ai rapportée. »

        → ***Madeleine dit à la bibliothécaire qu'elle lui a rapporté la biographie d'Alfred de Musset.***

a. « Je vous en prêterai un la prochaine fois. »

→ Alain assure qu' *il va prêtera un crayon la prochaine fois.*

b. « Je les lui ai rendues. »

→ Monique explique qu' *elle a rendu les livres à Jacques*

c. « Je ne les leur ai pas racontées. »

→ *Marie n'a pas raconté les histoires à eux.*

d. « Je les lui ai déjà montrés. »

→ *Monique a déjà montré ses photos aux amis*

e. « Tu leur en as offert ? »

→ *Monique demande si Jacques a offert des biscuits à leurs amis.*

f. « Je ne lui en ai pas fait l'avance. »

→ *Monique n'a pas avancé de l'argent à Alain.*

g. « Il ne m'en a pas proposé. »

→ *Jacques n'a pas proposé des vacances à elle*

h. « Je vous en parlerai plus en détail demain soir. »

→ *Elle va parler avec eux à propos des vacances plus en détail demain.*

114 Répondez aux questions suivantes en remplaçant les compléments par des pronoms. Attention aux participes passés.

    Exemple : Elles se sont échangé leurs vêtements ? → Oui, elles se *les* sont échangés.

a. Tu t'es fait couper les cheveux ? → Oui, *je me suis les faits couper*

b. Il s'est accordé la semaine pour réfléchir ? → Oui, *il s'est l'accordée*

c. Elle s'est soigné les pieds ? → Non, *elle se n'est pas les soigné*

d. Vous vous êtes acheté cette veste ? → Oui, *nous nous l'avons achetées*

e. Il s'est rasé la barbe ? → Non, *il se n'est pas la rasée.*

f. Elles se sont prêté leurs disques ? → Non, *elles se ne sont pas les prêtés*

g. Ils se sont offert cette belle villa ? → Oui, *Ils se sont l'offerte*

h. Tu t'es cassé l'épaule ? → Non, *je ne me suis pas le cassé*

115 Remplacez les compléments par des pronoms.

Exemple : Donnez-moi du chocolat. → Donnez-**m'en**.

a. Occupez-vous de vos bagages. → ......Occupez-vous en......

b. Adressez-nous votre lettre. → ....

c. Faites-moi part de votre décision. → ....

d. Rendez-nous notre monnaie. → ....

e. Construisez-vous votre propre maison. → ....

f. Apporte-moi des fleurs. → ....

g. Donne-leur ton numéro de téléphone portable. → ....

h. Prends-toi des vêtements chauds. → ....

116 Commentez la situation dans laquelle ces phrases ont pu être dites.

Exemples : « Ne me la réduisez pas trop ! »

→ ***Patricia demande au bijoutier de ne pas trop lui réduire sa bague.***

« Ne la lui portez pas, il a mauvaise réputation. »

→ ***Christine conseille à ses cousines de ne pas amener leur chienne à ce***

vétérinaire.

a. « Ne me la donnez pas. Je pense que je connais la réponse. »

→ Sophie demande à son professeur de ....

b. « Rendez-la-leur. Elles en ont besoin. »

→ Catherine demande ....

c. « Achetez-leur-en quelques-uns. Ils adorent ça. »

→ Mme Longlet demande ....

d. « Prête-les-lui ! »

→ ....

e. « Ne m'en rapportez pas. J'en ai déjà un. »

→ ....

f. « Donnez-m'en un kilo, de bien mûres. »

→ ....

g. « Envoie-le-moi avant samedi. »

→ ....

h. « Ne les leur montrez pas, ça leur ferait envie. »

→ ....

117 Écrivez l'ordre inverse.

Exemples : Faites-lui-en. → ***Ne lui en faites pas.***

Ne me l'achète pas. → ***Achète-la-moi.***

a. Donnez-leur-en. → ......Leur en donnez un......

b. Ne la leur chantez pas. → ....

c. Ne les lui prêtez pas. → ....

d. Demande-lui-en quelques-uns. → ....

e. Ne la leur lisons pas. → ....

f. Rends-m'en une. → ....

g. Gardez-vous-en pour le voyage. → ....

h. Ne lui en envoyons pas. → ....

118 Imaginez ce que les pronoms remplacent.

Exemples : Faites-lui-en. → ***Faites des crêpes à Laurent, il adore ça !***

Ne me l'achète pas. → ***Ne m'achète pas cette robe, je ne la trouve pas jolie.***

a. Donnez-leur-en. → ....

b. Ne la leur chantez pas. → ....

c. Ne les lui prêtez pas. → ....

d. Demande-lui-en quelques-uns. → ....

e. Ne la leur lisons pas. → ....

f. Rends-m'en une. → ....

g. Gardez-vous-en pour le voyage. → ....

h. Ne lui en envoyons pas. → ....

119 Répondez aux questions suivantes en remplaçant le complément par un pronom.

Exemple : Il a su faire cet exercice ?

→ Oui, il a su *le* faire.

a. Vous avez réussi à donner la bonne réponse ?

→ Non, ...

b. Ils ont dû quitter leur appartement ?

→ Oui, ...

c. Vous avez décidé de prendre le train ?

→ Oui, ...

d. Êtes-vous allés voir ce film ?

→ Non, ...

e. Marion a-t-elle accepté de partir en Turquie ?

→ Oui, ...

f. Les enfants ont-ils pu emprunter ces dictionnaires ?

→ Non, ...

g. Tu as préféré passer le week-end chez toi ?

→ Oui, ...

h. Elle a aimé faire ce stage de tennis ?

→ Non, ...

120 Faites des phrases sur le modèle donné. Attention à la place des pronoms.

Exemple : On regarde décoller les avions.

→ ***On les regarde décoller.***

a. Elle ne voit pas le temps passer.

→ *Elle ne le voit pas.*

b. Tu fais travailler les enfants ?

→ *Tu les fais travailler ?*

c. Il a laissé échapper le chien.

→ *Il l'a laissé échapper*

d. Avez-vous entendu sonner la cloche ?

→ *Avez-vous l'entendue ?*

e. Le policier a vu la voiture doubler.

→ *Le policier l'a vue.*

f. Dans la forêt, nous avons écouté chanter les oiseaux.

→ *Dans la forêt, nous l'avons écoutés*

g. Tu as fait laver la voiture ?

→ *Tu l'as faite laver.*

h. Il a senti le sol trembler.

→ *Il l'a senti.*

121 Remettez ces mots dans l'ordre pour en faire des phrases.

Exemple : de/inviter/a/les/demain/elle/décidé/soir

→ ***Elle a décidé de les inviter demain soir.***

a. leur/à/Michel/jouer/a/aux/appris/échecs

→ *Michel leur a appris à jouer aux échecs*

b. nous/en/venir/urgence/ils/fait/ont/y

→ *Ils nous ont fait y venir en urgence*

c. les/vus/poste/tu/la/entrer/as/dans/?

→ *Tu les as vus entrer dans la poste*

d. m'/de/faire/ils/interdit/le/ont

→ *Ils le m'ont interdit de faire*

e. le/préféré/leur/avez/dire/vous/?

→ *Vous avez préféré le leur dire*

f. piste/l'/regardé/ils/la/descendre/ont

→ *Ils l'ont regardé descendre la piste*

g. leur/appris/elle/en/a/faire/à

→ *Elle leur en a appris à faire*

h. nous/a/fait/hier/les/il/écouter

→ *il nous a fait les écouter hier*

122 Réécrivez ces phrases en imaginant librement ce que les pronoms remplacent.

Exemple : Je ne me perdrai pas, je la connais par cœur.

→ ***Je connais cette route par cœur.***

a. Vous l'avez gagnée à une fête foraine ? → ....

b. Jean les a prévenus de son retard. → ....

c. Nous les avons vus hier soir. → ....

d. Marie et Jeanne l'aiment beaucoup. → ....

e. Les enfants le respectent. → ....

f. Je compte la vendre le mois prochain. → ....

g. Ils les ont oubliées sur la table. → ....

h. Tu ne devrais pas le garder sur toi. → ....

B. LES PRONOMS NEUTRES *LE*, *EN* ET *Y*

123 Réécrivez ces phrases en employant le pronom neutre *le*.

Exemple : Il m'a expliqué pourquoi il fallait que je vienne.

→ Il me *l'*a expliqué.

a. Mon patron m'a imposé de partir en province.

→ *Mon patron me l'a imposé.*

b. Je me demande s'il y aura de la place dans le TGV.

→ *Je me le demande.*

c. Je ne sais pas à quelle heure est le prochain départ.

→ *Je ne le sais pas.*

d. L'employé m'a indiqué que le train partait à 18 h 12.

→ *L'employé me l'a indiqué.*

e. Il m'a dit que ce train était direct.

→ *Il me l'a dit.*

f. Je ne sais pas comment je pourrai transporter tous mes bagages.

→ *Je ne sais pas comment je pourrai le transporter*

g. Un voyageur m'a proposé de m'aider.

→ *Un voyageur me l'a proposé*

h. Je lui ai montré jusqu'où je devais marcher avec mes sacs.

→ *Je le lui ai montré.*

124 Trouvez la bonne réponse.

Exemple : Il pense à la misère dans le monde ? – Oui, il (le/y/~~en~~) pense souvent.

a. Ils parlent du but marqué par Jorkaeff ? – Oui, ils (~~le~~/~~y~~/en) parlent dans ce numéro spécial.

b. Croyez-vous en l'avenir de l'écologie ? – Oui, nous (le/~~y~~/en) croyons dur comme fer.

c. Ta mère ne s'inquiète pas de tes résultats ? – Si, elle s' (~~le~~/~~y~~/en) inquiète un peu.

d. Vous nous conseillez ce film ? – Non, on vous (le/~~y~~/~~en~~) déconseille ; il est mauvais.

e. Votre femme vous pousse à ce changement ? – Oui, elle m' (~~le~~/y/~~en~~) pousse.

f. Vous me permettez cet écart par rapport à mon régime ? – Non, je ne vous (le/~~y~~/~~en~~) permets pas.

g. Tu as pris conscience de son attitude ? – Bien sûr que j' (~~le~~/~~y~~/en) ai pris conscience !

h. Elle ne se souvient plus de ce petit hôtel ? – Mais si, elle s' (~~le~~/~~y~~/en) souvient parfaitement.

125 Remplacez ces phrases complétives par les pronoms *le, en* ou *y*.

Exemples : Il demande à sa sœur de lui téléphoner en arrivant.

→ Il *le* demande à sa sœur.

Elle invite ses collègues à aller déjeuner.

→ Elle *y* invite ses collègues.

a. Je vous permets de sortir jusqu'à minuit.

→ ....

b. On nous informe que la ligne C est momentanément interrompue.

→ ....

c. Elle m'assure qu'il vaut mieux réserver une table.

→ ....

d. Il s'est décidé à reprendre son doctorat.

→ ....

e. Je vous encourage à passer une semaine aux Seychelles.

→ ....

f. Marie refuse catégoriquement de prendre l'avion.

→ ....

g. Véronique veut nous convaincre de passer le bac.

→ ....

h. Jacques s'est mis à étudier le japonais l'année dernière.

→ ....

126 **Répondez aux questions suivantes en remplaçant les expressions soulignées par le pronom** *le, en* **ou** *y*.

Exemple : On vous interdit <u>de fumer dans la classe</u> ?

→ Oui, on nous *l'*interdit.

a. Vous vous occupez <u>de faire les courses</u> ?

→ Oui, ...

b. Elle vous recommande <u>de louer un appartement meublé</u> ?

→ Oui, ...

c. Tes parents t'incitent <u>à poursuivre tes études de droit</u> ?

→ Oui, ...

d. Elle a pris le parti <u>de s'installer à l'étranger</u> ?

→ Oui, ...

e. Vous m'autorisez <u>à m'absenter lundi matin</u> ?

→ Oui, ...

f. Tu t'es décidé <u>à t'inscrire à un cours de gymnastique</u> ?

→ Oui, ...

g. Le médecin te conseille <u>de suivre un régime</u> ?

→ Oui, ...

h. Vous engagez-vous <u>à changer de voiture</u> ?

→ Oui, ...

127 **Complétez les phrases suivantes par le pronom** *le, en* **ou** *y*.

Exemple : Passer la nuit ici, je vous : *en* dissuade.

a. ...... conseille.

b. ...... encourage.

c. ...... ai convaincu.

d. ...... autorise.

e. ...... suggère.

f. ...... invite.

g. ...... recommande.

h. ...... parle.

128 Réécrivez ces phrases en utilisant des formules d'insistance.

Exemples : Je te demande de me prêter ton ordinateur.

→ Prête-moi ton ordinateur, je te *le* demande.

Invitez Martine à partir avec vous.

→ Pars avec nous, on t'*y* invite.

a. Autorise Julien à sortir avec ses amis.

→ Sors avec tes amis, ...

b. Je vous propose de partager ce taxi.

→ Partageons ce taxi, ...

c. Réfléchissez à ce que vous allez devenir !

→ Qu'allez-vous devenir, ...

d. Je vous explique qu'il n'y a pas d'autre solution.

→ Il n'y a pas d'autre solution, ...

e. Je te supplie de venir vite.

→ ....

f. Prends la décision de changer d'attitude.

→ ....

g. Je vous promets de vous envoyer une carte de Tahiti.

→ ....

h. Pensez à faire construire votre maison.

→ ....

129 Imaginez les questions correspondant aux réponses proposées.

Exemples : **Joseph se prépare à partir ?**

← Oui, il s'y prépare. (partir)

Alice a pris la décision d'arrêter de fumer ?

← Oui, elle en a pris la décision. (arrêter de fumer)

a. ....

← Oui, nous nous y engageons. (rembourser nos dettes)

b. ....

← Oui, je m'y efforce. (lire un journal étranger)

c. ....

← Non, tu ne t'en occupes pas. (chercher un studio)

d. ....

← Oui, elle l'a décidé. (apprendre à conduire)

e. ....

← Non, nous ne te l'interdisons pas. (aller au cinéma)

f. ....

← Oui, elle s'y est mise. (suivre des cours d'informatique)

g. ....

← Oui, je m'en moque. (ne pas voir ce film)

h. ....
    ← Non, nous ne l'envisageons pas. (partir en province)

130 Imaginez ce que les pronoms remplacent.

Exemple : Je n'ai pas envie d'y aller. → **à la piscine**

a. Comme je suis très gourmand, j'en reprendrai une deuxième part. → ....

b. Sa famille y étant propriétaire d'une maison en bord de mer, elle s'y rend tous les ans.
→ ....

c. Vincent en a deux paires, pour plus de sécurité. → ....

d. C'est une vedette du petit écran. On l'y voit presque tous les soirs. → ....

e. J'y suis, j'y reste ! → ....

f. On l'a cherchée partout, en vain. → ....

g. Ni Nathalie ni Sylvie n'en ont voulu. → ....

h. La voyante y découvre le passé comme elle peut y lire l'avenir. → ....

C. LES CONSTRUCTIONS INDIRECTES AVEC À ET *DE*

131 Dans cette liste de verbes, soulignez ceux qui peuvent se construire avec *à lui, à elle(s),* *à eux* pour remplacer une personne.

envoyer – s'adresser – consacrer – adresser – téléphoner – tenir – écrire – résister – se consacrer – désobéir – recourir – répondre – demander – échapper – songer – s'intéresser – se
mêler – apporter – offrir – se présenter – parler – dire – se confier – s'adapter – se joindre –
se plaindre – apprendre – enseigner – renoncer

132 Complétez les phrases suivantes par *y* ou *à lui, à elle.*

Exemples : Les personnes âgées, tu penses souvent **à elles** ?
La retraite, on **y** pense tous un jour.

a. Cet homme ne me plaît pas ; ne te fie pas ....

b. Pour les réclamations, il y a un service spécial. Vous pouvez vous .... adresser.

c. Les prochaines vacances, elle .... songe déjà.

d. Les prévisions météo, on ne peut pas s'.................... fier. Il y a souvent des erreurs.

e. La biologie, vous vous .... intéressez ?

f. Elle adore sa mère et elle songe .... en regrettant de ne pas l'avoir mieux
comprise.

g. Le maire est un homme compréhensif ; adressez-vous ....

h. Jean Echenoz ? J'ai dû à peu près tout lire. Je m'intéresse beaucoup ...., pas toi ?

133 Répondez aux questions suivantes en utilisant *lui, leur* ou *à lui, à elle(s), à eux.*

Exemple : Vous allez offrir ce bouquet à Mme Vincent ? → Oui, je vais le **lui** offrir.

a. À qui penses-tu, à Nicolas ? → Oui, ...

b. Tu n'envoies pas de carte à tes sœurs ? → Non, ...

c. Vous vous intéressez à Jules Ferry ? → Oui, ...

d. On pourrait téléphoner à Michèle, tu ne crois pas ? → Non, ...

e. Avez-vous posé des questions aux voisins ? → Non, ...

f. Est-elle très attachée à Laurent ? → Oui, ...

g. Ils se sont consacrés aux enfants malades ? → Oui, ...

h. Avez-vous remis les billets aux voyageurs ? → Non, ...

134 **Complétez les phrases suivantes par un pronom, parfois précédé d'une préposition.**

Exemple : As-tu demandé à Georges ? – Non, je ne *lui* ai pas demandé.

a. Vous tenez à votre poste ? – Non, je n'......... tiens pas.

b. Elle s'est adressée à M. Guillot ? – Oui, elle s'est adressée ....

c. Avez-vous fait attention aux bagages ? – Oui, nous .... avons fait attention.

d. Avez-vous versé un acompte à la vendeuse ? – Non, je ne .... ai rien versé.

e. Elle se plaindra à la directrice ? – Oui, elle se plaindra ....

f. Tu rapporteras ce sac à Solange ? – Oui, je le .... rapporterai demain matin.

g. Vous faites confiance à vos enfants ? – Oui, nous .... faisons confiance.

h. Elle s'est mêlée aux actrices ? – Non, elle ne s'est pas mêlée ....

135 **Répondez aux questions suivantes en utilisant** *le, la, lui, leur, y, à lui, à elle, à eux* **ou** *à elles.*

Exemple : Tu as bien fait attention à Martin ?

→ Oui, j'ai fait bien attention *à lui.*

a. Vous enseignez le français aux étrangers ?

→ Oui, ...

b. A-t-elle envoyé son chèque au plombier ?

→ Non, ...

c. Vous ai-je présentée au directeur commercial ?

→ Non, ...

d. Votre fils se consacre entièrement à ses études ?

→ Oui, ...

e. T'es-tu bien adapté à ta nouvelle collègue ?

→ Oui, ...

f. À qui avez-vous eu affaire ? À Caroline et Mireille ?

→ Non, ...

g. Crois-tu à la vie éternelle ?

→ Oui, ...

h. Ont-ils indiqué la route à Brigitte et Philippe ?

→ Oui, ...

136 **Dans la liste suivante, soulignez les verbes qui peuvent se construire avec** *de lui, d'elle(s), d'eux* **pour remplacer un nom de personne.**

attendre – vendre – mettre – parler – croire – se plaindre – penser – confier – se moquer – se souvenir – se soucier – s'adapter – s'occuper – se méfier – se détourner – assurer – passer – se passer

137 Cochez la bonne réponse.

> *Exemple :* Ils sont fiers de votre réussite ?
>
> 1. ☒ Oui, ils en sont fiers.   **2.** ☐ Oui, ils sont fiers d'elle.

a. Le gouvernement s'occupe des sans-logis ?

    1. ☐ Non, il ne s'en occupe pas beaucoup.   **2.** ☐ Non, il ne s'occupe pas beaucoup d'eux.

b. Les contribuables s'inquiètent du déficit de la Sécurité sociale ?

    1. ☐ Oui, ils s'en inquiètent.   **2.** ☐ Oui, ils s'inquiètent de lui.

c. Vous méfiez-vous des lois sur l'endettement des ménages ?

    1. ☐ Oui, on s'en méfie.   **2.** ☐ Oui, on se méfie d'elles.

d. Vous vous détournez de la politique ?

    1. ☐ Oui, je m'en détourne.   **2.** ☐ Oui, je me détourne d'elle.

e. Les Français se lassent-ils des promesses ?

    1. ☐ Oui, ils s'en lassent.   **2.** ☐ Oui, ils se lassent d'elles.

f. Ils plaisantent de la situation économique actuelle ?

    1. ☐ Non, ils n'en plaisantent pas.   **2.** ☐ Non, ils ne plaisantent pas d'elle.

g. Ils conservent un bon souvenir du président Mitterrand ?

    1. ☐ Certains n'en conservent pas un bon souvenir.   **2.** ☐ Certains ne conservent pas un bon souvenir de lui.

h. Les Français rêvent d'une politique plus juste ?

    1. ☐ Oui, ils en rêvent.   **2.** ☐ Oui, ils rêvent d'elle.

138 Répondez aux questions suivantes en utilisant *en* ou *de lui, d'elle(s), d'eux.*

> *Exemples :* Tu as besoin de ta calculette ?
>
> → Non, je n'***en*** ai pas besoin.
>
> A-t-elle peur de ses professeurs ?
>
> → Oui, elle a peur ***d'eux****.*

a. Myriam s'est débarrassée de ce client insatisfait ?

→ Oui, ...

b. T'es-tu assuré du bon état de tes freins ?

→ Non, ...

c. Vous vous souvenez de Mme Gagnard ?

→ Non, ...

d. Tu es consciente de tes progrès ?

→ Oui, ...

e. C'est Virginie qui s'occupe de ce dossier ?

→ Oui, ...

f. Sandrine se charge des courses pour lundi prochain ?

→ Non, ...

g. Les jeunes se moquent-ils de la politique ?

→ Non, ...

h. Êtes-vous satisfaits de vos étudiants ?

→ Oui, ...

Bilans

139 Complétez le texte suivant.

Le cordonnier amoureux :

Je .... (1) vois qui passe devant le magasin, tous les jours. Je sais qu'elle porte de vieilles chaussures. Je .... (2) .... (3) réparerais pour rien, si elle voulait seulement franchir le seuil de la boutique. Mais non, elle n'......... (4) est jamais entrée et n'......... (5) a sans doute pas l'idée. Moi, je n'ose pas .... (6) aborder, pas même .... (7) sourire. Je me contente de .... (8) regarder, furtivement.

Je suis amoureux .... (9) .... (10). Roger, mon assistant, s'......... (11) doute. Il se moque certainement .... (12) .... (13) dans mon dos. Il .... (14) a peut-être parlé à tout le quartier. Quand des clients entrent, je .... (15) soupçonne de se douter de quelque chose. Ils ne m'......... (16) disent rien, bien sûr, mais je .... (17) sens.

C'est à cause .... (18) .... (19), au fond. Pourquoi .... (20) persécute-t-elle ainsi ? Elle est peut-être d'accord avec Roger. Je sais qu'il .... (21) déteste. Il est jaloux, parce que je suis le patron. Ils veulent .... (22) rendre fou, pour récupérer la boutique. Je ne .... (23) ferai pas ce plaisir. Je vais renvoyer Roger. Je .... (24) .... (25) annoncerai dès demain. Ils ne s'......... (26) attendent pas. Ça va .... (27) surprendre. Je serai sans pitié pour .... (28) !

140 Complétez les réponses de ce dialogue en remplaçant les noms par des pronoms et en mettant les verbes à la forme convenable.

– Allô, bonjour madame, pourrais-je parler à Charlotte ?

– Ne quittez pas, je (passer) .... (1).

– Charlotte, c'est Nicolas. Tu es allée au lycée cet après-midi ?

– Évidemment que j' (aller) .... (2). Pourquoi ?

– Tu (pouvoir dire) .... (3) ce que vous avez fait en français et en histoire ?

– En français, on a étudié un poème de Baudelaire, Spleen, tu connais ?

– Ah oui, je crois que je (déjà lire) .... (4). Le prof vous a parlé de Baudelaire ?

– Oui, elle nous (parler) .... (5), de sa vie et de son œuvre. Pour le prochain cours, on doit faire une recherche sur .... (6).

– Tu veux dire qu'on (pouvoir faire) .... (7) en bibliothèque ?

– C'est ça. Et en histoire, on a commencé à étudier la Commune. Tu n'as qu'à regarder dans ton livre.

– Cette période, je (connaître) .... (8) bien ; je (avoir déjà étudié) .... (9) l'an dernier. J'imagine que tu as pris des notes ; tu (pouvoir passer) .... (10) pour que je (recopier) .... (11) ?

– Écoute, demande-..................... (12) plutôt à Antoine, les miennes sont illisibles.

– D'accord, je vais .... **(13)** demander mais je n'aime pas (avoir affaire) .... **(14)** ; il fait toujours des histoires.

– Alors demande à Pauline, tu peux compter sur .... **(15)**. Ce qu'elle fait, elle .... **(16)** fait toujours très bien !

– Bonne idée, merci et à demain.

VI. LES PRONOMS RELATIFS

Il n'y a que la vérité qui blesse.

A. *QUI, QUE, DONT, OÙ, CE DONT* ET *QUOI*

141 Faites deux phrases à partir de chacune des phrases suivantes sans employer les pronoms soulignés.

Exemples : Catherine a trouvé un garçon <u>qui lui</u> correspond parfaitement.

→ **Catherine a trouvé un garçon. Ce garçon correspond parfaitement à Catherine.**

Jeanne et René ont photographié les dégâts <u>que</u> vous <u>leur</u> avez signalés.

→ **Jeanne et René ont photographié des dégâts. Vous avez signalé ces dégâts à Jeanne et René.**

a. J'ai rendu à tes enfants les jouets <u>qui leur</u> appartiennent.

→ ....

b. Ces gens ont une attitude déplaisante <u>qui leur</u> attire les pires ennuis.

→ ....

c. Cyril a rencontré le chauffard <u>qui lui</u> a enfoncé la voiture.

→ ....

d. Philippe a un diplôme <u>qui</u> ne <u>lui</u> permet pas de trouver facilement du travail.

→ ....

e. Hélène a revu la dame <u>que</u> tu <u>lui</u> as présentée hier.

→ ....

f. Mes cousins évoquent les punitions <u>qu'on leur</u> infligeait quand ils étaient petits.

→ ....

g. Les chiens se ruent sur la pâtée <u>qu'on</u> vient de <u>leur</u> servir.

→ ....

h. Stéphanie s'est décidée à suivre les conseils <u>que</u> tu <u>lui</u> as donnés.

→ ....

142 Reliez les phrases suivantes.

a. La philosophie et l'histoire sont des disciplines

b. Chacun est libre de choisir le programme ⟶

c. Clémentine a trouvé le magasin

d. Décidément, je n'aime pas les disques

e. Proust et Céline sont les auteurs français

f. Nous n'avons pas encore visité le musée

g. J'ai recollé le vase

h. J'ai fait tout le magasin sans trouver l'article

1. que je cherchais.

2. qu'a inauguré le ministre.

3. qui lui plaît.

4. que ton fils avait cassé.

5. que chaque étudiant devrait étudier.

6. qui distribue ces produits au meilleur prix.

7. que tu as rapportés d'Angleterre.

8. qui passent pour les plus importants du XXᵉ siècle.

143 Faites une seule phrase à partir des deux phrases proposées.

Exemple : Le *Scribe accroupi* est une pièce d'archéologie. J'ai, chez moi, une copie du *Scribe accroupi.*

→ Le *Scribe accroupi* est une pièce d'archéologie **dont** j'ai une copie chez moi.

a. Ma sœur a récupéré trois chaises. Personne n'en voulait.

→ ....

b. Les clients que Claudine m'a envoyés sont de mauvais payeurs. Je me serais bien passé d'eux.

→ ....

c. Romane n'a pas rencontré le professeur. Je lui avais dit tant de bien de lui.

→ ....

d. Le financement des partis politiques est un sujet brûlant ; on en discute beaucoup actuellement.

→ ....

e. Le cassoulet est un plat. Michel raffole du cassoulet.

→ ....

f. J'ai vu le ballet. Le journal en fait la critique. Il est nul !

→ ....

g. Quand je suis au travail, l'ordinateur est un outil. Je m'en sers constamment.

→ ....

h. Nous avons passé nos vacances dans la maison. Eugène en a hérité.

→ ....

Reconstituez les phrases suivantes (plusieurs possibilités).

a. J'ai vendu tout le mobilier dont

b. Romain a montré à son père ses dessins dont

c. Ils ont dîné dans le restaurant dont

d. J'ai informé Alice des accusations dont

e. Nous n'avons pas trouvé le village dont

f. Je te déconseille de prendre la valise dont

g. On vous a donné la brochure dont

h. Léonard a été impressionné par le reportage dont

1. j'avais laissé pour vous un exemplaire chez l'éditeur ?

2. les premières minutes sont consacrées à Sarajevo.

3. la serrure est si difficile à ouvrir.

4. on fait une grande publicité à la radio.

5. il était le plus fier.

6. elle est la cible.

7. on m'avait dit qu'il avait de la valeur.

8. on parle dans le guide.

 Trouvez le pronom relatif convenable.

Exemple : Vous êtes allés dans le village **dont** je vous avais vanté les charmes ?

a. Tu as entendu parler du journaliste français .... a été enlevé en Tchétchénie ?

b. Tu as fait une tache à la chemise .... je t'avais offerte.

c. Pensez à lui offrir le blouson .... il a envie.

d. Essayez de trouver une place .... vous gagnerez moins d'argent mais .... vous vous épanouirez davantage.

e. La bombe a explosé dans le wagon .... j'avais voyagé.

f. De plus en plus, on voit des gens .... mendient dans le métro.

g. J'ai repris le poste .... tu avais laissé en partant à la retraite.

h. C'est le logement .... représente la part principale du budget des Français.

146 **Reliez chacune des deux phrases suivantes pour n'en faire qu'une seule grâce à un pronom relatif.**

Exemple : Le garçon m'a rendu les clés de la voiture. Je t'ai parlé de ce garçon.

→ Le garçon **dont** je t'ai parlé m'a rendu les clés de la voiture.

a. Les enfants jouent dans la rue. Ces enfants sont les cousins de Paul.

→ ....

b. Tu me rends les disques. Je t'ai prêté ces disques.

→ ....

c. C'est ce chien ? Tu as peur de ce chien.

→ ....

d. Voilà mon appartement. J'habite dans cet appartement avec ma sœur.

→ ....

e. Je suis allé voir ce film avec les enfants. Tu redoutais la violence de ce film.

→ ....

f. J'ai lu ce livre la semaine passée. Tu lis ce livre en ce moment.

→ ....

g. Solange et Patrick prennent des médicaments. Le médecin leur a prescrit ces médicaments.

→ ....

h. J'aime certaines voitures. Ces voitures ne font aucun bruit.

→ ....

147 *Ce que, ce qui, ce dont* **? Complétez les phrases avec le pronom relatif qui convient.**

Exemple : Avoir mon bac cette année, c'est **ce qui** est le plus important pour moi.

a. Je n'ai aucune envie de divulguer .... il m'a entretenu.

b. Pouvoir aller au cinéma tous les jours, c'est .... je rêve quand je suis à Paris.

c. Il a pris le métro sans payer son billet, ... n'est pas très correct.

d. Nous nous sommes perdues et, pourtant, nous avons fait exactement .... vous nous aviez dit.

e. La violence au cinéma, c'est .... je déteste le plus.

f. Il n'est pas tombé une goutte d'eau au mois de mars, ... est exceptionnel en Normandie.

g. Il n'est pas venu au rendez-vous, ... j'étais convaincu d'avance.

h. Edmond a épousé sa nièce, ... a choqué tout le monde.

148 **Attention aux confusions :** *qu'il* **ou** *qui l'...* **?**

Exemples : La voiture **qu'il** avait achetée était rouge.
La voiture **qui l'**a renversé est aussi rouge.

a. Les conseils .... vous a donnés ne sont pas tous bons à suivre.

b. La femme .... a épousée est à plaindre.

c. Le chien .... a enfermé chez lui aboie toute la journée.

d. Le chien .... a empêché de dormir a aboyé toute la nuit.

e. Tu crois .... est important que je téléphone à la police ?

f. On se souvient de Raimu comme d'un acteur bourru. Ceux .... ont connu le trouvaient charmant.

g. Les raisons .... ont conduit à déménager sont d'ordre familial.

h. Le bon air, le calme, le soleil, voilà ce .... te faut !

149 **Construisez deux phrases indépendantes à partir de chacune des phrases suivantes.**

Exemple : J'ai déjà vu la fille qui passe devant la vitrine.
→ J'ai déjà vu cette fille. Elle passe devant la vitrine.

a. Nous sommes allés voir l'exposition dont ta sœur a dit tant de bien.

→ ....

b. Richard est le fils que Thérèse a eu avec son premier mari.

→ ....

c. J'ai rangé tous les livres qui sont à Maryvonne.

→ ....

d. Marka est un village isolé du monde où j'aimerais vivre.

→ ....

e. Certains économistes condamnent les systèmes d'information centralisés qui favorisent l'exclusion sociale.

→ ....

f. Aujourd'hui, le Minitel est devenu un outil archaïque que les réseaux condamnent à disparaître.

→ ....

g. J'ai lu un article sur une espèce de mouton dont la tête est hérissée de trois cornes.

→ ....

h. Au-dessous se déroulait un escalier à double rampe qui donnait accès à la salle des voyageurs.

→ ....

150 | **Reconstituez les phrases suivantes.**

a. L'incompétence du capitaine, c'était   1. voilà ce que Sylvie souhaitait le plus.

b. Ce dont elle rêvait,   2. c'est ce qui plaît aux enfants.

c. Des émissions sans intérêt, c'est   3. c'est son premier long métrage.

d. Ce qui a fait la gloire de Godard,   4. souvent ce que propose la télévision.

e. Ce dont nous parlions,   5. c'était ce dont j'avais peur.

f. Courir dehors,   6. ce dont nous étions convaincus.

g. Se coucher tôt,   7. c'était d'une éventuelle partie de cartes.

h. Le retard que risquait de prendre le train,   8. c'était d'un grand appartement.

151 | **Complétez les phrases suivantes par** *quoi* **précédé de la préposition nécessaire.**

     Exemple :   Les dessous de table et autres pots-de-vin, c'est ce *par quoi* a été discrédité le football en France.

a. Une paire de chaînes et une bombe d'antigel, c'est ce .... il ne faut pas prendre cette route verglacée.

b. Il suffit d'un peu de persévérance, c'est ce .... on réussit dans la vie.

c. La famille, l'amitié, c'est ce .... bien des gens sont prêts à accepter des sacrifices.

d. Souvent, ce .... je pense, c'est à la vie que menait mon père lorsqu'il avait mon âge.

e. Lucien sait ce .... le scandale mène.

f. Le service militaire, c'est ce .... sont passés tous les Français de ma génération avant d'entrer dans la vie active.

g. L'abandon des déshérités par la société, c'est ce .... s'est élevé l'abbé Pierre.

h. Le marc de café et la boule de cristal, c'est ce .... lisait Mme Julia qui était pourtant analphabète.

B. *LEQUEL, LAQUELLE, DUQUEL, DE LAQUELLE, AUQUEL ET À LAQUELLE*

152 Remplacez le pronom *qui* par *lequel, laquelle, lesquels* ou *lesquelles*.

Exemple : Annie est une fille pour (qui) *laquelle* l'argent est sans importance.

a. Philippe est le garçon devant (qui) .... tu étais assis au théâtre.

b. Léon et Jean sont les amis sans (qui) .... je n'aurais jamais eu le courage de passer mes examens.

c. Je suis allé voir Christiane chez (qui) .... je suis resté une quinzaine de jours.

d. Nous avons discuté avec Monique et Odile pour (qui) .... les résultats des élections importent peu.

e. Anne et Jean-Louis sont les gens avec (qui) .... je vais peut-être partir en vacances.

f. J'ai croisé samedi dernier la candidate contre (qui) .... je m'étais présenté aux dernières élections.

g. Les Lantiez sont des gens sur (qui) .... il est difficile de se faire une opinion.

h. Les personnes sur (qui) .... je suis tombé dans le train de Nice étaient mes propriétaires.

153 Insistez en utilisant *lequel, laquelle* ou *lesquels* précédé d'une préposition.

Exemple : J'ai passé mon enfance dans cette maison.
→ C'est la maison *dans laquelle* j'ai passé mon enfance.

a. Nous sommes venus par cette route.
→ C'est la route ....

b. J'ai posé mes clés sur cette table.
→ C'est la table ....

c. Vous avez fait vos travaux avec cette perceuse.
→ C'est cette perceuse ....

d. Il n'est plus possible d'enseigner aujourd'hui sans un diplôme de maîtrise.
→ La maîtrise est un diplôme ....

e. J'ai toujours voté pour le candidat sortant.
→ Le candidat sortant est celui ....

f. L'opposition compte déposer deux cents amendements contre ce projet de loi.
→ C'est le projet de loi ....

g. Je joue au tarot tous les samedis soir avec mes amis Lariven.
→ Les Lariven sont les amis ....

h. On ne peut faire de bon couscous sans cumin.
→ Le cumin est un ingrédient ....

154 Choisissez le pronom relatif convenable : *dont* ou *duquel, de laquelle...*

    Exemples : C'est un réalisateur **dont** nous avons vu tous les films.

                   C'est l'homme à cause **duquel** je suis allé en prison.

a. Je suis passé à côté de la maison .... j'avais entendu dire qu'elle était hantée.

b. Le maçon a rencontré toutes sortes de difficultés à cause .... le chantier a pris trois mois de retard.

c. J'ai encore lu un article sur cette fameuse maladie au sujet .... on a tant écrit.

d. Vous avez réussi à voir le film .... nous vous avions parlé ?

e. J'ai lu le roman à partir .... Jean Gruault a écrit son scénario.

f. Vous êtes passé sur la route près .... on a construit la centrale nucléaire.

g. Nous avons enfin vu la maison .... il nous avait montré les plans.

h. J'ai lu les propositions du président à propos .... personne n'est d'accord.

155 Trouvez pour chaque phrase le pronom qui convient. Choisissez parmi *auquel, auxquels, auxquelles, duquel, desquels, de laquelle* ou *desquelles*.

    Exemple : Jacques est une personne à côté **de laquelle** il est impossible de vivre, m'a dit sa femme.

a. Les commerçantes .... j'ai demandé l'heure n'étaient pas très aimables.

b. Arlette Laguiller est une femme au sujet .... on a dit beaucoup de choses désagréables.

c. Stéphane et Charles sont les amis grâce .... Olivier a rencontré Charlotte.

d. André Gide est un écrivain .... je dois beaucoup.

e. Les voisines au-dessus .... j'habite écoutent sans arrêt la radio.

f. La personne au-dessous .... je me situe dans l'entreprise est le directeur général.

g. Mes frères sont sans doute les hommes près .... j'ai vécu le plus longtemps.

h. Regarde, c'est l'acteur à côté .... j'étais assis dans l'avion.

156 Faites des phrases en réunissant les éléments suivants à l'aide des pronoms *auquel, auxquels, à laquelle, auxquelles* ou *à qui* (parfois plusieurs réponses possibles).

a. J'ai rencontré le jeune homme

b. Les entreprises

c. Nous n'avons pas revu le cheval ⟶ auquel

d. J'ai déjeuné avec une personne

e. Comment s'appellent les personnes

f. Personne ne connaît le couple

g. Les chiffres

h. Les livres

auquel
auxquels
à laquelle
auxquelles
à qui

1. j'ai écrit m'ont toutes répondu.

2. appartient cette voiture.

3. vous avez prêté votre magnétoscope.

4. tu dois plus de 1 600 euros.

5. il se réfère sont tous faux.

6. les enfants avaient donné à manger le week-end précédent.

7. je pensais sont épuisés.

8. vous parliez ce matin ?

157 Réunissez ces deux phrases à l'aide d'un pronom relatif précédé de la préposition soulignée.

Exemple : Tiens, c'est Éric. J'ai fait une bonne partie du voyage avec lui.
→ Tiens, c'est Éric **avec lequel** j'ai fait une bonne partie du voyage.

a. Le vin rouge est une boisson. Pour Pierre, il est impossible d'apprécier un bon camembert sans cette boisson.

→ ....

b. L'abolition de la peine de mort est une condition. Les pays de l'Union européenne doivent souscrire à cette condition.

→ ....

c. Cette petite pilule bleue est un médicament. Papi Jules a retrouvé l'ardeur de ses 20 ans grâce à lui.

→ ....

d. L'influence de la télévision sur le comportement des enfants est un sujet important. Il est difficile d'avoir un avis tranché à propos de ce sujet.

→ ....

e. Brigitte est une fille sympathique. On peut toujours compter sur elle.

→ ....

f. Devenir acteur est un rêve. J'ai couru après ce rêve toute ma jeunesse.

→ ....

g. Être comptable est un beau métier. Je m'épanouis dans ce métier.

→ ....

h. C'est un homme très doux et son air sombre n'est qu'un masque. Il se cache derrière ce masque.

→ ....

158 Complétez les phrases suivantes avec *lequel, lesquels, laquelle, lesquelles* **précédés** d'une préposition ou *auquel, auxquels...*

Exemples : Tu me donnes les skis **avec lesquels** tu as remporté ta médaille ?
Les caissiers des grandes surfaces sont des gens **auxquels** on confie des tâches bien trop lourdes.

a. J'ai revu par hasard le professeur .... j'ai réussi à intégrer Normale Sup.

b. La psychothérapie est le moyen .... il a réussi à retrouver confiance en lui.

c. Le train est devenu le moyen .... il est le plus simple de traverser la Manche.

d. Les Deniau sont des amis .... Amélie doit plus de 15 000 euros.

e. Je te conseille d'aller voir la crémière .... j'achète mon fromage.

f. Francis a une morale .... il est très attaché : « Mon argent ne peut faire le bonheur de personne d'autre que moi. »

g. Le mur .... Jacques s'appuyait s'est effondré sous son poids.

h. Christian appartient à une génération qui ne pourra jouir d'une retraite .... il aura pourtant cotisé.

159 Reconstituez chaque phrase en groupant autour du pronom relatif correct un personnage avec une qualité ou une action lui correspondant.

a. Ulysse est un chien
b. Valérie est l'amie
c. Charles le Téméraire haïssait Louis XI
d. De Gaulle est certainement le président français
e. Mansart est l'architecte
f. Alain est un homme
g. Serge Daney était un critique
h. L'instituteur du village est la personne

à qui
sans qui
pour qui
grâce à qui
contre qui
dont
avec qui
à propos de qui

1. il s'est battu toute sa vie.
2. je n'aurais jamais découvert les films de Raoul Ruiz.
3. on doit les plus beaux monuments de l'époque classique française.
4. mon oncle a fait des études.
5. tout le monde a peur.
6. je fais de la voile.
7. on a publié le plus d'ouvrages.
8. j'irais au bout du monde.

160 *Desquels, duquel, auxquels, sans lesquelles, auquel, avec lequel, auxquelles, par laquelle, contre lequel :* **trouvez le pronom (éventuellement précédé d'une préposition) correspondant à chaque phrase.**

Exemple : Voilà le mur ***contre lequel*** j'avais appuyé mon vélo.

a. J'ai égaré un collier .... je tenais comme à la prunelle de mes yeux.

b. Vous avez rencontré des problèmes .... vous ne vous attendiez pas.

c. Édouard a acheté trois cents bouteilles de champagne .... il attribue des qualités à mon sens excessives.

d. Ils viennent d'acquérir un bateau à l'entretien .... ils devront passer un temps fou.

e. Vous trouverez facilement la piste .... on descend directement à la station.

f. Pensez à mettre de bonnes chaussures .... vous ne pourriez pas faire cette marche.

g. Linderhof est un des châteaux pour la construction .... Louis II a failli ruiner son pays.

h. L'amour est un sentiment .... on ne doit pas jouer.

C. LA MISE EN RELIEF

161 Reconstituez les phrases suivantes pour exprimer l'insistance.

a. Plus personne n'a entendu parler d'Alain, ⟶

b. Les sculptures ont été enlevées de l'avenue,

c. On vient de terminer la restauration de l'Opéra de Paris,

d. Pour skier, je me suis acheté des chaussures neuves,

e. Le tyran a libéré les opposants,

f. J'ai pris la mauvaise route pour monter chez toi,

g. Virginie et Anatole vont dans une nouvelle école,

h. Nous avons décidé de ne plus voyager sur les lignes de cette compagnie,

1. lesquels avaient été emprisonnés dix-sept ans auparavant.

2. laquelle est plus près de chez eux.

3. lequel a disparu en mer.

4. laquelle était de surcroît très enneigée.

5. laquelle avait été commanditée par le ministère de la Culture.

6. lesquelles sont très confortables.

7. laquelle est souvent en grève.

8. laquelle semble bien triste depuis.

162 Marquez l'insistance en remplaçant le pronom relatif *qui* par un autre pronom.

Exemple : J'ai déjeuné avec Camille qui est devenue ministre du Travail de son pays.
→ J'ai déjeuné avec Camille, *laquelle* est devenue ministre du Travail de son pays.

a. Nous avons discuté avec ton petit frère qui croit toujours au Père Noël.

→ ....

b. Surtout n'oublie pas de prendre la carte grise, qui se trouve dans la boîte à gants.

→ ....

c. Nous sommes allés cueillir des cèpes qui sont rares cette année.

→ ....

d. Après le tremblement de terre, nous sommes retournés voir cette ville qui a été reconstruite.

→ ....

e. J'ai retrouvé les clés de la maison de campagne qui étaient à la cave.

→ ....

f. J'ai acheté des fraises qui sont hors de prix.

→ ....

g. Nous avons revu les Cartier qui ont beaucoup vieilli.

→ ....

h. Vous avez décidé d'aller voir le film de Chabrol qui est excellent.

→ ....

163 Simplifiez les phrases suivantes en supprimant le pronom relatif.

Exemple : C'est moi qui ai décidé de prendre le train pour aller à Toulouse.
→ **J'ai décidé de prendre le train pour aller à Toulouse.**

a. Les films que j'ai vus cet été sont tous sans intérêt.

→ ....

b. Les hommes que tu souhaites rencontrer sont des personnalités très occupées.

→ ....

c. Ce sont les Japonais qui courent très peu de risques cardio-vasculaires.

→ ....

d. C'est Nicolas Anelka, le footballeur dont on dit qu'il a gagné énormément d'argent.

→ ....

e. C'est Lindsay Davenport qui semblait être la mieux placée pour remporter Wimbledon en 2000.

→ ....

f. La maladie que vous avez contractée en voyageant est très grave.

→ ....

g. C'est une météorite qui serait à l'origine de la disparition des dinosaures.

→ ....

h. C'est la maison où a vécu Honoré de Balzac.

→ ....

Bilans

164 **Complétez le texte suivant à l'aide de** *auquel, sur lequel, qui, pour lequel, grâce auquel, qu', que, avec lequel* **ou** *dont***.**

La retraite du libéro :

Ce .... *(1)* avait le plus bouleversé sa vie, ce .... *(2)* il était le plus fier, ce n'était pas les centaines de buts .... *(3)* il avait à son actif. Non, c'était la naissance de ses enfants.

Ses amis célibataires, ... *(4)* les histoires de paternité n'intéressaient que médiocrement, n'y comprenaient rien. Comment est-ce possible ?, se demandaient-ils, comment ce garçon .... *(5)* avait été le meilleur libero de leur équipe, ... *(6)* des clubs professionnels avaient même courtisé, en était-il arrivé là ? Comment pouvait-il abandonner un sport .... *(7)* il était si doué, ... *(8)* il était devenu une véritable vedette locale, ... *(9)* il avait sacrifié la plupart de ses loisirs ?

« Le foot est un sport .... *(10)* j'adore mais .... *(11)* je ne suis pas marié, expliquait-il. C'est une activité .... *(12)* me demande trop de temps, de ce temps .... *(13)* j'ai besoin maintenant pour m'occuper de ma famille, de mes enfants. Il ne faut pas qu'on espère me revoir sur le terrain comme avant, les soirs et les week-ends. C'est un choix de vie .... *(14)* je ne reviendrai pas. »

165 Complétez ce texte avec des pronoms relatifs.

Les gens .... *(1)* habitent les arrondissements populaires de Paris, ... *(2)* sont de moins en moins nombreux, ne sont pas toujours à plaindre, bien au contraire.

Ce sont des gens .... *(3)* la foule et une incessante activité ne rebutent pas.

Ainsi, de nombreuses personnes préfèrent vivre dans des quartiers au cœur .... *(4)* existe une véritable vie. Pour moi, ce sont Belleville et Ménilmontant .... *(5)* restent mes quartiers préférés. Je suis reconnaissant envers les multiples associations grâce .... *(6)* on a pu éviter la démolition d'une grande quantité d'immeubles .... *(7)* les poètes ont souvent chantés. Parmi eux, on peut citer la maison .... *(8)* naquit une chanteuse .... *(9)* tout le monde a entendu parler : Édith Piaf.

À tous ceux à .... *(10)* ces noms de quartiers n'évoquent rien, je conseille de descendre la rue de Belleville. Parcourez-la depuis la rue des Pyrénées jusqu'au boulevard Parmentier.

Vous ne vous perdrez pas, il y aura toujours des commerçants .... *(11)* vous pourrez demander votre chemin. Commerces asiatiques, africains, maghrébins, juifs, turcs et, bien sûr, français traditionnels, vous y découvrirez des saveurs .... *(12)* vous ignorez, des parfums, des langues et des musiques avec .... *(13)* vous ferez, en une demi-journée, un véritable tour du monde grâce .... *(14)* vous rentrerez enrichis et étourdis.

VII. LE CONDITIONNEL

On ne saurait faire boire un âne s'il n'a pas soif.

A. LE CONDITIONNEL PRÉSENT : EMPLOIS

166 Employez un niveau de langue plus soutenu.

Exemple : Tu prends un café à la maison ?

→ ***Prendrais-tu*** un café à la maison ?

a. Vous ne connaissez pas son adresse ? → *Ne connaîtriez-vous pas son adresse.*

b. La monnaie de 20 euros, vous avez ? → *Auriez-vous 20 euros ?*

c. Vous pouvez m'aider à traverser la rue ? → *Pourriez-vous m'aider à traverser la rue ?*

d. Ça vous intéresse, une invitation pour le concert du 14 ?

→ *Intéresseriez-vous, une invitation pour le concert*

e. Est-ce que vous attendez que la pluie cesse pour sortir ?

→ *Attendriez-vous que la pluie cesse pour sortir ?*

f. C'est au cinquième qu'elle habite ? → *Habiterait-elle au cinquième ?*

g. Vous avez l'heure ? → *Auriez-vous l'heure*

h. C'est lui qui décide de tout ici ? → *Déciderait-il de tout ici*

167 Formulez poliment vos propos dans chacune de ces situations en utilisant les verbes : *aimer, souhaiter, vouloir, pouvoir* ou *préférer* (plusieurs phrases possibles).

Exemple : Vous souhaitez que votre ami ferme la fenêtre. Vous le lui demandez.

→ ***Pourrais-tu*** fermer la fenêtre ?/***Voudrais-tu*** fermer la fenêtre ?

a. Vous n'avez pas un sou pour rentrer chez vous ; vous demandez à vos amis de vous prêter de l'argent.

→ *Pourriez-vous me prêter de l'argent*

b. Vous proposez à votre compagnon ou votre compagne d'aller en vacances en Sicile.

→ *Voudrais-tu aller en Sicile*

c. Le garçon propose aux clients de choisir entre fromage et dessert.

→ *Préféreriez-vous du fromage ou un desert ?*

d. Vous demandez à votre patron s'il accepte que vous passiez chez lui, même tard, lui rapporter le dossier « Contentieux Cordier ».

→ ....

e. Vous signifiez à la fin de votre lettre que vous voulez rencontrer prochainement le DRH*.

→ ....

---

* *DRH :* Directeur des Ressources Humaines : *dans une entreprise, il s'agit de la personne responsable de la gestion du personnel.*

f. Vous demandez à une amie si elle a envie d'aller à la campagne pendant le week-end.

→ *Aimerais-tu aller* .....

g. Les écologistes annoncent qu'ils souhaitent parlementer avec le ministre de l'Environnement.

→ *Nous souhaiterions parlementer* .....

h. Au théâtre, la personne assise devant vous est très grande ; vous lui demandez de se baisser un peu.

→ *Pourriez-vous vous baisser* .....

168 **Reformulez ces hypothèses suivant le modèle.**

Exemple : Si Ferdinand allait en Inde, il ferait des progrès en anglais.

→ Ferdinand *irait* en Inde, il ferait des progrès en anglais.

a. S'ils passaient par le tunnel sous la Manche, ils arriveraient plus vite à Londres.

→ .....

b. Si on avait un chien, on ne saurait pas quoi en faire pendant les vacances.

→ .....

c. Si vous voyiez ce film, vous auriez envie de connaître toute l'œuvre de ce metteur en scène.

→ .....

d. Si je te disais d'arrêter de travailler, tu ne m'écouterais pas.

→ .....

e. S'il travaillait un peu plus son solfège, il aurait bien plus de facilités pour déchiffrer les partitions.

→ .....

f. Si tu souriais de temps en temps, tu aurais plus d'amis.

→ .....

g. Si tu leur déplaisais, ils ne se gêneraient pas pour te licencier.

→ .....

h. Si j'avais attendu six mois, j'aurais bénéficié de la baisse générale des taux de crédit.

→ .....

169 **Exprimez une réserve sur ces informations. Transformez selon l'exemple.**

Exemple : On pense que l'illettrisme touche 10 % de la population française.

→ L'illettrisme *toucherait* 10 % de la population française.

a. On dit que les Français sont les plus gros consommateurs de médicaments du monde.

→ .....

b. La presse a avancé que 63 % des Français ignorent qui a peint Monna Lisa.

→ .....

c. D'après Gérard Mermet, les Français reversent pratiquement la moitié de leurs revenus à l'État sous forme d'impôts.

→ .....

d. En France, on estime que la route tue environ 8 000 personnes par an.

→ .....

e. J'ai entendu dire à la radio qu'un musée du détritus allait ouvrir ses portes du côté de Nice.

→ .....

f. Les suicides font plus de victimes chaque année que les accidents de la route.

→ ....

g. 15 % des Français souffrent d'hypertension artérielle mais 80 % l'ignorent.

→ ....

h. En France, il semble que nous fumions de moins en moins.

→ ....

170 **Formulez un conseil sur le modèle suivant.**

Exemple : Rentrez chez vous de bonne heure.

→ À votre place, *je rentrerais chez moi de bonne heure.*

a. Téléphonez à l'hôpital.
→ À votre place, *je téléphonerais*

b. N'oubliez pas votre permis de conduire.
→ À votre place, *je n'oublierais pas mon permit*

c. Fermez les volets avant de sortir.
→ À votre place, *je fermerais les volets*

d. Ne buvez plus de vin.
→ À votre place, *je ne boirais pas plus de vin*

e. Partez en vacances avec vos enfants.
→ À votre place, *je partirais en vacances*

f. N'ouvrez la porte à personne.
→ À votre place, *je n'ouvrirais la port*

g. Faites-vous refaire le nez.
→ À votre place, *je me ferais refaire le nez*

h. Lisez. Arrêtez de vous saouler de télévision.
→ À votre place, *je lirais, J'arrêterais de me saouler*

171 **Exprimez ces espoirs et ces regrets en utilisant le conditionnel présent.**

Exemple : Si j'avais de l'argent, j'irais en Espagne.

→ J'*aurais* de l'argent, j'irais en Espagne.

a. Si nous étions riches, nous changerions d'appartement.

→ ....

b. Si vous pouviez venir avec nous, nous passerions des vacances formidables.

→ ....

c. Si vous acceptiez de m'écouter, tous vos problèmes seraient réglés.

→ ....

d. Si j'étais moins fatigué, je pourrais sortir avec toi.

→ ....

e. Si les cousins Jourdain venaient à Paris, toute la famille serait réunie pour Noël.

→ ....

f. Si nous faisions plus attention, nous aurions des économies.

→ ....

g. Si Christophe obtenait son permis de conduire avant l'été, nous irions en Suède en voiture.

→ ....

h. Si elle travaillait moins, elle serait de meilleure humeur.

→ ....

172 **Formulez des conseils et leur conséquence selon le modèle suivant.**

Exemple : Travaille mieux au lycée et tu pourras t'inscrire après le bac dans l'université de ton choix.

→ Tu ***travaillerais*** mieux au lycée, tu ***pourrais*** t'inscrire après le bac dans l'université de ton choix.

a. Buvez moins de soda et vous serez en meilleure santé.

→ ....

b. Arrête de fumer, tu monteras les six étages sans effort.

→ ....

c. Taillez vos rosiers en hiver, ils seront splendides cet été.

→ ....

d. Faites du sport, vous resterez en bonne forme physique.

→ ....

e. Lisez des romans, vous entretiendrez vos facultés d'analyse.

→ ....

f. Prenez la première à droite, vous arriverez directement.

→ ....

g. Allons faire les courses au marché, nous trouverons des produits de meilleure qualité.

→ ....

h. Regardez moins la télévision, votre esprit critique se développera.

→ ....

173 **Exprimez des doutes et des réserves sur les affirmations suivantes.**

Exemple : Je peux faire le tour du monde en huit jours.

→ Vous ***pourriez*** faire le tour du monde en huit jours !

a. Ce n'est pas moi le ronfleur, c'est ma femme.

→ ....

b. Vous êtes incapable de tenir votre parole.

→ ....

c. Enfin papa, à ton âge, tu ne dois plus danser le rock.

→ ....

d. Le poisson que j'ai pêché pèse plus de six kilos.

→ ....

e. Laurent revient à pied de Chine.

→ ....

f. D'après les textes anciens, cette terre nous appartient.

→ ....

g. Achetez cette voiture, il n'en existe pas de meilleure.

→ ....

h. Certains films de Claude Lelouch passent pour des chefs-d'œuvre.

→ ....

B. LE CONDITIONNEL PASSÉ : FORME ET EMPLOIS

174 **Réécrivez les phrases suivantes au conditionnel présent.**

Exemple : Il serait parti en vacances chez Nathalie avec joie.

→ Il **partirait** en vacances chez Nathalie avec joie.

a. Il aurait mangé trois hamburgers à la suite.

→ *Il mangerait*

b. Il aurait repeint sa chambre à coucher en rose.

→ *Il repeindrait*

c. Il n'aurait pris aucune précaution pour lui annoncer son départ.

→ *Il ne prendrait*

d. Il n'aurait dit à personne la vérité.

→ *Il ne dirait*

e. Elle n'aurait plus envoyé de ses nouvelles.

→ *Elle n'enverrait*

f. Nous n'aurions jamais plus pris l'avion.

→ *Nous ne prendrions jamais plus*

g. Ce ministre se serait teint les cheveux.

→ *Ce ministre se tiendrait*

h. Les locataires du second n'auraient pas payé leur loyer.

→ *Les locataires ne paieraient pas*

175 **Complétez les phrases suivantes en employant l'auxiliaire correct.**

Exemple : Elle **serait** partie vivre en Italie.

a. Tu .... pris le train sans billet.

b. Vous .... arrivé en retard tous les jours.

c. J'....................... eu tort de dire la vérité ?

d. Ils .... acheté une maison sur la côte.

e. Elle .... accepté le divorce.

f. Le Premier ministre .... décidé d'augmenter la TVA*.

g. Cet avion .... atteint les 3 000 km/h.

h. Nous .... découvert une autre façon de vivre.

---

* TVA : Taxe sur la Valeur Ajoutée.

176 Ces phrases expriment des constatations actuelles. Manifestez le regret en les réécrivant au conditionnel passé.

> *Exemple :* Vous aimeriez apprendre le chinois.
>> → Vous **auriez aimé** apprendre le chinois.

a. Avec de l'argent, ils iraient au cinéma tous les jours.

→ ....

b. Tu verrais ta mère plus souvent en déménageant.

→ ....

c. Avec du temps, nous réserverions nos places trois jours avant de partir.

→ ....

d. Par amour, elle consacrerait tout son temps à son fils.

→ ....

e. Grâce à son travail, elle réussirait tous ses examens.

→ ....

f. En lisant mon programme, vous voteriez pour moi.

→ ....

g. Avec de la patience, vous obtiendriez votre permis de conduire.

→ ....

h. Grâce à l'amicale des personnes âgées, elles iraient à la bibliothèque du quartier.

→ ....

177 Si c'était à refaire ? ... suivez le modèle.

> *Exemple :* Rester à la campagne ? → Oui, je **serais resté** à la campagne.

a. Reprendre l'exploitation de mes parents ? → Oui, ...

b. S'endetter pour moderniser l'entreprise ? → Oui, ...

c. Acquérir les terres voisines ? → Oui, ...

d. Aller en Australie observer d'autres techniques ? → Oui, ...

e. Diversifier la production ? → Oui, ...

f. Construire des équipements nouveaux ? → Oui, ...

g. Démolir les vieux bâtiments ? → Oui, ...

h. Vivre une vie plus saine qu'en ville ? → Oui, ...

178 Exprimez des regrets en utilisant les éléments proposés.

> *Exemple :* je – faire des études de philosophie
>> → Si j'avais su, j'**aurais fait** des études de philosophie.

a. Émile – déménager

→ Si Émile avait su, il ....

b. nous – voter pour un autre candidat

→ ....

c. vous – inscrire votre fils dans un autre collège

→ ....

d. Céline et Julie – prendre le bateau

→ ....

e. je – lire le contrat jusqu'au bout

→ ....

f. tu – décrire les lieux avec plus de précision

→ ....

g. Lucien et Alice – détruire le mur mitoyen

→ ....

h. Simone – revendre ses parts de l'entreprise

→ ....

179 **Exprimez la conséquence non accomplie en conjuguant le verbe entre parenthèses au conditionnel passé.**

Exemple : Sans mon soutien, il ***aurait paniqué*** (paniquer) face à cette situation.

a. Nous .... (préférer) cette salade de fruits sans banane.

b. Sans l'héritage de ses parents, il .... (rester) locataire.

c. Aurore .... (épouser) Gaël sans tes bons conseils.

d. Solange .... (sombrer) dans le désespoir sans ses amis.

e. Sans toi, je .... (partir) faire le tour du monde.

f. Sans la perspective des élections, le président .... (faire) plus d'économie et moins de politique.

g. J'................................... (gâcher), sans passion, une bonne partie de ma vie.

h. Sans mon travail, j'................................... (pouvoir) partir en Bretagne.

180 **Reconstituez les phrases suivantes qui expriment une restriction ayant provoqué une conséquence.**

a. Sans une certaine inconscience,

b. Monique n'aurait jamais appris l'anglais

c. Sans une ambition démesurée,

d. On ne lui aurait pas fermé toutes les portes au nez

e. Sans aucune culture,

f. Sans enfants,

g. Bernard n'aurait pas passé les vacances de Noël en famille

h. Emmanuel n'aurait pas vu que Colette le regardait

1. sans ce mauvais caractère.

2. Raymond ne serait jamais devenu président de son groupe.

3. sans ses lunettes.

4. de nombreux sportifs n'auraient jamais battu ces records.

5. Paul et Nadine n'auraient pas bénéficié du tarif réduit sur les vols de Air Europe.

6. sans un excellent médecin.

7. Éléonore n'aurait jamais réussi à se faire admettre dans ce milieu.

8. sans ces années passées aux États-Unis.

181 Utilisez le conditionnel passé pour exprimer un doute quant à la vérité de l'information donnée.

Exemple : Je me suis trop peu entraîné, alors je n'ai pas pu gagner le Tour de Corse à la voile.

→ En t'entraînant davantage, tu **aurais pu** gagner le Tour de Corse à la voile ?

a. Je suis passé par la face nord, alors j'ai atteint le sommet plus vite.

→ En passant par la face nord, tu .... ?

b. Vous lui avez prêté de l'argent, alors vous ne serez jamais <u>remboursés</u>.

→ Lui ayant prêté de l'argent, nous .... ?

c. Cicéron a mis des pois chiches sous sa langue pour perfectionner son élocution.

→ En mettant des pois chiches sous la langue, ... ?

d. Ulysse s'est caché dans le cheval de bois, alors il est entré dans Troie.

→ En se cachant dans le cheval de bois, ... ?

e. Hamlet croyait qu'il s'agissait d'un rat, alors il a tué son beau-père.

→ En tuant son beau-père, ... ?

f. Gisèle voulait perdre du poids, alors elle n'a plus mangé de viande.

→ En ne mangeant plus de viande, ... ?

g. Je n'aurais plus eu besoin de lunettes si je m'étais fait opérer de la myopie.

→ En vous faisant opérer de la myopie, vous .... ?

h. Le député a financé son parti politique en détournant 6 millions d'euros.

→ En détournant ces 6 millions d'euros, ... ?

182 Réécrivez le texte suivant au conditionnel passé.

Exemple : Loïc arriverait à la gare au petit matin.

→ Loïc **serait arrivé** à la gare au petit matin.

a. Gwenaëlle l'attendrait sur le quai.

→ ....

b. Ils iraient prendre un petit déjeuner au buffet.

→ ....

c. Il y aurait du café brûlant, des croissants chauds et du lait tiède.

→ ....

d. Ils se regarderaient dans les yeux longtemps.

→ ....

e. Le café, le lait et les croissants refroidiraient.

→ ....

f. Le soleil se lèverait sur leur bonheur.

→ ....

g. Ils s'embrasseraient avant de monter en voiture.

→ ....

h. Et leur petit déjeuner froid leur resterait sur l'estomac.

→ ....

183 Exprimez une réserve sur une information au passé en conjuguant le verbe entre parenthèses au conditionnel passé.

Exemple : Le président **aurait décidé** (décider) de se présenter aux prochaines élections.

a. Le principal suspect .... (prouver) son innocence.

b. Madeleine .... (obtenir) le premier prix de beauté.

c. La guerre du Golfe .... (faire) plus de 250 000 victimes civiles.

d. Bill Gates .... (acquérir) les droits de reproduction des œuvres des plus grands musées du monde.

e. Alain .... (prendre) froid le soir de son anniversaire.

f. Zinédine Zidane .... (devenir) la personnalité française la plus admirée en Chine.

g. Le gouvernement .... (entreprendre) de démanteler la Sécurité sociale.

h. Philippe .... (joindre) un de ses plus vieux copains grâce à Internet.

184 Remplacez l'affirmation suivante par une hypothèse formulée au conditionnel passé.

Exemple : Fabienne est allée vivre en Hollande avec Patrick.
→ Fabienne **serait allée** vivre en Hollande avec Patrick.

a. Vous êtes entrés dans le magasin par hasard.

→ ....

b. Ils sont montés jusqu'ici pour le plaisir.

→ ....

c. Tu es sorti trois heures avant moi.

→ ....

d. Annie est venue chez lui chaque jour.

→ ....

e. Vous êtes passé nous dire que vous sortiez.

→ ....

f. Les loups sont entrés en France par les Alpes.

→ ....

g. Depuis le départ de son fils, Roger est devenu triste.

→ ....

h. Louis est tombé du troisième étage sans se blesser.

→ ....

185 Les choses se sont déroulées différemment de ce que vous pensiez. Admettez-le en exprimant la surprise au conditionnel passé.

Exemple : Mon neveu a obtenu son baccalauréat cette année.
→ Je ne pensais pas qu'**il l'aurait obtenu**.

a. Tu m'as quitté le mois dernier, trois jours avant notre soixantième anniversaire de mariage.

→ Je ne pensais pas que ....

b. La semaine dernière, on a retrouvé mon portefeuille dans le cinéma où je l'avais perdu.

→ Je ne pensais pas qu' ....

c. En 1969, les Américains sont allés sur la lune, avant les Soviétiques.

→ Je ne pensais pas qu' ....

d. L'an passé j'ai revu Jean Leclerc, l'un de mes plus anciens camarades d'enfance.

→ Je ne pensais pas que ....

e. L'été 1987, vous avez réussi votre traversée de l'Atlantique en solitaire.

→ Je ne pensais pas que ....

f. L'hiver dernier, quand nous nous sommes revus, vous avez admis votre erreur.

→ Je ne pensais pas que ....

g. Quand nous sommes allés à Java, nous avons tous atteint le sommet du Merapi.

→ Je ne pensais pas que ....

h. On a très peu parlé de la mort de Charles Denner dans la presse.

→ Je ne pensais pas qu' ....

186 Voici des conséquences introduites par des hypothèses formulées à l'imparfait. Réécrivez-les au conditionnel passé.

Exemple : Tu me disais la vérité, je te croyais immédiatement !

→ Tu me disais la vérité, je t'**aurais cru** immédiatement !

a. Vous partiez après moi, vous ratiez votre train !

→ ....

b. Tu apportais une bouteille de vin, tu lui faisais plaisir !

→ ....

c. Je lisais trois livres, je réussissais mon examen !

→ ....

d. Il rencontrait le directeur général, il lui laissait carte blanche !

→ ....

e. Nous allions voir l'adjoint au maire, nous obtenions une place en crèche le lendemain !

→ ....

f. Françoise commençait à chanter, elle recevait immédiatement des tomates !

→ ....

g. Tu prenais ton temps, tu comprenais tout !

→ ....

h. Charles et Julien leur écrivaient, elles étaient contentes !

→ ....

C. CONCORDANCE DES TEMPS

187 Écrivez le verbe entre parenthèses à la forme qui convient.

Exemples : Si vous disiez franchement les choses, on **pourrait** (pouvoir) gagner du temps.

Vous déboucheriez la bouteille de cidre qui est devant vous si vous **aviez** (avoir) soif.

a. Je sortirais si je .... (vouloir) voir ce film.

b. Si vous persistiez dans votre mutisme, vous n'en .... (devenir) que plus suspect.

c. Nous y verrions plus clair si tu .... (ranger) ta chambre.

d. Si Christiane et Colette partaient ensemble en vacances, personne ne .... (pouvoir) s'occuper du chat.

e. Vous découvririez que les hommes sont tous différents si vous .... (voyager) plus souvent.

f. Si vous étiez monégasque, vous ne .... (payer) pas d'impôts.

g. Si vous .... (passer) à la télévision, vos parents seraient fiers de vous.

h. Tu ne m'.................... pas .... (oublier) si vite si tu avais un peu de mémoire.

---

188 **Reconstituez les phrases suivantes.**

a. L'eau jaillirait au bout du jardin

b. Si vous disiez la vérité,

c. J'arriverais exténuée

d. S'ils offraient un atlas à leur père,

e. Si je le décidais maintenant,

f. Nos enfants trouveraient plus facilement du travail

g. Son chat serait en meilleure santé

h. Si tu prenais ce cachet,

1. tu n'aurais plus mal à la tête.

2. si je parcourais cette distance à pied.

3. vous ne seriez pas dans cette situation.

4. si nous les instruisions correctement.

5. si elle le nourrissait moins.

6. il serait content.

7. s'il ouvrait le robinet.

8. nous partirions dans une heure.

---

189 **Imaginez une suite ou une fin logique aux phrases suivantes.**

Exemple :   S'il y avait plus de commerces dans ce quartier, *il serait plus agréable à vivre.*

a. Si j'avais obtenu tout ce que je voulais, ...

b. .... la baignoire n'aurait pas débordé.

c. S'il avait lu l'article avec plus d'attention, ...

d. .... il n'aurait pas été abîmé.

e. Si elle avait fourni plus d'efforts, ...

f. .... nous aurions grelotté de froid.

g. Si vous aviez haï ce type autant qu'il vous hait, ...

h. .... elles l'auraient humilié.

---

190 **Reconstituez les phrases suivantes.**

a. S'ils avaient une voiture,

b. Vous pourriez faire réparer votre caméra,

c. Il n'aurait pas fait ce genre d'erreur

d. Elles auraient vu l'éclipse

e. Nous boirions de l'eau du robinet

f. Tu aurais cherché ta route en vain

g. S'ils allaient se reposer dans les Alpes,

h. J'aurais volontiers chanté

1. si l'occasion s'était présentée.

2. si elle n'était pas polluée par les nitrates.

3. si tu n'avais pas pris de carte.

4. s'il avait consulté un dictionnaire.

5. elle est encore sous garantie.

6. si elles s'étaient couchées moins tôt.

7. ils partiraient plus souvent le week-end.

8. ils guériraient plus vite.

191 Employez la forme verbale qui convient en fonction des indications temporelles qui vous sont proposées.

> *Exemple :* Elles **auraient trouvé** (trouver) plus facilement du travail si elles **avaient prolongé** (prolonger) leurs études. *(quand elles étaient plus jeunes)*

a. Si nous .... (ne pas manger) d'huîtres, nous ne .... (être) pas malades. *(hier soir)*

b. Nous .... (arriver) à l'heure si nous .... (prendre) le métro. *(il y a une heure)*

c. Si je t'............................. (prêter) ma voiture, tu .... (rouler) prudemment ? *(l'autre jour)*

d. Vous .... (être) riches si vous .... (changer) d'avis à temps. *(la semaine dernière)*

e. Si elle .... (ne pas être) fatiguée, elle .... (sortir) avec moi. *(samedi dernier)*

f. Elle .... (penser) que j'insistais trop si je lui .... (téléphoner). *(après les vacances)*

g. Si elle .... (ronfler) moins fort, j'............................. (mieux dormir). *(la nuit dernière)*

h. Le toit .... (ne pas s'effondrer) si Albert .... (achever) les travaux à temps. *(la semaine dernière)*

192 Exprimez ces informations hypothétiques selon le modèle suivant.

> *Exemple :* On dit que le président était malade avant d'être élu.
> → Le président **aurait été** malade avant d'être élu.

a. On prétend que les accidents nucléaires ont été nombreux pendant les années 70.

→ ....

b. Le bruit court que Louis XIV avait un frère jumeau.

→ ....

c. Je me suis laissé dire que des groupes financiers ont soutenu les indépendantistes corses.

→ ....

d. On pense que la majorité des aristocrates ne savait pas lire jusqu'au XIXe siècle.

→ ....

e. On croit que de vastes plaines fertiles s'étendaient au pied des pyramides d'Égypte.

→ ....

f. On est presque sûr que les Égyptiens de l'Antiquité détenaient des secrets architecturaux aujourd'hui disparus.

→ ....

g. On imagine que ce sont les maladies européennes qui ont décimé les Indiens précolombiens.

→ ....

h. Certains affirment que 60 % des athlètes présents à Atlanta étaient dopés.

→ ....

193 Transposez les affirmations suivantes selon le modèle.

Exemple : « On aura fini ce travail avant la fin du mois. »
→ Le peintre a affirmé qu'on **aurait fini ce travail avant la fin du mois.**

a. « Tu auras eu un coup de foudre en la voyant. »
→ Rafaël a crié sur les toits que j' ....

b. « Chacun sera rentré chez soi avant les actualités télévisées de 20 heures. »
→ Le patron a juré que chacun ....

c. « L'équipe des Bleus aura franchi la ligne d'arrivée avant les autres. »
→ L'entraîneur a déclaré que l'équipe des Bleus ....

d. « Tu auras changé de voiture avant moi. »
→ François imaginait que j' ....

e. « Vous aurez perdu vos kilos superflus au bout d'une semaine de régime. »
→ Le médecin a garanti que nous ....

f. « Ils seront installés dans le Midi avant l'âge de la retraite. »
→ Tes parents t'ont dit qu'ils ....

g. « J'aurai acheté une maison d'ici trois ans. »
→ Maryse t'a raconté qu'elle ....

h. « On sera sorti de la crise dès que les Français auront recommencé à consommer. »
→ Le candidat à la présidence a garanti qu'on ....

Bilans

194 Complétez ce texte à l'aide des verbes entre parenthèses conjugués à la forme qui convient.

Si Pierre Lachenay (ne pas prendre) .... *(1)* ce train pour Toulouse, il (ne jamais rencontrer) .... *(2)* Nicole, la jeune stagiaire de la SNCF. Sa vie (se dérouler sans doute) .... *(3)* sans anicroche, partagée entre son travail et sa famille. Il (épouser) .... *(4)* l'une de ses camarades de Normal Sup ou de Sciences Po. Il (avoir peut-être) .... *(5)* un ou deux enfants, ce qui (ravir) .... *(6)* ses parents. Il (achever) .... *(7)* sa gigantesque biographie de Balzac. Il (écrire) .... *(8)* plusieurs romans, (passer) .... *(9)* à la réalisation cinématographique. Bref, il (réussir peut-être) .... *(10)* à donner corps à toutes ses ambitions. Il n'est pas inimaginable de croire qu'à la fin de sa vie, il (être accueilli) .... *(11)* parmi les « Immortels » de l'Académie française. D'un autre côté, il (ne jamais connaître) .... *(12)* la passion amoureuse ailleurs que dans les livres. Il (ne jamais ouvrir) .... *(13)* les yeux sur un autre milieu que le sien. Il (ne jamais apprendre) .... *(14)*

à conduire une voiture de sport. Nous (ne jamais pouvoir) .... *(15) l'applaudir à Indianapolis, Monaco et au Mans. Nous (ne jamais pleurer)* .... *(16) en apprenant son décès, à 28 ans, au cours du Grand Prix de Sydney.*

195 Mettez les verbes entre parenthèses à la forme qui convient.

Si Marie avait fermé sa fenêtre cinq minutes plus tôt, le cours de sa vie (changer) .... *(1). Elle (voir)* .... *(2) le cambrioleur qui (rôder)* .... *(3) en bas de chez elle. Elle (appeler)* .... *(4) la police ou elle (hurler)* .... *(5). Les gens (intervenir)* .... *(6), (faire)* .... *(7) quelque chose. En tout cas, elle (ne pas se faire)* .... *(8) voler sa voiture. Elle (arriver)* .... *(9) à l'heure à la gare le lendemain matin et Maxime (ne pas avoir à attendre)* .... *(10). Joséphine (ne pas le croiser)* .... *(11) et (ne pas venir)* .... *(12) demander du feu au jeune homme qui (ne pas savoir)* .... *(13) qu'elle (exister)* .... *(14). Ils (ne pas constater)* .... *(15) qu'ils (lire)* .... *(16) tous deux le même roman et qu'ils (partager)* .... *(17) la même passion pour la littérature russe. Ils (ne pas engager)* .... *(18) la conversation et (ne pas se donner)* .... *(19) rendez-vous pour le lendemain soir. Si elle (fermer)* .... *(20) sa fenêtre cinq minutes plus tôt, nous (ne pas assister)* .... *(21) sans doute aujourd'hui au mariage de Maxime et de Joséphine et probablement ce (être)* .... *(22) Marie qui (épouser)* .... *(23) Maxime.*

VIII. LE SUBJONCTIF

Advienne que pourra.

A. LE SUBJONCTIF PRÉSENT

196 Soulignez les 8 verbes au subjonctif présent.

Salut Anne,

C'est incroyable que je n'arrive jamais à te joindre ! Il y a plusieurs jours que j'essaie de te téléphoner mais j'ai l'impression que tu n'es jamais chez toi. Alors, il faut bien que je t'écrive pour qu'on ne se perde pas complètement de vue. J'espère que tu vas bien, mais en fait je ne pense pas du tout que tu sois malade ! J'aimerais qu'on se voie plus souvent, qu'on sorte ensemble de temps en temps. Je regrette tellement que tu ne prennes plus de cours d'italien avec moi. Alors, je propose que tu viennes me chercher à la fin du cours mardi prochain, à 18 heures. Envoie-moi un message électronique si ça te convient.

Bises, Marion.

197 Donnez la première personne du singulier et du pluriel au subjonctif présent pour les verbes suivants.

Exemple : boire → Que *je boive.* → Que *nous buvions.*

a. comprendre → .... → ....

b. voir → .... → ....

c. croire → .... → ....

d. tenir → .... → ....

e. venir → .... → ....

f. prendre → .... → ....

g. envoyer → .... → ....

h. jeter → .... → ....

198 Écrivez les verbes soulignés à l'infinitif.

Exemple : Il faut qu'elle <u>sache</u> conduire. → *savoir*

a. J'aimerais que vous <u>soyez</u> à l'heure. → ....

b. Nous craignons qu'elle n'<u>aille</u> pas beaucoup mieux. → ....

c. Vous n'êtes pas certains qu'ils <u>veuillent</u> venir ? → ....

d. Il se peut que ce voyage en <u>vaille</u> la peine. → ....

e. Sa mère souhaite qu'il <u>fasse</u> un sport d'équipe. → ....

f. Je ne pense pas qu'il <u>pleuve</u> aujourd'hui. → ....

g. Il est important que tu <u>aies</u> de bons résultats en classe. → ....

h. Elles n'iront pas à Paris à moins qu'il ne le <u>faille</u> absolument. → ....

199 **Exprimez des ordres. Faites des phrases sur le modèle donné.**

Exemple : Ils doivent partir.

→ ***Qu'ils partent !***

a. Elle doit sortir.

→ ....

b. Il doit prendre la voiture.

→ ....

c. Elles doivent aller au Louvre.

→ ....

d. Ils doivent faire des courses.

→ ....

e. Elle doit prévenir ses parents.

→ ....

f. Il doit être plus raisonnable.

→ ....

g. Elles doivent avoir leur propre appartement.

→ ....

h. Il doit savoir ce qu'on pense de lui.

→ ....

200 **Donnez le pluriel des verbes au subjonctif.**

Exemple : Je préférerais que tu dormes.

→ Je préférerais que ***vous dormiez***.

a. Elle craint que je ne prenne froid.

→ ....

b. Ils souhaitent que tu vendes ta voiture.

→ ....

c. J'ai peur qu'elle ne vienne pas nous voir.

→ ....

d. On regrette que tu n'ailles pas à Rome cet été.

→ ....

e. Que j'apprenne l'allemand, c'est important.

→ ....

f. Il serait préférable que tu poursuives des études.

→ ....

g. Quoi que je dise, il n'est jamais d'accord.

→ ....

h. Je t'accompagnerai partout pour peu que tu le veuilles.

→ ....

201 Faites des phrases à partir des éléments donnés.

Exemple : Tu peux partir ; on le souhaite.
→ ***On souhaite que tu puisses partir.***

a. Elle lui doit de l'argent ; je ne le crois pas.

→ ....

b. Les adolescents veulent sortir entre eux ; c'est normal.

→ ....

c. Tu n'es pas en forme ; c'est dommage.

→ ....

d. Tu as un passeport ; c'est préférable.

→ ....

e. Vous ne pouvez pas vous libérer ; on le regrette.

→ ....

f. Il fera beau ; nous le souhaitons tous.

→ ....

g. Elles savent parler italien ; j'en suis heureux.

→ ....

h. Vous avez beaucoup de travail ; je m'en étonne.

→ ....

B. LE SUBJONCTIF PASSÉ

202 Assemblez les éléments suivants pour obtenir des phrases.

a. Le président n'admet pas que ses employés

b. Quoi que tu

c. On craignait qu'il

d. Il faudrait que tu

e. Pourvu qu'elle

f. Bien que nous

g. Il est inimaginable que vous

h. Ils sont contents que j'

1. aies fini cette toile avant l'été.

2. ayez perdu cette lettre.

3. n'ait gelé pendant la nuit.

4. aie réussi l'examen du permis de conduire.

5. ayons obtenu plusieurs diplômes, nous n'avons pas d'emploi.

6. n'ait pas perdu son portefeuille.

7. aies fait, je ne t'en veux pas.

8. aient refusé ses propositions.

203 Complétez les verbes suivants au subjonctif passé par l'auxiliaire *être* au subjonctif présent.

Exemple : On aurait préféré qu'il ne *soit* jamais venu chez nous !

a. Quoique vous .... partie avant nous, nous sommes arrivés les premiers.

b. Je crains qu'il ne lui .... arrivé quelque chose !

c. Je ne suis pas certaine qu'il .... devenu très intéressant.

d. Il aurait fallu que nous nous .... rencontrés dans notre jeunesse.

e. On regrette qu'elles ne .... pas nées le même jour.

f. Quoique tu .... allé au bout du monde, je te trouve assez nul en géographie.

g. Qu'on .... descendu en train ou en avion, ça n'aurait pas changé grand-chose !

h. Je suis très surprise que vous .... entrées sans faire de bruit.

204 Donnez le subjonctif passé de ces verbes.

> *Exemple :* Que j'apprenne. → Que *j'aie appris*.

a. Que tu boives. → ....

b. Qu'ils aient. → ....

c. Que vous alliez. → ....

d. Qu'on finisse. → ....

e. Que nous soyons. → ....

f. Que je veuille. → ....

g. Qu'il pleuve. → ....

h. Qu'elles sachent. → ....

205 Complétez les phrases suivantes par le verbe entre parenthèses au subjonctif passé.

> *Exemple :* Étonnant qu'elle ne *soit* pas *rentrée* (rentrer), à moins qu'elle n'*ait fait* (faire) des courses sur le chemin.

a. En attendant qu'elle .... (revenir), il descendit prendre un café.

b. Pour peu qu'il y .... (avoir) des embouteillages, son retard ne semblait pas anormal.

c. Pourtant la soirée d'hier s'était mal passée ; sans qu'ils .... vraiment .... (se disputer), le climat avait été tendu.

d. En admettant qu'elle .... (être) fâchée, était-ce une raison pour le laisser sans nouvelles ?

e. Si mal qu'elle .... (pouvoir) prendre sa remarque, cela restait sans gravité.

f. Avant qu'il n'......................... (boire) son café, il la vit avancer sur le trottoir opposé.

g. Elle était toujours aussi jolie, bien qu'elle .... (dépasser) la quarantaine et qu'elle .... (élever) ses trois enfants.

h. Pourvu qu'elle n'......................... rien .... (prévoir) pour la soirée ! Il se ferait un plaisir de l'emmener au restaurant.

206 Exprimer l'antériorité. Terminez ces phrases en mettant le verbe donné au subjonctif passé.

> *Exemple :* Il serait bien possible qu'elle (oublier) *ait oublié notre rendez-vous*.

a. Tu regrettes que ton fils (partir) ....

b. On ne voudrait pas que vous (arriver) ....

c. Le directeur a exigé que nous (terminer) ....

d. Je craignais qu'ils n' (avoir) ....

e. Hélène est très surprise que tu (prendre) ....

f. On aurait aimé que la France (devenir) ....

g. Tu ne crois pas qu'ils (pouvoir) ....

h. Ses parents n'ont jamais accepté qu'il (arrêter) ....

207 **Exprimez des regrets sur la France des dix dernières années. Utilisez les expressions suivantes :** *Il est regrettable/dommage/triste/consternant/désolant/attristant que...* **(plusieurs phrases possibles).**

Exemple : Les campagnes se sont désertifiées.

→ ***Il est regrettable que les campagnes se soient désertifiées.***

a. Le nombre des commerçants et des artisans a diminué.

→ ....

b. L'âge de la retraite a reculé.

→ ....

c. Les jeunes diplômés ont eu des difficultés à trouver un premier emploi.

→ ....

d. La proportion des retraités a augmenté.

→ ....

e. La pollution s'est aggravée.

→ ....

f. Les divorces se sont multipliés.

→ ....

g. Les problèmes de circulation se sont accentués.

→ ....

h. La délinquance a persisté.

→ ....

208 **Soyez maintenant positif sur l'état de l'Hexagone aujourd'hui. Faites des phrases en employant** *Il est bon/heureux/rassurant/réconfortant/appréciable/juste que* **(plusieurs phrases possibles).**

Exemple : Les femmes ont obtenu plus de droits.

→ ***Il est juste que les femmes aient obtenu plus de droits.***

a. Les jeunes ont acquis davantage de libertés.

→ ....

b. L'habitat s'est amélioré.

→ ....

c. Le pouvoir d'achat s'est accru.

→ ....

d. On a développé une politique de loisirs.

→ ....

e. La médecine a progressé.

→ ....

f. Les Français ont découvert la solidarité.

→ ....

g. Les exportations ont augmenté.

→ ....

h. La durée de vie s'est allongée.

→ ....

C. VALEURS ET EMPLOIS

209 Dans cette liste, soulignez les verbes suivis du subjonctif.

dire – <u>vouloir</u> – souhaiter – craindre – espérer – organiser – pouvoir – falloir – devoir – préférer – regretter – demander – proposer – ajouter – s'étonner – aimer

210 Indiquez si ces phrases expriment le regret (R), l'obligation (O), le souhait (S), l'hypothèse (H) ou le doute (D).

Exemple : Que tu aies échoué, ce n'est pas certain. **(D)**

a. Il se pourrait qu'ils aient déjà dîné. (   )

b. Qu'elle se soit fait une entorse, c'est vraiment dommage. (   )

c. Je ne suis pas certaine que tu aies bien fermé ta portière. (   )

d. Pourvu que nous passions de bonnes vacances ! (   )

e. Ton professeur exige que tu fasses trente minutes de piano par jour. (   )

f. Monique et Jean tiennent à ce qu'on aille dîner chez eux cette semaine. (   )

g. On préférerait que vous restiez quelques jours de plus. (   )

h. Tu n'es pas sûr qu'ils aient accepté ta proposition ? (   )

211 Reconstituez les phrases suivantes.

a. Le client a signé l'affaire

b. Pour peu qu'ils aient trouvé un hôtel,

c. Nous partons faire une promenade à bicyclette

d. Ce n'est pas qu'ils manquent d'argent

e. Nous gardons ta clé ⟶

f. Claude acceptera ce travail

g. À moins qu'ils n'aient oublié,

h. Je t'ai noté leur adresse

1. ils passeront quelques jours à Toulouse.

2. mais ils vivent chichement.

3. de peur que tu ne la perdes.

4. encore que vous lui laissiez peu de temps.

5. de sorte que tu n'aies pas à te déranger.

6. je ne comprends pas leur retard.

7. bien que le ciel soit couvert.

8. sans qu'on soit allé le voir.

212 Faites des phrases exprimant des sentiments ou des opinions sur des faits passés.

Exemple : Suzanne est passée me voir. J'en suis contente.

→ ***Je suis contente que Suzanne soit passée me voir.***

a. Nous avons discuté une petite heure. Ça me fait plaisir.

→ ....

b. Elle a déménagé le mois dernier. J'en suis heureuse.

→ ....

c. Ses amis ne l'ont pas aidée à déménager. Je m'en étonne.

→ ....

d. Ils ne se sont pas manifestés depuis son déménagement. Je trouve ça bizarre.

→ ....

e. Elle a décidé de reprendre ses études de philosophie. J'en suis ravie.

→ ....

f. Je lui ai raconté mon dernier voyage au Maroc. Elle n'en est pas mécontente.

→ ....

g. Je lui ai rapporté un petit bracelet. Ça l'a touchée.

→ ....

h. Elle n'est pas restée pour dîner. J'en suis triste.

→ ....

213 **Faites des réponses négatives en gardant une part d'incertitude.**

Exemple : Pensez-vous qu'ils viendront ?

→ Je ne sais pas mais *je ne pense pas qu'ils viennent.*

a. Crois-tu qu'il fera froid au Portugal en février ?

→ Je ne sais pas mais ....

b. A-t-elle l'impression que j'ai progressé ?

→ Je ne sais pas mais ....

c. Catherine est sûre que son directeur veut la voir ?

→ Je ne sais pas mais ....

d. Vous trouvez que le Nord est une belle région ?

→ Je ne sais pas mais ....

e. Il te semble que leur situation s'est améliorée ?

→ Je ne sais pas mais ....

f. Jeanne pense qu'ils se plairont dans les Pyrénées ?

→ Je ne sais pas mais ....

g. Vous êtes certaine qu'ils ont écrit ?

→ Je ne sais pas mais ....

h. Tu es convaincu qu'on fait le pont de l'Ascension ?

→ Je ne sais pas mais ....

214 **Formulez des opinions à partir des éléments fournis. Utilisez deux sujets différents et le subjonctif.**

Exemple : On a allégé les programmes scolaires. (déplorer)

→ *Certains parents déplorent qu'on ait allégé les programmes scolaires.*

a. Les écoliers n'ont plus de devoirs à la maison. (se féliciter)

→ ....

b. Le latin n'est plus enseigné dès la classe de sixième. (se plaindre)

→ ....

c. Les congés d'été pourraient être écourtés. (ne pas accepter)

→ ....

d. L'enseignement des langues prend de plus en plus d'importance. (se réjouir)

→ ....

e. L'éducation civique est à nouveau enseignée. (comprendre)

→ ....

f. Les activités d'éveil ont pris davantage d'importance. (être normal)

→ ....

g. La semaine scolaire pourrait être concentrée sur quatre jours. (regretter)

→ ....

h. Les enseignants sont trop souvent mal considérés. (ne pas admettre)

→ ....

215 **Complétez librement ces phrases en mettant le verbe donné entre parenthèses au subjonctif.**

Exemple : Je retrouverai Sandrine avec plaisir à moins qu'***elle n'ait beaucoup changé*** (changer).

a. Si intelligent qu' .... (être), je savais qu'il ne ferait pas mieux que toi !

b. Notre séjour dans le Péloponnèse s'est bien passé encore qu' ....
.... (faire).

c. En attendant que .... (trouver), venez donc à la maison.

d. Vous passerez au commissariat de police en admettant que ....
.... (perdre).

e. Ils n'arriveront que dans la nuit pour peu qu'... (rater).

f. Ce n'est pas que .... (manquer), mais il m'a un peu déçu.

g. Pourvu que .... (apprendre) !

h. Elle m'a semblé moins belle que dans ses films, encore que ....
.... (voir).

216 **Émettez des hypothèses à partir des situations suivantes en employant :** *il se peut que, il est possible que, en admettant que, à supposer que...*

Exemple : Il ne reste plus rien sur votre compte en banque.
→ ***Il se peut que mon mari m'ait préparé une surprise.***

a. Le directeur du collège vous avertit que votre fils n'est pas allé en cours.

→ ....

b. Le fleuriste vous livre une magnifique gerbe de fleurs mais vous n'en connaissez pas la provenance.

→ ....

c. Vous achetez un billet de Loto et vous vous permettez de rêver un peu.

→ ....

d. En rangeant le grenier de votre grand-mère, vous découvrez une somptueuse robe de bal.

→ ....

e. Vous recevez une lettre anonyme peu sympathique.

→ ....

f. En écoutant votre répondeur téléphonique, vous apprenez qu'une personne brûle d'un amour immense pour vous.

→ ....

g. Vous rentrez de week-end ; votre appartement a été « visité » mais rien n'a disparu.

→ ....

h. En pleine nuit, vous êtes éveillé par un bruit terrible.

→ ....

217 Utilisez le subjonctif pour souligner la singularité d'un fait. Faites les modifications nécessaires.

Exemple : Je suis sûre d'une chose : elle habite à Aix. (seul)

→ ***La seule chose dont je sois sûre, c'est qu'elle habite à Aix.***

a. En arrivant, nous avons bu un grand verre d'eau fraîche. (premier)

→ ....

b. Tu as appris une chose : il ne faut pas trop compter sur les autres. (meilleur)

→ ....

c. Vous avez un défaut : vous êtes égoïste. (principal)

→ ....

d. J'ai un regret : nous n'avons pas voyagé étant jeunes. (unique)

→ ....

e. Il y a une chose à ne pas faire : vous décourager. (dernier)

→ ....

f. Ils ont un souci : leur fils doit s'en sortir. (unique)

→ ....

g. J'ai une préoccupation : arriverons-nous à revendre notre appartement ? (majeur)

→ ....

h. Elle a trouvé une solution : elle ira vivre quelque temps chez ses amis. (seul)

→ ....

218 Utilisez le subjonctif avec des superlatifs.

Exemple : Louise a lu un très bon roman : *La Maladie de Sachs.*

→ **La Maladie de Sachs** *est le meilleur roman que Louise ait lu.*

a. On a visité le Louvre, un très grand musée.

→ ....

b. Elles sont montées au sommet de la tour Eiffel. Elle est très haute.

→ ....

c. Vous avez dîné à *La Tour d'Argent* ! C'est un restaurant très cher.

→ ....

d. *La Maison Troisgros*, vous connaissez ? C'est une très bonne table !

→ ....

e. J'ai vu jouer Gérard Depardieu. C'est un acteur très connu.

→ ....

f. Nous nous sommes promenés sur les Champs-Élysées. C'est une avenue très large.

→ ....

g. Tu as vu les arènes de Lutèce. Ce sont des vestiges très anciens.

→ ....

h. Mon frère a voyagé en Concorde. C'est un avion très rapide.

→ ....

Bilans

219 **Mettez les verbes entre parenthèses à la forme qui convient.**

Beaucoup de Français se réjouissent que la semaine de travail (passer) .... (1) à 35 heures depuis le début de l'année 2000, même s'ils ne sont pas tous convaincus que moins de travail les (attendre) .... (2) le lundi matin. Cependant, tous ne savent pas encore comment « occuper » ce temps libre supplémentaire. Il se peut que les hommes (faire) .... (3) plus de sport, que les femmes (aller) .... (4) plus souvent se promener au lieu de rentrer vite chez elles, que chacun (prendre) .... (5) plus le temps de vivre.

Néanmoins, les Français donnent souvent l'impression que ce temps libre nouveau les (désorienter) .... (6) un peu. Bien que les médias les y (préparer) .... (7) depuis plusieurs mois, on n'a pas la certitude qu'ils (trouver encore) .... (8) le moyen de le combler. Mais peut-être s'agirait-il d'un problème éducatif ? Il aurait fallu que les valeurs qui leur (transmettre) .... (9) par leurs parents les (entraîner) .... (10) dès leur jeunesse à ne pas toujours faire la course avec le temps ! Dans ce cas, il est fort probable que la génération à venir (parvenir) .... (11) très facilement à trouver les avantages de ces nouveaux rythmes de travail.

220 Mettez les verbes entre parenthèses à la forme qui convient.

Ma chère Hélène, mon cher Damien,

Il est possible que vous (avoir) .... *(1)* quelques difficultés à trouver un appartement lors de votre arrivée à Lyon ; aussi voici quelques conseils : Il faudrait que vous (aller) .... *(2)* dans le centre où sont installées de nombreuses agences immobilières. Afin que vous (pouvoir) .... *(3)* comparer les offres, je vous conseille d'en visiter plusieurs. Je ne pense pas que certaines (être) .... *(4)* meilleures que d'autres, donc allez-y au hasard. À supposer que vous (ne rien trouver) .... *(5)* dans ces agences, je suggère que vous (consulter) .... *(6)* les journaux de petites annonces. Il serait surprenant qu'il (ne pas y en avoir) .... *(7)* chez les petits commerçants du quartier. Il arrive souvent que des offres très intéressantes y (proposer) .... *(8)*. Il me semblerait judicieux que vous les (regarder) .... *(9)* dès leur parution : vous aurez ainsi davan- tage de chances que les appartements mentionnés (être) .... *(10)* encore vacants.

Quels que (être) .... *(11)* les appartements que vous visiterez, il est essentiel que vous (se munir) .... *(12)* de vos contrats de travail et de vos fiches de salaire afin que le propriétaire (pouvoir) .... *(13)* les voir et (être) .... *(14)* rassuré sur votre situation financière. Il est possible aussi qu'une garantie vous (demander) .... *(15)*.

Je souhaite que ces conseils (faciliter) .... *(16)* vos recherches et que vous (trouver) .... *(17)* un logement agréable. Je ne crois pas que mon stage me (retenir) .... *(18)* au-delà de Noël, aussi vous reverrai-je dans deux mois. Je suis très contente que vous (avoir) .... *(19)* l'idée de vous installer à Lyon et je ne doute pas un instant que vous (s'y plaire) .... *(20)*.

Je vous embrasse tous les deux.
Brigitte

PS : J'aimerais que vous m' (envoyer) .... *(21)* un petit mot dès que vous serez installés.

IX. LE PASSIF

Paris ne s'est pas fait en un jour.

A. LE PASSIF AVEC L'INDICATIF. VALEURS ET EMPLOIS

 221 Soulignez les verbes au passif.

Exemples : Nos parents sont sortis.

Vous <u>êtes attendus</u>.

a. Les boutiques sont fermées.

b. Nous serons reçus lundi dans la matinée.

c. Le chien s'est échappé.

d. Ils sont gardés à la maison.

e. Nos amis étaient descendus à l'hôtel Carillon.

f. *La Tour d'Argent* est reconnue comme un des meilleurs restaurants de Paris.

g. Nous serions invités chez *Maxim's*.

h. Se seraient-ils trompés de date ?

 222 Remettez ces phrases à la voie active. Attention à l'emploi des temps.

Exemple : Les touristes seront accueillis par une hôtesse.

→ ***Une hôtesse accueillera les touristes.***

a. Les billets d'avion seront remis par le personnel de l'aéroport.

→ ....

b. Les passagers seront invités par le steward à embarquer aux environs de 10 heures.

→ ....

c. Un repas sera servi par le personnel navigant.

→ ....

d. L'arrivée à Damas est prévue par le pilote aux environs de 17 heures.

→ ....

e. Les touristes pourront consulter des brochures ; nous rappelons qu'un guide a été distribué par notre agence lors des inscriptions.

→ ....

f. Les adresses des différents hôtels sont indiquées dans cette brochure.

→ ....

g. Un merveilleux séjour vous est souhaité par la direction de France Tour.

→ ....

h. Le programme des prochaines destinations vous sera adressé dès votre retour par la direction.

→ ....

223 Écrivez ces phrases au passif. Respectez l'emploi des temps.

> *Exemple :* La direction a accordé une prime de fin d'année aux employés.
> → *Une prime de fin d'année a été accordée par la direction aux employés.*

a. Les salariés éliront leur délégué en mars prochain.

→ ....

b. Le directeur des ressources humaines a engagé une nouvelle assistante.

→ ....

c. L'ancienne avait envoyé sa lettre de démission en octobre dernier.

→ ....

d. Les représentants syndicaux négocieront bientôt une augmentation salariale.

→ ....

e. Le président a réuni le conseil d'administration.

→ ....

f. Le directeur de la communication met en place une nouvelle campagne d'information.

→ ....

g. Mmes Vial, Pinchon et Bidochon demandent leur départ en retraite.

→ ....

h. La direction acceptera probablement la demande de congé sabbatique de Mlle Mispouillé.

→ ....

224 Réécrivez ces phrases à la voie active lorsque c'est possible.

> *Exemples :* La projection du film a été annulée par le directeur.
> → *Le directeur a annulé la projection du film.*
> Ces gants ont été trouvés dans le bus.
> → *On a trouvé ces gants dans le bus.*
> Les élèves seront passés dans la classe supérieure. → *impossible*

a. Nous étions montés au sommet de l'Arc de triomphe.

→ ....

b. Le rendez-vous aura été annulé.

→ ....

c. Les étudiants auront été convoqués pour les examens avant la fin des cours.

→ ....

d. Le film avait été précédé d'un documentaire.

→ ....

e. Une grande femme rousse serait venue dans le quartier.

→ ....

f. La façade sera restaurée avant la fin de l'année par l'entreprise Beaulieu.

→ ....

g. Des récompenses seront distribuées par les organisateurs du tournoi.

→ ....

h. Le nom du vainqueur a enfin été communiqué.

→ ....

225 Écrivez ces phrases à la voie active en utilisant *on*.

Exemple : Un trousseau de clés a été égaré dans le tramway.
→ ***On a égaré un trousseau de clés dans le tramway.***

a. Une caution sera versée un mois avant la signature.

→ ....

b. Une lettre de candidature avait été reçue la veille.

→ ....

c. Des dossiers ont été classés ce matin même.

→ ....

d. Un formulaire sera remis au secrétariat.

→ ....

e. Une enquête sur la consommation a été menée le trimestre passé.

→ ....

f. Une autorisation de sortie avait été délivrée en mairie.

→ ....

g. Des sondages seront effectués dans la rue.

→ ....

h. La liste des candidats sera connue dès la semaine prochaine.

→ ....

226 Répondez aux questions suivantes par la voie passive.

Exemple : Vous pourrez corriger cette lettre ?
→ Oui, ***cette lettre pourra être corrigée.***

a. On a pu expédier ce courrier ?

→ Oui, ...

b. On devra envoyer ces plis en express ?

→ Non, ...

c. Vous allez revoir ce dossier ?

→ Oui, ...

d. On risque de changer certaines clauses à ce contrat ?

→ Oui, ...

e. Vous venez d'enregistrer ces données ?

→ Non, ...

f. On peut taper le compte rendu ?

→ Non, ...

g. Nous devons informer les clients ?

→ Non, ...

h. On va envoyer des e-mails ?

→ Oui, ...

227 Répondez par des phrases passives lorsque c'est possible.

Exemples : Vous souhaitez louer une voiture ? → **impossible**

On peut trouver aujourd'hui un vol pour Séville ?

→ **Oui, un vol pour Séville peut être trouvé aujourd'hui.**

a. Vous envisagez de prendre le train ?

→ ....

b. Ils vont réserver trois places dans l'avion de 13 h 25 ?

→ ....

c. Vous voulez occuper une place fumeur ?

→ ....

d. On vient d'annuler mon départ ?

→ ....

e. Va-t-on vérifier les numéros de nos places ?

→ ....

f. Elle a choisi d'avancer la date de son retour ?

→ ....

g. Nous avons pu garer la voiture devant l'aéroport ?

→ ....

h. On venait de retarder notre voyage d'affaires ?

→ ....

228 Lisez ces titres puis écrivez des phrases s'y rapportant au passif.

Exemple : Vol de bijoux d'une valeur inestimable dans un hôtel particulier du Marais.

→ **Des bijoux d'une valeur inestimable ont été volés dans un hôtel particulier du Marais.**

a. Dimanche prochain : dispute de la finale du tournoi de Roland-Garros.

→ ....

b. Réduction du temps de travail : passage aux 35 heures depuis janvier 2000.

→ ....

c. Débats animés à l'Assemblée nationale sur le vote des étrangers.

→ ....

d. Augmentation du prix des carburants à partir du 1er juillet.

→ ....

e. Aménagement du quartier Austerlitz : de nouveaux projets.

→ ....

f. Ouverture du musée des Arts premiers au printemps prochain.

→ ....

g. Multiplication des pistes cyclables sur les grands axes parisiens.

→ ....

h. Réduction de la TVA* depuis le début de l'année.

→ ....

_____

* TVA : Taxe sur la Valeur Ajoutée.

229 Répondez aux questions en employant le passif pour conserver l'anonymat.

Exemple : Vous prendrez une décision sans eux ?

→ Non, *aucune décision ne sera prise sans eux.*

a. On a conclu cette affaire ?

→ Non, ...

b. Vous aviez signé le contrat d'embauche ?

→ Non, ...

c. Ils auront négocié les conditions et les tarifs ?

→ Non, ...

d. On retirera ces clauses de l'accord ?

→ Non, ...

e. Vous envisagez une nouvelle entrevue ?

→ Non, ...

f. Elle avait vérifié les garanties ?

→ Non, ...

g. On peut mettre en route la procédure ?

→ Non, ...

h. Nous devrons avertir nos associés ?

→ Non, ...

230 Utilisez le passif pour mettre en relief le complément.

Exemple : Ils ont choisi une salle ?

→ Oui, *c'est la salle qui a été choisie.*

a. Vous distribuerez des documents ?

→ Oui, ...

b. On a élu un secrétaire général ?

→ Oui, ...

c. Elle a réservé une chambre ?

→ Oui, ...

d. Vous enregistrerez cette intervention ?

→ Oui, ...

e. Tu préparais des discours pour les assemblées ?

→ Oui, ...

f. J'aurai tapé ce texte avant midi ?

→ Oui, ...

g. Ils emportèrent leurs effets personnels ?

→ Oui, ...

h. Vous aviez accueilli ce diplomate japonais ?

→ Oui, ...

B. LE PASSIF AVEC LE CONDITIONNEL ET LE SUBJONCTIF

231 Cochez la ou les bonne(s) réponse(s).

Exemple : Ce film intéresserait des adolescents ? – Non, des adolescents

☐ *ne pourront pas être intéressés*   ☒ *ne seraient pas intéressés*

☒ *ne pourraient pas être intéressés* par ce film.

a. Ils auraient reçu ce courrier à temps ? – Oui, ce courrier ☐ *aurait été reçu* ☐ *avait été reçu* ☐ *serait reçu* juste avant la conférence.

b. Reliriez-vous ces épreuves une dernière fois ? – Non, ces épreuves ☐ *n'auraient pas été relues* ☐ *ne seront pas relues* ☐ *ne pourraient pas être relues*, par manque de personnel.

c. Présenterais-tu ces données sous forme de tableau ? – Non, ces données ☐ *pourraient avoir été présentées* ☐ *pourraient être présentées* ☐ *pouvaient être présentées* sous forme de courbes.

d. Aurait-elle dû recontacter ces clients ? – Oui, ces clients ☐ *devraient être recontactés* ☐ *devaient avoir été recontactés* ☐ *auraient dû être recontactés* sous huitaine.

e. Vous auriez réservé une table pour quatre ? – Oui, une table ☐ *aura été réservée* ☐ *serait réservée* ☐ *aurait été réservée* lundi dernier.

f. Ils auraient retenu deux chambres ? – Non, trois chambres ☐ *auraient dû être retenues* ☐ *seront retenues* ☐ *devraient avoir été retenues* au nom de Dufour.

g. Quelqu'un noterait ce numéro ? – Oui, ce numéro ☐ *serait noté* ☐ *aurait été noté* ☐ *pourrait être noté* sur le dossier correspondant.

h. Elle aurait pris ce rendez-vous ? – Non, ce rendez-vous ☐ *n'aurait pas été pris* ☐ *n'aurait pas dû être pris* ☐ *ne serait pas pris*, je suis en déplacement.

232 Répondez à partir des éléments donnés par le passif du subjonctif présent.

Exemple : Que vouliez-vous qu'on fasse : de la voiture ? (garer)

→ J'aurais aimé *qu'elle soit mieux garée*.

a. des enfants ? (surveiller)

→ J'aurais aimé ....

b. de la maison ? (entretenir)

→ J'aurais aimé ....

c. de cette commode ? (restaurer)

→ J'aurais aimé ....

d. de votre famille ? (entourer)

→ J'aurais aimé ....

e. de vos amis ? (recevoir)

→ J'aurais aimé ....

f. de vos plantes ? (arroser)

→ J'aurais aimé ....

g. des outils ? (nettoyer)

→ J'aurais aimé ....

h. de votre bicyclette ? (réparer)

→ J'aurais aimé ....

233 Cochez la forme verbale correcte.

    Exemple :   Voudriez-vous être reçu par ce médecin ?

                    – Oui, j'aimerais que ce médecin ☐ *m'ait reçu* ☒ *me reçoive* ☐ *me reçoit*.

a. Catherine a-t-elle peur d'avoir été suivie ?

    – Non, elle n'a pas peur qu'on ☐ *l'a suivie* ☐ *la suivie* ☐ *l'ait suivie*.

b. Patrick pense-t-il être entendu par le juge ?

    – Oui, il pense que le juge l' ☐ *entendra* ☐ *ait entendu* ☐ *entende*.

c. Elle aurait préféré être licenciée ?

    – Non, elle n'aurait pas aimé qu'on ☐ *l'ait licenciée* ☐ *l'a licenciée* ☐ *la licencie*.

d. Êtes-vous tristes de terminer ce stage ?

    – Non, nous sommes soulagés que ce stage ☐ *est terminé* ☐ *soit terminé* ☐ *se soit terminé*.

e. Vous croyez avoir été prévenus ?

    – Oui, je crois que nous ☐ *ayons été prévenus* ☐ *soyons prévenus* ☐ *avons été prévenus* par Maurice.

f. Tes filles voudraient-elles être reconduites à la maison ?

    – Non, elles ne souhaitent pas qu'on ☐ *les reconduise* ☐ *les reconduit* ☐ *ait été reconduites*.

g. Michel regrette d'avoir été reconnu inapte ?

    – Non, il ne regrette pas qu'on ☐ *le reconnaisse* ☐ *l'a reconnu* ☐ *l'ait reconnu* inapte.

h. Elles sont fières d'avoir été engagées pour cette mission ?

    – Oui, elle sont fières qu'on les ☐ *ait engagées* ☐ *engage* ☐ *a engagées*.

234 Complétez les réponses en employant un subjonctif présent ou passé à la voie passive.

    Exemple :   Vous craignez qu'on n'ait enlevé votre voiture ?

                    – Oui, il se peut qu'elle ***ait été enlevée***.

a. Vos parents souhaitent que ce photographe prenne des photos du mariage ?

    – Oui, ils tiennent à ce que les photos ....

b. Cet enseignant est heureux que ses étudiants aient obtenu de bons résultats au concours ?

    – Oui, il se réjouit que de bons résultats ....

c. Tu as l'impression qu'on a changé les freins de ta moto ?

    – Non, il ne me semble pas que les freins ....

d. De nos jours, il est important que les jeunes connaissent plusieurs langues vivantes ?

    – En effet, il est essentiel que plusieurs langues vivantes ....

e. Vous croyez qu'on restaure le château de Tourette ?

    – Non, je ne pense pas que ce château ....

f. Regrettez-vous qu'on ait organisé les élections du comité d'entreprise en votre absence ?

    – Cela m'est égal que les élections ....

g. Est-elle fâchée que les enfants aient dévoré toutes les fraises du jardin ?

    – Oui, elle regrette que toutes les fraises ....

h. Alice trouve-t-elle que vous louez votre appartement trop cher ?

– Non, elle ne trouve pas que notre appartement ....

C. LE PASSIF AVEC *PAR* OU *DE*

235 Complétez les phrases suivantes avec *par, de* ou *d'*.

Exemple : Je savais qu'elle serait dévorée **de** remords.

a. Il ne faudrait pas que son père soit pris .... un malaise.

b. Mme Bruant a été reçue .... un secrétaire de mairie.

c. La mariée a été couverte .... fleurs.

d. Cette vieille femme est détestée .... son voisinage.

e. Mon chat a été retrouvé .... le père Lustucru.

f. Le film *Une affaire de goût* a été encensé .... la critique.

g. Les récompenses du festival seront remises .... le président du jury.

h. Les joueurs avaient été sélectionnés .... les organisateurs du tournoi.

236 Assemblez les éléments suivants pour en faire des phrases.

a. Nous avons été touchés	1. touristes polonais.
b. Son visage était baigné	2. un grand médecin.
c. Les malfaiteurs ont été arrêtés de	3. ses élèves.
d. Les sommets sont couverts	4. larmes.
e. La voiture a été réparée	5. leur gentillesse.
f. Cet enseignant était adoré par	6. ce mécanicien.
g. Son père a été soigné	7. la police.
h. Le train était rempli	8. neige.

237 Complétez les phrases suivantes avec *de* ou *par*.

Exemples : La place du village est envahie **de** forains.

La place du village est envahie **par** tous les forains venus pour la fête.

a. La souris a été dévorée .... le chat.

b. Cette jeune femme sera dévorée .... remords pour ce qu'elle a fait.

c. Nos amis ont été gênés .... votre attitude.

d. La circulation est gênée .... les travaux.

e. Ce coffret est rempli .... les vieilles photos de nos grands-parents.

f. Martin est rempli .... bonnes intentions.

g. Nous avons été surpris .... une forte averse.

h. Olivier sera sûrement surpris .... votre refus.

238 Complétez les phrases suivantes.

Exemple : M. Combes est venu, accompagné *de ses enfants*.

a. Cette émission a été présentée ....

b. Les Dubois étaient jalousés ....

c. La boulangerie avait été vendue ....

d. Nos cousins auraient été très peinés ....

e. Cette région est infestée ....

f. Il vaudrait mieux que leur jardin soit entouré ....

g. La projection du film sera suivie ....

h. Hélène a été très déçue ....

D. LES VERBES PRONOMINAUX À SENS PASSIF

239 Soulignez les verbes à sens passif.

Exemples : Ils se sont vus hier pour la première fois.

Elle s'est fait admettre à Sciences Po.

a. Ce général s'est vu retirer ses médailles.

b. Mlle Tournemine s'est présentée au concours d'huissier.

c. Les Combes se sont retrouvés dans une petite auberge du Vieux-Nice.

d. Antoine s'est laissé soigner sans pleurer.

e. M. Vallet s'est installé dans un gîte de haute montagne pour la semaine.

f. Martine s'est fait inviter au Festival de Cannes.

g. Les adversaires se sont serré la main.

h. Philippe s'est tiré de cette affaire sans aucun problème.

240 Transformez les phrases suivantes en employant des verbes pronominaux.

Exemple : Hier, l'euro était vendu 0,919 dollar.

→ Hier, l'euro *se vendait* 0,919 dollar.

a. Des informations contradictoires sont dites à propos de cette affaire.

→ ....

b. De plus en plus de fast-foods ont été ouverts dans les grandes villes.

→ ....

c. La reprise de l'industrie automobile sera confirmée dans les mois à venir.

→ ....

d. Le mot « clé » est écrit avec deux orthographes différentes.

→ ....

e. Le déjeuner sera souvent pris à l'extérieur.

→ ....

f. Certains services du Minitel sont obtenus en composant le 3615.

→ ....

g. Dans les prochaines années, l'usage de l'informatique sera répandu au niveau domestique.

→ ....

h. L'augmentation des loisirs est expliquée par la réduction du temps de travail.

→ ....

241 **Faites des phrases à partir des éléments soulignés.**

Exemple : <u>Mise</u> en place d'une circulation alternée les jours de grande pollution depuis 1998.

→ Depuis 1998, une circulation alternée ***s'est mise en place*** les jours de grande pollution.

a. <u>Vente aux enchères</u> d'œuvres inédites d'Albert Camus cette semaine.

→ ....

b. <u>Modernisation</u> des salles égyptiennes du Louvre en 1997.

→ ....

c. <u>Ouverture</u> de la Grande Bibliothèque au début de l'année 1997.

→ ....

d. Baisse de la <u>lecture</u> des quotidiens depuis une quinzaine d'années.

→ ....

e. <u>Création</u> d'un hôpital spécialisé pour les enfants l'année prochaine.

→ ....

f. Projet de <u>multiplication</u> des pistes cyclables dans les grandes villes.

→ ....

g. <u>Développement</u> des matières d'éveil dans l'enseignement primaire.

→ ....

h. <u>Réduction</u> de la semaine de travail : 35 heures pour les salariés depuis janvier 2000.

→ ....

242 **Réécrivez ces généralités en employant des verbes pronominaux.**

Exemple : Il est de tradition que les fromages soient dégustés avec du vin rouge.

→ Il est de tradition que les fromages ***se dégustent*** avec du vin rouge.

a. Les Français seraient de plus en plus attachés à la famille.

→ ....

b. Les modes vestimentaires ont été adaptées au style de chacun.

→ ....

c. Il est important que le vin blanc soit servi frais.

→ ....

d. On mange la salade en même temps que le fromage.

→ ....

e. Actuellement, on porte les jupes à toutes les longueurs.

→ ....

f. Certains assurent que depuis dix ans le climat a été modifié.

→ ....

g. Un circuit de vente parallèle au commerce traditionnel aurait été développé à la fin du XIXᵉ siècle.

→ ....

h. Le réseau Internet sera de plus en plus utilisé dans les mois à venir.

→ ....

243 Que lui/leur arrive-t-il ? Répondez aux questions suivantes selon le modèle donné.

Exemple : Ta sœur s'est fait couper les cheveux ?

→ Oui, **on lui a coupé les cheveux.**

a. Les Mispouillé se feront bientôt construire une piscine ?

→ Oui, ...

b. Cet automobiliste s'est vu retirer son permis de conduire ?

→ Oui, ...

c. Un escroc s'est laissé emmener au commissariat ?

→ Oui, ...

d. Geneviève se laissera convaincre de vendre son terrain ?

→ Oui, ...

e. Ce metteur en scène s'est entendu critiquer par la presse théâtrale ?

→ Oui, ...

f. La jeunesse s'est-elle laissé séduire par les propositions du ministre ?

→ Oui, ...

g. Cette chaîne de télévision se fera privatiser prochainement ?

→ Oui, ...

h. Les emprunts obligatoires se feront rembourser à partir du mois de juillet ?

→ Oui, ...

244 Transformez les phrases suivantes en employant *se faire* ou *se voir*.

Exemple : On réorganisera entièrement le quartier Austerlitz d'ici dix ans.

→ Le quartier Austerlitz **se verra** entièrement **réorganisé** d'ici dix ans.

→ Le quartier Austerlitz **se fera** entièrement **réorganiser** d'ici dix ans.

a. On relogera certains riverains.

→ ....

b. On a déjà aménagé les rives de la Seine.

→ ....

c. On expulsera des entreprises et des entrepôts commerciaux.

→ ....

d. On tracerait une prolongation de l'autoroute de l'Est.

→ ....

e. Il est possible qu'on destine des terrains à des espaces verts.

→ ....

f. On demande à la SNCF de modifier certaines voies ferrées.

→ ....

g. On pourrait également créer de nouvelles stations de métro.

→   ....

h. On pense que les urbanistes consulteront les habitants de ce nouveau quartier.

→   ....

Bilans

245 **Réécrivez ce texte à la forme active et employez des verbes pronominaux à sens passif quand c'est possible.**

Quelques informations sur le tennis :

Le tennis est pratiqué sur un court séparé en deux par un filet bas. Les parties (ou matchs) sont disputées par deux ou quatre joueurs. Les points sont marqués lorsqu'un joueur fait rebondir la balle de l'autre côté du filet sans qu'elle soit rattrapée par l'adversaire.

Ce sport, qui a été largement popularisé par les Anglais au cours du XIXe siècle, avait été adapté du jeu de paume qui était très apprécié des aristocrates du XVIe siècle, mais les règles avaient été inventées au Moyen Âge en France.

Le tournoi le plus ancien a été disputé à Wimbledon en 1877. En France, chaque année depuis 1891 sont organisés des tournois internationaux. En mai 2000, le central de Roland-Garros qui avait été construit en 1928 pour accueillir les Mousquetaires, a été entièrement refait et de nouveaux espaces ont été aménagés. Cette année encore, les matchs seront suivis par plus de 15 000 spectateurs. Dès le lendemain de la finale, de nouveaux réaménagements seront mis en chantier pour que les prochaines rencontres soient encore plus populaires auprès du public.

246 Réécrivez ce texte au passif.

Histoire du cimetière du Père-Lachaise :

On donna le nom du confesseur de Louis XIV à ce cimetière. Celui-ci avait embelli ce terrain que les Jésuites avaient acquis en 1626 ; il y avait notamment construit divers bâtiments.

Au début du XIXe siècle, la ville de Paris achètera ce domaine pour en faire un cimetière. L'architecte Brongniart, à qui on confiera la construction de la Bourse, dirige l'aménagement du parc.

À l'occasion de l'ouverture de ce cimetière, on organise une vaste opération de promotion : on y aurait déplacé les tombeaux supposés des malheureux amants Héloïse et Abélard ainsi que ceux de Molière et de Racine pour attirer la clientèle !

Ce même lieu a vu se dérouler l'un des plus sanglants épisodes de la Commune, le 28 mai 1871 : les derniers insurgés y auront livré une lutte féroce contre les Versaillais. On fusillera les cent quarante-sept survivants contre le mur d'enceinte qu'on appelle aujourd'hui le mur des Fédérés.

Au hasard des allées ombragées, on peut découvrir des tombes célèbres comme celles de Balzac, d'Édith Piaf, de Georges Bizet ou de Jim Morrisson. On pourra également y admirer la grande richesse de la statuaire du XIXe siècle.

X. LES CONSTRUCTIONS VERBALES

Quand on veut noyer son chien, on dit qu'il a la rage.

A. LES FORMES IMPERSONNELLES

247 Remplacez *il* par *elle* quand c'est possible.

> *Exemples :* Il a mal aux pieds. → *Elle* a mal aux pieds.
>
> Il est tard, on rentre ! → *impossible*

a. Il y a un hôpital dans ce quartier ?

→ ....

b. Il va faire nuit alors il ne va pas tarder à rentrer.

→ ....

c. Il a un peu froid, mais c'est normal : il est 23 heures.

→ ....

d. Il fait jeune, il me semble !

→ ....

e. Il est tôt mais il est déjà là.

→ ....

f. Il y a une heure, il y a retrouvé Brigitte, dans ce parc.

→ ....

g. Il arrivera par le train de 22 h 30.

→ ....

h. Il faut lui laisser le temps de réfléchir.

→ ....

248 Reformulez ces phrases concernant la météo en employant des formes impersonnelles.

> *Exemple :* Le temps risque de se mettre à la pluie dimanche.
>
> → *Il risque de pleuvoir dimanche.*

a. Le gel peut encore se manifester en avril.

→ ....

b. De petites pluies tomberont sur le nord de la Picardie.

→ ....

c. Quelques flocons feront leur apparition dans les Vosges.

→ ....

d. Les côtes bretonnes seront baignées de brume dans la matinée de lundi.

→ ....

e. Un vent violent soufflera sur la région Rhône-Alpes.

→ ....

f. Le soleil fera de brèves apparitions en Île-de-France dans la soirée de samedi.

→ ....

g. Le thermomètre avoisinera les 25 °C à Menton.

→ ....

h. Les giboulées cesseront et le ciel s'éclaircira vers midi.

→ ....

249 Transformez ces slogans et ces titres ; faites des phrases comprenant des verbes impersonnels.

Exemples : Notre conseil : prendre la route avant 15 heures.

→ *Il est conseillé de prendre la route avant 15 heures.*

Augmentation du nombre des naissances en 1999.

→ *Il est né plus d'enfants en 1999.*

a. Une nécessité : contrôler régulièrement la qualité de l'air parisien.

→ ....

b. Jeunes gens de 18 ans : vous devez vous faire recenser !

→ ....

c. Augmentation du nombre de morts sur la route au cours du premier trimestre.

→ ....

d. Un petit geste suffit pour sauver la vie d'un enfant.

→ ....

e. Nécessité de lutter contre le tabagisme des jeunes et des femmes.

→ ....

f. Création de SOS Vieillesse pour lutter contre la ségrégation envers les personnes du troisième âge.

→ ....

g. Un accident peut toujours arriver ; assurez-vous.

→ ....

h. Un épicier existe près de chez vous ; ne l'oubliez pas !

→ ....

B. LES CONSTRUCTIONS VERBALES AVEC À ET *DE*

250 Complétez les phrases suivantes par *à* lorsque c'est nécessaire.

Exemple : On invite ... François *à* passer la soirée chez nous.

a. Vous êtes conviés ...... dîner chez M. et Mme Buisson.

b. Nous avons renoncé très vite ...... étudier le chinois.

c. Vous devriez prévenir ...... vos locataires qu'ils doivent s'attendre ...... une légère augmentation des loyers.

d. Madeleine tient ...... se convertir ...... la religion musulmane.

e. Cécile a averti ...... ses amis qu'elle aurait du mal ...... arriver avant 21 heures.

f. Notre voisine s'est enfin décidée ...... emprunter les transports en commun.

g. Tu dois faire confiance ...... ton médecin ; tu n'as rien ...... perdre.

h. J'ai incité ...... Véronique ...... voyager de nuit.

251 Complétez les phrases suivantes par *à* ou *de* lorsque c'est nécessaire.

Exemple : Je viens **de** prévenir ... ma mère **de** mon prochain départ.

a. J'aimerais vous entretenir ...... votre fils quelques instants.

b. Auriez-vous un petit moment ...... me consacrer ?

c. Nous avons expliqué ...... nos amis ce que nous envisageons ...... faire.

d. Carole décide ...... se mettre ...... la gymnastique.

e. Il ne faut jamais obliger ...... un enfant ...... manger.

f. Ils tiennent absolument ...... s'occuper ...... notre installation.

g. Les Pello se sont plaints ...... la concierge ...... la fuite d'eau chez leurs voisins.

h. Je ne féliciterai pas ...... le plombier ; je ne suis pas du tout satisfaite ...... sa réparation.

252 Soulignez les verbes qui se construisent avec *à.*

se méfier – s'attacher – penser – s'adresser – rire – se moquer – avoir peur – se souvenir – renoncer – s'adapter – se présenter – se soucier – s'intéresser – se confier – s'occuper

253 Reliez les éléments suivants pour obtenir toutes les phrases possibles.

a. Nous avons besoin

b. Vous renoncez

c. Tu te consacres

d. Elle se plaint

e. J'apprends

f. On se décide

g. Ils ont peur

h. Tu fais attention

à

de

1. voyager.

2. ce projet.

3. Julie.

254 Rayez ce qui ne convient pas.

Exemple : On ne peut pas se passer (à/de) soleil !

a. Nous sommes en train de discuter (à/de) Jacques.

b. Prends garde (à/de) ce chien, il est méchant !

c. Tu te moques encore (à/de) Serge ? Moi, je le trouve sympa.

d. Je crois que vous êtes très attachés (à/de) cette maison.

e. Il se méfie terriblement (à/de) Mme Maréchal.

f. Vous ne tenez pas compte (à/de) ces informations.

g. On profite (à/de) votre venue pour aller au théâtre.

h. Comment vous êtes-vous adapté (à/de) cette entreprise ?

255 Cochez un ou deux des éléments proposés.

Exemple : N'oubliez pas ☐ *à partir* ☒ *de téléphoner* ☐ *à Thomas.*

a. Réfléchissez ☐ *à dormir* ☐ *de répondre* ☐ *à ma proposition.*

b. Il faut que vous pensiez ☐ *à m'écrire* ☐ *de voir ce film* ☐ *à moi.*

c. Il vous suffit ☐ *à réserver* ☐ *de prendre la clé* ☐ *d'une minute.*

d. Dans cet article, il s'agit ☐ *à Paris* ☐ *de signer un accord* ☐ *de la famine.*

e. Les jeunes se plaignent ☐ *au système* ☐ *de leur condition* ☐ *de vivre en banlieue.*

f. Lucie nous demande ☐ *à la bibliothèque* ☐ *de la retrouver* ☐ *de professeur.*

g. Nous avons envie ☐ *à nous reposer* ☐ *de sortir* ☐ *de calme.*

h. Ils parlent ☐ *à déménager* ☐ *de démographie* ☐ *de se marier.*

256 Complétez les phrases suivantes par *à* ou *de.*

Exemple : Elle s'attend **à** ce qu'il fasse des progrès en italien.

a. Mireille est-elle consciente ...... tout ce que vous avez fait pour elle ?

b. Je ne me souviens pas ...... ce qu'elle ait travaillé chez Peugeot.

c. Réfléchis ...... ce que je t'ai dit.

d. Paul se moque complètement ...... ce que vous partiez sans lui.

e. La société s'engage ...... ce que les clients mécontents soient dédommagés.

f. J'ai très peur ...... ce que m'a prédit cette voyante.

g. Le comptable veille ...... ce que tout soit en ordre.

h. Songez ...... ce dont nous avons discuté.

257 Assemblez les éléments suivants pour obtenir des phrases (plusieurs possibilités).

a. Suzanne s'oblige ————————————→ 1. à visiter les Catacombes*.

b. Elle est très heureuse   2. à un effort régulier.

c. Patrick tient   3. à ce qu'on soit heureux.

d. Son mari se contente   4. à ce qui lui fait plaisir.

e. Claire renonce   5. d'écouter les informations.

f. Mon amie anglaise s'étonne   6. d'un sandwich à midi.

g. On a envie   7. de ce qu'elle fasse bien la cuisine.

h. Il se soucie   8. de ce qu'on lui propose.

258 Complétez les phrases suivantes par *à* ou *de.*

Exemple : Il refuse **de** sortir le dimanche soir.

a. Tu te mêles ...... ce qui ne te regarde pas.

b. Faites attention ...... ce que votre portière soit bien fermée.

c. Je me souviens encore ...... l'hôtel où nous étions descendus.

d. Méfiez-vous ...... ces plantes ; elles sont vénéneuses.

e. Tu crois ...... la réincarnation, toi ?

---

* *Les Catacombes : cimetière souterrain à Paris.*

f. Saviez-vous qu'elle tenait …… entrer dans la franc-maçonnerie ?

g. Nous sommes fiers …… ce que tu es devenu.

h. Prenez garde …… ce que tout soit bien rangé.

259 Cochez la ou les bonne(s) réponse(s).

Exemple : Elle se moque ☒ *de partir* ☐ *de ce que vous fassiez* ☒ *de ce qui se passe* ☒ *de la pluie.*

a. On s'attend ☐ *à partir* ☐ *à ce que vous réussissez* ☐ *à ce dont tu nous as parlé* ☐ *à un bon résultat.*

b. M. Dubois est indigné ☐ *de devoir attendre* ☐ *de ce que tu lui as dit* ☐ *de votre attitude* ☐ *de ce qu'il y a une heure d'attente.*

c. Je l'encourage ☐ *à téléphoner* ☐ *à ce qui l'intéresse* ☐ *à une inscription* ☐ *à ce qu'il aille en Angleterre.*

d. Sa sœur ne s'habitue pas ☐ *à vivre à Grenoble* ☐ *à ce que vous lui demandiez* ☐ *à sa belle-famille* ☐ *à ce qu'il pleut souvent.*

260 Effacement de *à* et *de*. Simplifiez les phrases lorsque c'est possible.

Exemples : Je suis contente de ce que tu aies fait un beau voyage.
→ Je suis contente *que* tu aies fait un beau voyage.
Je suis triste de ce que tu me dis. → *impossible*

a. Es-tu certain de ce que tu annonces ?

→ ………………………………………………………………………………………………

b. Elle est ennuyée de ce que vous soyez malade.

→ ………………………………………………………………………………………………

c. On a besoin de ce que tu viennes au plus vite.

→ ………………………………………………………………………………………………

d. Vous intéressez-vous à ce qui se passe dans le monde ?

→ ………………………………………………………………………………………………

e. Nous tenons à ce qu'il soit au courant de son adoption.

→ ………………………………………………………………………………………………

f. Faites attention à ce que la valise soit bien fermée.

→ ………………………………………………………………………………………………

g. Alice se plaint de ce qu'elle travaille trop.

→ ………………………………………………………………………………………………

h. Il m'a parlé de ce qu'il avait vu au musée d'Orsay.

→ ………………………………………………………………………………………………

261 Soulignez dans cette liste de verbes ceux qui peuvent se construire avec *à* et *de* à la fois.

interroger – <u>demander</u> – parler – adresser – dire – apprendre – penser – offrir – présenter – proposer – inviter – interdire – permettre – autoriser – refuser – se plaindre – rapporter – assurer – expliquer – ordonner – commander – conseiller

262 Faites des phrases à partir des éléments suivants.

Exemple : l'aide humanitaire – proposer – tous – venir en aide aux plus déshérités

→ ***L'aide humanitaire propose à tous de venir en aide aux plus déshérités.***

a. vous – interdire – candidats – utiliser certains programmes informatiques

→ ....

b. la Bourse – inviter – particuliers – investir dans des actions

→ ....

c. la Sécurité sociale – conseiller – médecins – traiter les dossiers par informatique

→ ....

d. le ministre de l'Éducation – proposer – enseignants – revoir le contenu des programmes

→ ....

e. on – demander – automobilistes – respecter davantage les limitations de vitesse

→ ....

f. les fonctionnaires – reprocher – gouvernement – avoir retardé l'âge de la retraite

→ ....

g. les syndicats – imposer – employeurs – réduire la durée du travail hebdomadaire

→ ....

h. l'ANPE – inciter – demandeurs d'emploi – faire des recherches plus efficaces

→ ....

C. LES CONSTRUCTIONS VERBALES SUIVIES DE L'INFINITIF

263 Complétez les phrases suivantes par un infinitif présent ou passé.

Exemples : Nous voudrions ***vous rencontrer***.

Adèle assure ***avoir fait cette excursion***.

a. Les étudiants souhaitaient ....

b. Savez-vous ....

c. Son mari a eu envie de ....

d. Ce client dit ....

e. Vous avez tout intérêt à ....

f. Elle devra ....

g. Ils sont certains de ....

h. Les enfants ont tendance à ....

264 Transformez ces phrases sur le modèle suivant.

Exemple : Je ne pense pas que je connaisse la réponse juste.

→ Je ne pense pas ***connaître*** la réponse juste.

a. Elle pense qu'elle s'absentera quelques jours.

→ ....

b. Les jeunes espèrent qu'ils trouveront facilement un emploi.

→ ....

c. Tu crois que tu as réussi ton examen ?

→ ....

d. Tu te demandes ce que tu vas faire ?

→ ....

e. Cet homme prétend qu'il a dessiné les plans de la Grande Arche.

→ ....

f. Elle s'imagine qu'elle est milliardaire !

→ ....

g. Virginie et Alain reconnaissent qu'ils se sont trompés.

→ ....

h. Le chef d'État étranger a affirmé qu'il voulait la paix.

→ ....

265 **Réécrivez ces phrases en employant un infinitif seul ou introduit par** *de***.**

> *Exemple :* J'ai l'impression que j'ai fait un faux calcul.
>
> → J'ai l'impression ***d'avoir fait*** un faux calcul.

a. Mme Blanc n'est pas certaine qu'elle vous ait déjà rencontré.

→ ....

b. Ses enfants se souviennent vaguement qu'ils sont passés par là un jour.

→ ....

c. Je crois que je connais cet acteur.

→ ....

d. Il se plaint qu'il fait la vaisselle tous les soirs.

→ ....

e. Tu m'as assuré ce matin que tu rentrerais de bonne heure !

→ ....

f. Cette femme prétend qu'elle a le numéro gagnant.

→ ....

g. Vous pensez que vous serez capable d'identifier le voleur ?

→ ....

h. Tu n'admets pas que tu puisses te tromper ?

→ ....

266 **Répondez aux questions suivantes en employant un infinitif négatif.**

> *Exemple :* Vous ne pensez pas que vous avez égaré votre passeport ?
>
> → En effet, ***je pense ne pas l'avoir égaré.***

a. Tu n'es pas convaincu que tu as eu tort ?

→ En effet, ...

b. L'inculpé n'a pas dit qu'il avait agressé cette femme ?

→ Non, ...

c. Vous n'avez pas le sentiment que vous vous êtes fait avoir dans cette affaire ?

→ Non, ...

d. L'accusé n'a-t-il pas reconnu qu'il avait emprunté ce véhicule ?

→ Non, ...

e. Ta mère n'est pas convaincue qu'elle a été désagréable hier soir ?

→ Non, ...

f. Ne croyez-vous pas que vous vous êtes mal comporté la semaine dernière ?

→ Non, ...

g. Cette vieille femme n'est pas sûre qu'elle a oublié ses gants ?

→ Si, ...

h. Ta fille n'a pas l'impression qu'elle a mangé trop de glace ?

→ Non, ...

267 Complétez les phrases suivantes par un infinitif présent ou passé.

Exemple : Marie est désolée de ***ne pas avoir pu se joindre à vous***.

a. Ils ont beaucoup regretté de ....

b. Ils ont préféré prendre la voiture afin de ....

c. De façon à ...., nous avons décidé de rentrer demain matin.

d. Mon père a dû payer une amende de 150 euros pour ....

e. Ils nous ont quittés sans ....

f. Avant de ...., j'ai voulu monter aux tours de Notre-Dame.

g. Ils envisagent de ...., d'ici deux ans.

h. Vous ne vous êtes toujours pas décidés à ....

D. CONSTRUCTIONS AVEC L'INDICATIF OU L'INFINITIF

268 Transformez ces phrases suivant le modèle.

Exemple : Nous espérons déménager bientôt. (Émilie)

→ Nous espérons ***qu'Émilie déménagera*** bientôt.

a. Je reconnais être arrivé très en retard. (mon neveu)

→ ....

b. Vous pensez nous accompagner à l'aéroport ? (vos amis)

→ ....

c. Elle nous a annoncé être enceinte de trois mois. (sa sœur)

→ ....

d. Tu promets de revenir nous voir la semaine prochaine ? (vous)

→ ....

e. Vous croyez vivre dans un ranch aux États-Unis ? (Cécile)

→ ....

f. Le maire affirme avoir trouvé une statuette mérovingienne dans une grange. (un paysan)

→ ....

g. Les enfants soutiennent ne pas avoir cassé ces carreaux. (Martin)

→ ....

h. L'inculpé a nié avoir pénétré chez les Picard. (son complice)

→ ....

269 À partir des éléments fournis, écrivez des phrases construites avec deux sujets différents.

Exemple : espérer – aller bien

→ ***J'espère que vous allez bien.***

a. supposer – être en vacances

→ ....

b. imaginer – voyager à l'étranger

→ ....

c. croire – ne pas emmener les enfants

→ ....

d. être sûr – se voir plus souvent à la rentrée

→ ....

e. rappeler – reprendre le 2 septembre

→ ....

f. assurer – paraître long

→ ....

g. penser – être difficile pour vous

→ ....

h. répéter – manquer beaucoup

→ ....

270 **Complétez le dialogue suivant par les verbes entre parenthèses. Attention à l'emploi des temps.**

– Taxi, s'il vous plaît !

– Bonjour. Alors, où voulez-vous (aller) .... (a) ?

– 15, rue Rambuteau. Vous voyez où ça (se trouver) .... (b) ?

– Madame, je crois que je (connaître) .... (c) Paris comme ma poche ; ça doit (faire) .... (d) plus de trente ans que j' (exercer) .... (e) la profession de chauffeur de taxi.

– Vous me dites (commencer) .... (f) ce métier il y a trente ans alors vous avez vu de grands changements dans Paris.

– Je peux vous (dire) .... (g) par exemple que le quartier des Halles où je vous (emmener) .... (h) maintenant (changer) .... (i) du tout au tout.

– Attention, je crois que vous (griller) .... (j) le feu.

– Ça peut (arriver) .... (k) ; de toute façon, j'ai un copain au commissariat !

– Vous étiez donc en train de m' (expliquer) .... (l) que le quartier où j'espère (retrouver) .... (m) mes amis (se transformer) .... (n) radicalement.

– C'est ça, oui. D'ailleurs, vous allez en (juger) .... (o) par vous-même car nous y sommes. Je vous (parler) .... (p) du Paris des années 60 si j'ai le plaisir de (refaire) .... (q) une course avec vous !

271 Faites des phrases en utilisant les éléments donnés et deux sujets différents. Attention à la concordance des temps.

> *Exemple :* Les exportations ont repris. (sembler/*passé composé*)
>
> → ***Il m'a semblé que les exportations avaient repris.***

a. Les taux d'intérêt ont diminué. (croire/*imparfait*)

→ ....

b. Les cotations en Bourse se stabiliseront. (expliquer/*passé composé*)

→ ....

c. L'euro a reculé par rapport au dollar. (noter/*présent*)

→ ....

d. Le Premier ministre syrien sera reçu à l'Élysée. (entendre dire/*passé composé*)

→ ....

e. La Chine a acheté pour plusieurs milliards d'Airbus. (apprendre/*passé composé*)

→ ....

f. Les touristes étrangers viendront plus nombreux cet été. (prévoir/*présent*)

→ ....

g. La population mondiale atteindra 8,4 milliards en 2025. (avancer/*passé composé*)

→ ....

h. Le nombre des naissances correspond au seuil de renouvellement de la population. (annoncer/*passé composé*)

→ ....

E. LE SUBJONCTIF ET L'INFINITIF

272 Simplifiez ces phrases en employant l'infinitif lorsque c'est possible.

> *Exemples :* Léopoldine souhaite que vous assistiez à son vernissage. → ***impossible***
>
> Il faut absolument qu'on y aille.
>
> → Il faut absolument y ***aller***.
>
> Il est obligatoire qu'on composte son billet de train.
>
> → Il est obligatoire ***de composter*** son billet de train.

a. Je ne pense pas que les enfants soient invités.

→ ....

b. Il est préférable que nous les fassions garder par la baby-sitter.

→ ....

c. Il est important qu'on y arrive de bonne heure.

→ ....

d. Penses-tu qu'il faille offrir quelque chose à Léopoldine ?

→ ....

e. Il est inutile qu'on lui apporte des fleurs.

→ ....

f. Je préfère que vous l'invitiez à dîner à la fermeture de la galerie.

→ ....

g. Au fait, je voudrais que tu me dises où ça se passe.

→ ....

h. À deux pas du Centre Pompidou ; il vaut mieux qu'on prenne le métro.

→ ....

273 **Complétez les phrases suivantes par** *que, de ce que, à ce que* **(parfois plusieurs possibilités).**

  Exemple : On ne s'attendait pas *à ce qu'*ils prennent si vite leur décision.

a. Nous tenons .... vous nous mettiez au courant.

b. Veillez .... toutes les fenêtres soient fermées.

c. On regrette .... vous ne puissiez pas rester davantage.

d. Vous avez intérêt .... votre candidature soit retenue.

e. Ton père souhaiterait .... vous ayez un autre enfant.

 f. On se moque .... il soit français ou non.

g. Je m'inquiète .... ils ne nous aient pas écrit.

h. Elle s'habituera .... on la vouvoie systématiquement.

274 **Transformez ces phrases en suivant le modèle.**

  Exemple : Elle propose que nous restions avec eux pour dîner.

    → *Elle nous propose de rester avec eux pour dîner.*

a. Je suggère que vous preniez des leçons de tennis.

→ ....

b. Mes parents demandent que nous les appelions tous les trois jours.

→ ....

c. Je déconseille qu'ils empruntent l'autoroute du Sud.

→ ....

d. On recommande qu'elle soit très prudente dans cette expédition.

→ ....

e. Le professeur rappelle qu'ils lisent les derniers chapitres de *L'Étranger*.

→ ....

 f. Tu conseilles qu'ils descendent à l'hôtel Lutécia ?

→ ....

g. Leurs parents interdisent qu'ils rentrent après minuit.

→ ....

h. Tu imposes que ton mari s'occupe des enfants le dimanche ?

→ ....

275 Écrivez les phrases suivantes en insérant l'élément entre parenthèses, sachant que cette modification entraînera un changement de sens.

Exemples : On ne pense pas faire du ski. (Julien)

→ **Julien ne pense pas qu'on fasse du ski.**

Pauline s'habitue à vivre à Toulouse. (je)

→ **Je m'habitue à ce que Pauline vive à Toulouse.**

a. Tu acceptes de sortir samedi soir ? (Charles)

→ ....

b. Marthe refuse de voir le dernier film de Gérard Jugnot. (vos amis)

→ ....

c. Je préfère aller à la salle Pleyel. (tu)

→ ....

d. Mon frère tient à dormir chez moi. (je)

→ ....

e. Vous veillez à tout organiser. (on)

→ ....

f. Nos parents aimeraient partir dans le Sud. (nous)

→ ....

g. Tu es heureux de t'installer à Nice. (Valérie)

→ ....

h. Je propose de prévenir la police. (tu)

→ ....

F. L'INDICATIF ET LE SUBJONCTIF

 276 Soulignez dans cette liste de verbes ceux qui sont toujours suivis du subjonctif.

<u>tenir à</u> – dire – expliquer – avoir l'impression – vouloir – aimer – se souvenir – raconter – imaginer – rapporter – promettre – relater – penser – préférer – proposer – indiquer – considérer – remarquer – souhaiter – sembler – prétendre – espérer – reconnaître – prévoir – trouver – croire – refuser

 277 Faites des phrases à partir des éléments donnés. Employez l'indicatif ou le subjonctif.

Exemples : Vous aurez des embouteillages. C'est certain.

→ **Il est certain que vous aurez des embouteillages.**

Nous prendrons les transports en commun. C'est possible.

→ **Il est possible que nous prenions les transports en commun.**

a. Vous arriverez à Auxerre avant midi. J'en suis persuadée.

→ ....

b. On déjeunera dans le jardin. Je l'espère.

→ ....

c. Vous serez fatigués par la route. Je ne le pense pas.

→ ....

d. Nous irons faire un tour dans la ville. Je le propose.

→ ....

e. Vous aimerez la vieille ville. Je n'en doute pas.

→ ....

f. La cathédrale est en travaux. C'est regrettable.

→ ....

g. Nous vous emmènerons dans la rue des antiquaires. J'y tiens.

→ ....

h. Vous trouverez la pendule que vous cherchez. Je le souhaite.

→ ....

278 **Assemblez ces éléments pour obtenir des phrases (plusieurs possibilités).**

a. C'est dommage

b. Nous sommes heureux

c. Je passe mon temps à vous répéter

d. Ta mère espère

e. On voudrait bien

f. Il est très important

g. Je ne me souviens pas

h. Vous pouvez me dire

1. qu'il faut arrêter de fumer.

2. que tu aies accepté ce poste.

3. qu'il ait déjà visité l'exposition Corot.

4. qu'il réussisse son bac.

5. qu'il ne fasse pas meilleur.

6. que ça ne vous intéresse pas.

7. que tout va bien.

8. que tu saches conduire à Paris.

279 **Cochez la bonne réponse.**

Exemple : Nous passerons vous voir avant que vous ☐ *partez* ☒ *partiez* ☐ *partirez* pour Madrid.

a. Laissez-moi quelques jours afin que je ☐ *réfléchisse* ☐ *réfléchis* ☐ *j'ai réfléchi*.

b. Il a téléphoné juste après que tu ☐ *sois parti* ☐ *partes* ☐ *a été parti*.

c. On a acheté ce tableau parce qu'on ☐ *ait eu* ☐ *avait eu* ☐ *ait* un coup de foudre.

d. Depuis que je ☐ *suive* ☐ *ai suivi* ☐ *suis* ce régime, j'ai déjà perdu trois kilos.

e. Tout érudit qu'il ☐ *est* ☐ *serait* ☐ *ait été*, il a été incapable de répondre.

f. Quelque conseil que vous me ☐ *donneriez* ☐ *donnez* ☐ *donniez*, je le suivrai toujours.

g. Jeanne ne bougera pas de chez elle à moins que vous ne lui ☐ *proposiez* ☐ *proposerez* ☐ *proposez* une sortie.

h. D'ici à ce que tu ☐ *termines* ☐ *aies terminé* ☐ *as terminé* cette lettre, j'ai le temps d'aller faire un tour.

280 **Rayez ce qui ne convient pas.**

Exemple : J'ai acheté ce roman (pourtant/~~bien que~~) je n'en avais pas entendu parler.

a. (Ce n'est pas que/Comme) Susie soit désagréable, mais on se voit peu.

b. Nous n'avons pas eu de leurs nouvelles (jusqu'à ce que/depuis que) nous avons quitté Marseille.

c. Martin a relu plusieurs fois ce dossier (si bien qu'/malgré qu') il le connaît.

d. Elle ne va pas à l'église (non qu'/parce qu') elle n'est pas croyante.

e. (Même si/Quoique) tu n'aies pas toujours bon caractère, je t'aime beaucoup.

f. (À condition que/Si) vous souhaitez des informations plus précises, veuillez nous contacter par téléphone.

g. Nous nous tenons à votre service, (où/où que) vous soyez.

h. (En attendant que/Pendant que) nous ferons les travaux, nous habiterons chez mes parents.

 281 Reformulez ces phrases en employant l'indicatif ou le subjonctif.

Exemple : La direction avertit ses clients du changement des horaires d'ouverture du magasin.

→ La direction avertit ses clients ***que les horaires d'ouverture du magasin ont changé.***

a. Nous regrettons votre refus.

→ ....

b. Je m'inquiète de son retard ; elle est toujours à l'heure.

→ ....

c. Marie m'a annoncé son mariage pour le mois prochain.

→ ....

d. Antoine attend votre arrivée avec impatience.

→ ....

e. Le directeur refuse votre démission.

→ ....

f. Marc a reconnu sa mauvaise humeur de la semaine dernière.

→ ....

g. Mme Noir adore le récit de votre voyage en Turquie.

→ ....

h. Nous souhaitons un prompt rétablissement à Catherine.

→ ....

Bilans

282 Mettez les verbes entre parenthèses à la forme qui convient.

Les Françaises au seuil du XXIe siècle :

Les statistiques montrent qu'aujourd'hui plus des trois quarts des Françaises de 25 à 54 ans (travailler) .... **(1)**. *Si certaines (faire)* .... **(2)** *ce choix par goût, il se peut que d'autres y (être)* .... **(3)** *contraintes par des nécessités financières. Quoiqu'il en (être)* .... **(4)**, *elles mènent leur double vie de femme active et de femme au foyer puisqu'il est certain que cette dernière fonction leur (revenir)* .... **(5)** *en priorité. Bien que la mentalité masculine (changer)* .... **(6)** *depuis ces dernières années, que l'homme (prendre)* .... **(7)** *en charge quelques activités domestiques, qu'il (aller)* .... **(8)** *accompagner les enfants à l'école ou qu'il les (conduire)* .... **(9)** *à leurs activités sportives, parfois même qu'il (faire)* .... **(10)** *un peu le ménage ou la cuisine, il n'en reste pas moins que la femme (avoir)* .... **(11)** *parfois du mal à trouver un équilibre de vie.*

(Vivre) .... **(12)** *seule (devenir)* .... **(13)** *aussi le lot de beaucoup. N'est-il pas surprenant que 75 % des femmes (être)* .... **(14)** *à l'origine des demandes de divorces ? Mais doit-on s'étonner que 85 % des enfants issus de couples divorcés (vivre)* .... **(15)** *avec leur mère ? Aujourd'hui, les femmes sont conscientes qu'il est important pour elles (demander)* .... **(16)** *le droit à l'égalité, mais elles n'en oublient pas pour autant (revendiquer)* .... **(17)** *le droit à la différence.*

283 Lisez ce texte et rayez ce qui ne convient pas (choisissez les structures les plus simples).

Nous avions décidé (que nous visiterions/de visiter/que nous visitions) **(1)** *enfin le moulin situé sur la rive de la Renarde. Nous nous sentions (attirés/attirer)* **(2)** *par le mystère de cette bâtisse d'un autre âge bien qu'elle (est/était/soit)* **(3)** *austère et d'un abord peu accueillant.*

Claude a escaladé le premier le mur, suivi par Françoise et moi-même. Sitôt dans le jardin en friche, nous avons eu l'impression (d'entrer/que nous entrions/que nous étions entrés) **(4)** *dans une autre époque. Après (que nous ayons contourné/que nous avions contourné/avoir contourné)* **(5)** *un petit bosquet, nous avons découvert la vieille roue du moulin rongée par la rouille. Il semblait (ne plus fonctionner/qu'elle ne fonctionnait plus/qu'elle ne fonctionne plus)* **(6)** *depuis fort longtemps. Vu de si près, le bâtiment nous paraissait encore plus imposant. Afin (d'y pénétrer/que nous y pénétrions/que nous y ayons pénétré)* **(7)**, *nous avons entrepris (d'en faire/que nous en fassions/que nous en faisions)* **(8)** *le tour. C'est ainsi que (nous ayons remarqué/nous avons remarqué/nous* remarquions) *(9)* une petite porte entrouverte. Avant (que nous y soyons entrés/que nous y entrions/d'y entrer) *(10)*, un rayon de soleil s'est montré comme pour (nous encourager/ qu'il nous encourage/que nous ayons plus de courage) *(11)*. Une fois le seuil franchi, nous avons découvert une grande salle vide dont le plafond à moitié effondré était encombré de chauves-souris endormies. L'état de délabrement nous a fait (à hésiter/ d'hésiter/hésiter) *(12)* d'autant plus que Claude nous a annoncé qu'il (ait oublié/a oublié/ avait oublié) *(13)* sa lampe torche. Françoise a alors commencé (à avouer/avouer/ d'avouer) *(14)* (qu'elle avait/qu'elle ait/d'avoir) *(15)* peur. C'est à ce moment précis que nous (ayons entendu/avions entendu/avons entendu) *(16)* (qu'un hibou criait/un hibou crier) *(17)*. Cela a achevé (à nous/nous/de nous) *(18)* convaincre (de/à) *(19)* rebrousser chemin. Nous nous sommes bousculés vers la sortie, trop heureux (que nous nous retrouvions/de nous retrouver/que nous nous soyons retrouvés) *(20)* au soleil.

Une fois que nous (ayons/avons/avions) *(21)* rejoint la route, ne voulant pas (nous avouer/que nous nous avouions/que nous nous soyons avoués) *(22)* vaincus, nous avons projeté une prochaine expédition au moulin mais en prévoyant cette fois-là un équipement plus adapté.

XI. PRONOMS POSSESSIFS, DÉMONSTRATIFS, INTERROGATIFS ET INDÉFINIS

À chacun sa chacune.

A. LES PRONOMS POSSESSIFS

284 Réécrivez les phrases suivantes en remplaçant les mots soulignés par un pronom possessif.

Exemple : Notre itinéraire est plus court que ton itinéraire.

→ Notre itinéraire est plus court que **le tien**.

a. Tu me donnes un mouchoir, s'il te plaît ? J'ai oublié mes mouchoirs dans la voiture.

→ ....

b. Vous avez un magnifique manteau. Mon manteau a l'air très vieux à côté du vôtre.

→ ....

c. Mes patrons sont beaucoup plus exigeants que ses patrons.

→ ....

d. Je préfère que nous montions dans votre voiture, je n'ai pas confiance dans leur voiture.

→ ....

e. Mes clés sont dans ma poche, tes clés doivent être dans ton sac.

→ ....

f. Pour être tranquilles, nous allons mettre nos enfants d'un côté de la table et vos enfants de l'autre.

→ ....

g. Ta tente semble légère. Ma tente est beaucoup trop lourde.

→ ....

h. Je me suis acheté une cocotte-minute alors je te rends ta cocotte-minute.

→ ....

285 Reconstituez les phrases suivantes.

a. Nos enfants sont aussi turbulents

b. Ce soir, il n'y aura que nos enfants,

c. Je ne sais pas quelle tête je fais,

d. Prêtez-nous vos chaînes pour la conduite sur neige,

e. Il a souvent rencontré ma femme

f. On ne peut pas aller chez mes parents, par contre

g. Quand j'ai vu la vôtre, j'ai compris qu'il fallait

h. Pour notre contrat d'assurance, Paul nous avait conseillé de prendre les mêmes options que lui.

1. nous avons oublié les nôtres à Paris.

2. que je m'achète une nouvelle paire de jumelles.

3. mais je n'ai jamais vu la sienne.

4. les siens sont très accueillants.

5. que les leurs.

6. Les siennes sont en effet suffisantes.

7. les leurs sont gardés par une baby-sitter.

8. mais rien qu'à voir la vôtre, je pense que vous avez eu peur.

286 Remplacez le groupe de mots souligné par le pronom qui convient (attention aux prépositions).

Exemple : J'ai préféré les peintures de Xavier aux peintures d'Andréa.
→ J'ai préféré les peintures de Xavier ***aux siennes***.

a. Je ne sais pas si vous avez lu mes livres mais moi j'ai beaucoup entendu parler de vos livres.

→ ....

b. Je croyais parler avec son mari mais en fait j'avais affaire à ton mari.

→ ....

c. Tu as reçu des nouvelles de ton fils ? Moi, je n'en ai aucune de mon fils.

→ ....

d. Comme il n'a pas d'outils pour bricoler chez lui, il a besoin de nos outils.

→ ....

e. Quand on compare ses résultats à mes résultats, on comprend que ses parents s'inquiètent.

→ ....

f. Tu viens de voir mon frère ? C'est amusant, je viens d'avoir un coup de fil de ton frère.

→ ....

g. Je te remercie mais je n'ai pas envie d'aller chez ton dentiste. J'aime autant suivre les prescriptions de notre dentiste.

→ ....

h. Je n'obéis pas à ses ordres, je ne me soumets qu'à vos ordres.

→ ....

B. LES PRONOMS DÉMONSTRATIFS

287 Reconstituez chacune des phrases suivantes.

a. Nous avons aimé son premier roman

b. Albane et Christophe vont changer leurs skis

c. Je vais commander de nouvelles cartes de visite

d. Mets une jupe plutôt qu'un pantalon,

e. Je ne sais pas si ce que tu manges est bon

f. Si j'ai à choisir,

g. Je trouve cette ville magnifique.

h. Ces saucissons sont secs

1. et ceux-ci le sont aussi.

2. c'est ça que je prendrai.

3. cela me ferait plaisir.

4. Par contre, celle-là est très laide.

5. mais celui-ci est sans intérêt.

6. parce que ceux-là sont trop usés.

7. mais à te regarder, ça a l'air d'être le cas.

8. parce que ça fait des années que j'ai le même modèle.

288 Remplacez les mots soulignés par *celui-là... celui-ci...*, **au choix.**

    Exemple : Dînons plutôt dans un autre restaurant parce qu'il y a trop de monde dans <u>ce restaurant-là</u>.

        → Dînons plutôt dans un autre restaurant parce qu'il y a trop de monde dans ***celui-là***.

a. Donnez-moi un autre stylo parce que <u>ce stylo-ci</u> est en fin de compte trop cher.

→ ....

b. J'ai trouvé toutes les adresses que je cherchais sauf <u>cette adresse-là</u> qui n'est pas sur la liste.

→ ....

c. Ces couteaux ne coupent rien, même <u>ce couteau-ci</u> que je viens d'aiguiser.

→ ....

d. Tu peux cueillir ces champignons mais <u>ces champignons-là</u> sont vénéneux.

→ ....

e. J'aime ces fleurs mais Nicole et Marjorie ont préféré <u>ces fleurs-là</u>.

→ ....

f. Débouche plutôt la bouteille qui est au congélateur, <u>cette bouteille-ci</u> n'est pas assez fraîche.

→ ....

g. Ma sœur n'a emporté chez elle que le petit buffet parce que <u>ce buffet-ci</u> est trop gros.

→ ....

h. Vous voyez les vélos qui sont au fond, ce sont <u>ces vélos-là</u> que nous avons loués.

→ ....

289 Faites deux phrases en remplaçant le pronom relatif *qui* par *celui-ci, celle-ci, ceux-ci* ou *celles-ci*.

> *Exemple :* Le 31 mai dernier a eu lieu la journée contre le tabagisme qui touche de plus en plus les jeunes.
>
> → ***Le 31 mai dernier a eu lieu la journée contre le tabagisme. Celui-ci touche de plus en plus les jeunes.***

a. Stanislavski est l'auteur d'une méthode qui est enseignée aujourd'hui encore dans toutes les écoles de théâtre du monde.

→ ....

b. Quand il était jeune, François Truffaut a écrit de nombreux articles qui critiquaient violemment certains cinéastes français.

→ ....

c. Jacques Chirac a reçu en grande pompe le roi du Maroc qui faisait un voyage officiel d'une semaine en France.

→ ....

d. Les médias parlent beaucoup du nombre des chômeurs qui est actuellement en nette diminution.

→ ....

e. J'ai acheté la copie d'un tableau de Cranach qui est exposé au musée du Louvre.

→ ....

f. Raymond a parlé de ton cas à Dominique qui va le soumettre au maire.

→ ....

g. Je sais que vous avez vu le professeur qui vous a demandé pourquoi je n'étais pas allé en cours.

→ ....

h. Le procès sera présidé par un juge qui est considéré comme l'un des plus sévères du barreau.

→ ....

290 Reconstituez les phrases suivantes.

a. Je n'achète jamais le pain du super-marché.

b. Au lieu de prendre les clés de la maison,

c. Tu as vu tes amis de Brest ?

d. Vous êtes bien le frère de Jean Chinaud ?

e. Je préfère le café de Colombie

f. Je suis satisfait des notes de mes enfants.

g. Comme ma voiture est en panne,

h. Votre montre est très belle

1. à celui du Brésil.
2. mais j'ai un faible pour celle de Francine.
3. j'ai pris celle de René pour aller travailler.
4. j'ai pris celles du garage.
5. Non, mais je suis celui de son père.
6. Celui de la boulangerie est tellement meilleur.
7. Non, mais j'ai eu la visite de ceux de Quimper.
8. Celles de mon fils sont bonnes et celles de ma fille excellentes.

291 Trouvez dans la liste suivante la paire « pronom démonstratif/pronom relatif » qui manque dans chacune des réponses : *celui qui, celle à laquelle, ceux qui, celui où, celui dont, celles qui, ceux auxquels, ceux dont, celle qui.*

> **Exemple :** Roseline a-t-elle épousé un des fils Thomet ? – Oui, **celui qui** est rempailleur de chaises.

a. Avec quel député Ribaut s'est-il associé ? – Je crois que c'est avec .... on dit qu'il est l'éminence grise du Premier ministre.

b. Vous avez jeté tous mes journaux ? – Non, nous avons gardé .... tu tenais le plus.

c. Tu as quitté ton appartement de Nice ? – Oui, ... j'habite aujourd'hui est bien plus grand.

d. Cette entreprise rachète tous les vieux papiers ? – Oui, du moins .... on souhaite se débarrasser.

e. Pourquoi trouves-tu les touristes bizarres ? – Je ne comprends pas .... passent leurs vacances sur des plages surpeuplées.

f. Vous êtes passé au magasin voir les vestes ? – Oui et ils m'ont dit que Vincent avait acheté .... me plaisaient.

g. Gérard a revu les filles de l'autre soir ? – Oui, d'ailleurs ce soir il dîne avec .... a les yeux verts.

h. On t'a fait une surprise pour ton anniversaire ? – Oui, et ce n'était pas du tout .... je m'attendais.

292 Reconstituez ces phrases en réunissant les trois éléments qui vont ensemble.

a. Avec l'âge, il commence à comprendre	ce qu'	1. je tiens le plus au monde.
b. La rascasse et le rouget, c'est pour moi	ce que	2. vous avez toujours rêvé.
c. Il est arrivé à Hélène	ce dont	3. Glenn Gould voulait aller.
d. Les quelques rares photos qui m'ont été laissées par mon grand-père, c'est		4. elle veut, elle l'obtient toujours.
e. Rendre à la musique une pureté désincarnée, c'est	ce vers quoi	5. on a tous peur en ce moment : son entreprise a déposé le bilan.
f. Les prisonniers se sont évadés grâce à cette cuillère ; c'est	ce qui	6. son père lui disait quand il était enfant.
g. Avec l'argent que vous avez gagné au tiercé, vous allez vous payer	ce à quoi	7. fait les meilleures bouillabaisses.
h. Ludivine est une enfant obstinée.	ce avec quoi	8. ils ont creusé un trou sous le plancher de leur cellule.

293 Trouvez pour chacune des phrases le pronom (ou le groupe de pronoms) manquant dans la liste suivante : *celle-là, celui-là, celle-ci, celui-ci, celui, celui qui*.

    Exemple : Ces deux pantalons me plaisent beaucoup, mais **celui-ci** me va mieux que **celui-là**.

a. Si je ne suis pas là, laissez le paquet à ma voisine, ... est une amie.

b. Nous allons changer de plage parce qu'il y a trop de monde sur ....

c. J'hésite entre ces deux formations. Dois-je suivre .... ou .... ?

d. Xavier a insulté Axel, ce qui a rendu furieux ....

e. Je ne veux pas lire ce livre, en revanche je veux bien que tu me prêtes ....

f. Pascal et Nadège étaient faits pour se rencontrer. .... est peintre et .... sculpteur.

g. N'ayant pas de médecin attitré, je suis allé chez .... habite le plus près de chez moi.

h. Comme je n'avais pas de dictionnaire, j'ai apporté .... de la bibliothèque.

C. LES PRONOMS INTERROGATIFS

294 *Lesquels, lequel, qui, lesquelles* ou *laquelle* ? **Trouvez le pronom interrogatif qui convient.**

    Exemple : Puccini a écrit de nombreux opéras. **Lequel** préfères-tu ?

a. « Il faut laisser du temps au temps ». .... est l'auteur de cette phrase ?

b. Je sais que tu as trois sœurs. .... passe le concours d'assistante sociale ?

c. .... va aller acheter le pain, les croissants et la brioche demain matin ?

d. Je voudrais 1 kg de tomates s'il vous plaît. .... sont les meilleures ?

e. Trois rois ont régné en France au XVIIIe siècle. .... a vécu le plus longtemps ?

f. Cinq fleuves coulent en France. .... prend sa source en Suisse ?

g. Tu as vu récemment plusieurs pièces. .... me conseilles-tu d'aller voir samedi soir ?

h. Le gouvernement est constitué de trente-cinq ministres. .... sont des femmes ?

295 Reconstituez les questions suivantes.

a. Pour qui
b. Avec qui
c. À côté de qui
d. Sur qui
e. Contre qui
f. Grâce à qui
g. De qui
h. À qui

1. vas-tu partir en vacances cet été ? Charles, Édouard ou Henri ?
2. Olivier se souvenait-il en sortant du coma ? De ses parents, de sa femme ou de ses enfants ?
3. pensiez-vous lorsque vous disiez que des gens du quartier avaient fait du marché noir pendant la guerre ?
4. avez-vous voté aux dernières présidentielles ?
5. as-tu obtenu cet appartement en plein cœur de la ville ?
6. le champion de France de judo va-t-il se battre en finale ?
7. comptez-vous pour vous aider à déménager ?
8. serai-je assis au repas de noce ?

296 Trouvez une question correspondant à chacune des réponses suivantes. Faites-la porter sur le groupe de mots souligné.

> *Exemples :* **Que** faites-vous l'été ? ← L'été ? Je fais de la planche à voile, du bateau et du ski nautique.
>
> **À quoi** pensez-vous ? ← Je pense à ma voiture dont les phares sont restés allumés.

a. ....

← Il s'occupe de toutes les tâches administratives, de la réception, des commandes et de la comptabilité.

b. ....

← On commence par une soupe de poisson avec sa rouille, ses croûtons et son fromage râpé.

c. ....

← Il a réparé le fauteuil avec une bonne colle à bois, tout simplement.

d. ....

← La tour Eiffel est construite en fer.

e. ....

← Nous avons caché la clé du garage derrière le pot de géranium.

f. ....

← Comme dessert, il a décidé de prendre une crème brûlée.

g. ....

← Justin Legendre a consacré sa vie à la collection des étiquettes de boîtes de camembert.

h. ....

← Vous pouvez m'aider en témoignant en ma faveur.

297 Trouvez les questions correspondant aux affirmations suivantes.

a. Tu as essayé les monospaces Peugeot et Renault.

b. Vous avez skié dans ces deux stations.

c. Ta mère a vu toutes les photos.

d. J'ai rencontré les deux fils Langlet.

e. L'entraîneur a rencontré tous les joueurs.

f. Tu as étudié les trois devis qu'on te proposait.

g. Vous avez entendu les suggestions que nous vous avons faites.

h. Vous voulez 2 kg d'oignons.

1. Lequel as-tu retenu ?

2. Lesquelles veut-elle qu'on fasse retirer pour elle ?

3. Lesquelles allez-vous suivre ?

4. Laquelle préférez-vous ?

5. Lequel vas-tu acheter ?

6. Lesquels a-t-il sélectionnés ?

7. Lesquels préférez-vous, les gros ou les petits ?

8. Lequel allez-vous épouser ?

298 Un pronom interrogatif précédé d'une préposition manque dans chacune des phrases suivantes. Retrouvez-les dans cette liste : *devant lesquelles, par laquelle, pour laquelle, sous laquelle, à laquelle, dans lequel, vers lesquelles, chez lequel*.

> *Exemple :* On m'a dit que Jeanne partageait le studio d'un de ses frères. **Chez lequel** habite-t-elle ?

a. J'ai trois appartements à te proposer. .... veux-tu t'installer ?

b. Vous êtes bien dans le bureau des infirmières. .... voulez-vous parler ?

c. Renée hésitait entre deux solutions : déménager ou chercher un autre travail. .... a-t-elle opté ?

d. Je ne trouve ta carte bleue dans aucun de tes blousons ; .... l'as-tu rangée ?

e. On peut venir à Signes par la route de Marseille ou par celle de Brignolles. .... êtes-vous passés ?

f. Arsène Lupin changeait tout le temps d'identité. .... apparaît-il dans le roman *813* ?

g. Raymond doit te retrouver à 17 heures devant des sculptures ; mais lui as-tu précisé .... ?

h. On dit que Cécile va faire des études. .... s'est-elle orientée ?

299 Posez des questions portant sur les mots soulignés dans chacune des réponses suivantes.

> *Exemple :* **Que faites-vous** le dimanche matin ?
> ← <u>Nous allons au marché</u> le dimanche matin.

a. ....
← Des trois fils de Henri II, c'est <u>Henri III</u> qui est devenu roi de Pologne, avant d'être sacré roi de France.

b. ....
← C'est contre <u>l'amiral de Villeneuve</u> que l'amiral Nelson remporta la bataille de Trafalgar.

c. ....
← Je ne pense <u>pas grand-chose</u> des derniers résultats électoraux.

d. ....
← J'ai choisi <u>l'Islande</u> sur la liste des voyages proposés par le comité d'entreprise.

e. ....
← Mireille a rangé l'ouvre-boîtes dans le placard <u>qui est sous l'évier</u>.

f. ....
← <u>Le petit Doinel</u> a pris le *Guide Michelin*.

g. ....
← De Philippe et Marc, <u>Marc</u> est le plus vieux.

h. ....
← Vous pourrez confier les clés de votre voiture à nos voisins <u>d'en face</u>.

300 Reconstituez les phrases suivantes.

a. Trois guichets sont ouverts,

b. Nous savons que vous avez des problèmes.

c. Plusieurs entreprises recrutent des illustrateurs.

d. Je peux déboucher une de ces bouteilles pour ce soir.

e. Quand vous dites qu'une de mes trois filles est exceptionnelle,

f. Tu as rêvé d'un des fils de Charlotte !

g. Les filles de la classe sont toutes vos amies mais

h. Certains étudiants te veulent du mal ?

De laquelle

Auxquelles

Auxquels

Desquels

Duquel

à laquelle

auquel

desquelles

1. faites-vous allusion ?

2. faut-il que j'envoie mon CV ?

3. vous sentez-vous le plus proche ?

4. penses-tu ?

5. as-tu rêvé ?

6. avez-vous le plus envie ?

7. souhaitez-vous nous parler aujourd'hui ?

8. faut-il que j'aille ?

D. LES PRONOMS INDÉFINIS

301 **Trouvez le pronom qui convient dans cette liste :** *tout, nul, quiconque, chacun, quelqu'un, personne, rien, aucun.*

Exemple : La vieille dame a demandé qu'on l'aide à porter ses bagages mais ***personne*** ne lui a répondu.

a. .... n'a pas été dit sur les affaires qui ont conduit Bernard Tapie devant les tribunaux.

b. .... est entré chez moi sans se faire annoncer.

c. La philosophie de Thomas est simple : dans la vie, ... doit faire ce qui lui plaît.

d. .... s'oppose à ce mariage doit se manifester immédiatement.

e. Gérard voulait devenir médecin et .... n'aurait pu l'en dissuader.

f. Douze témoins ont assisté à la scène et .... n'est intervenu.

g. .... n'est censé ignorer la loi.

h. Un jour, on saura .... sur l'affaire Kennedy.

302 Reconstruisez les phrases suivantes.

a. Parmi ces tableaux,

b. J'ai fait des courses ce matin

c. Ces petits fours me tentaient

d. Je te parle de ce garçon,

e. Ces chaussures sont trop grandes.

f. Ce logiciel propose une multitude de polices

g. Tu racontes bien les histoires drôles ;

h. J'ai discuté avec des spectateurs après la projection.

1. l'autre ne m'intéresse pas.

2. tu n'en connais pas une autre ?

3. et aucune n'est semblable aux autres.

4. Quelques-uns étaient ravis, d'autres très déçus.

5. certains sont assez beaux.

6. alors j'en ai acheté quelques-uns.

7. et j'ai acheté quelque chose pour toi.

8. Vous n'auriez pas les mêmes en 37 ?

303 Retrouvez dans la liste suivante le pronom manquant : *tel, la même, aucun, n'importe qui, n'importe quoi, les autres, quelques-uns, plusieurs.*

   Exemple :   J'ai quatre stylos dans le tiroir mais ***aucun*** ne fonctionne !

   a. Ils sont divorcés ; ils devraient donc vivre séparés mais .... n'est pas le cas.

   b. Frédéric a offert trois livres à son fils pour son anniversaire mais .... ne lui plaît.

   c. Dans ce film, Alain Delon roule en 504 coupée. Quand j'étais jeune j'avais ....

   d. J'ai passé l'après-midi devant la télévision pendant que .... étaient au bord de la mer.

   e. Louise a rencontré des gens sympathiques pendant son voyage, ... sont devenus des amis.

   f. J'ai rencontré ses collègues, ... militent contre l'installation d'une centrale nucléaire près de leur village.

   g. Lionel cherche un assistant mais .... ne peut pas faire l'affaire.

   h. Pour échapper au service militaire, certains jeunes étaient prêts à faire ....

304 Reconstituez les phrases suivantes (parfois plusieurs possibilités).

   a. Le vétérinaire assure que — quelques-uns   1. sont sans intérêt.

   b. Quand je suis arrivé au bureau,   nul   2. m'écrivent toujours.
      on m'a dit que   3. ne pouvait lui faire plus plaisir.

   c. Les diplomates savent mieux que   ↘tout →→ 4. a été fait pour sauver votre chienne.

   d. Murielle et Fabienne ont offert un
      Meccano à Michael.   Les autres   5. dans la rue, sans doute à cause du match de football à la télé.

   e. Je n'ai rencontré   quiconque   6. avait cherché à me joindre.

   f. Certaines espèces de fruits ont   Rien   7. n'en connaîtra jamais plus le
      disparu et   goût.

   g. Tu peux archiver ces journaux.   personne   8. à quels compromis sont confrontés les États.

   h. J'ai gardé des contacts avec   quelqu'un
      quelques amis de lycée ;

305 Conjuguez les verbes entre parenthèses (attention aux accords).

   Exemple :   En France, combien d'hommes de plus de 50 ans ont fait la guerre d'Algérie ?
             La plupart l'***ont faite*** (avoir fait).

   a. À qui un prêtre peut-il révéler un secret ? Il .... (pouvoir le révéler) à personne.

   b. Combien de personnes seraient prêtes à donner un de leurs organes pour sauver un enfant ? La majorité .... (être prête) à le faire.

   c. Combien de vos frères vous ont souhaité votre anniversaire ? Tous me l'........................ ...... (avoir souhaité).

   d. Combien d'entre nous parlent une langue étrangère ? Certains .... (parler) l'anglais.

e. Quelle proportion de Français serait favorable à l'indépendance des Antilles ? La moitié le
.... (être).

f. Combien de Parisiens trouvent le montant de leur loyer trop élevé ? La plupart ....
.... (penser) payer trop cher leur logement.

g. Qui veut s'inscrire pour les épreuves sportives ? D'aucuns .... (être)
heureux d'y participer.

h. Combien d'étudiants regardent chaque soir la télévision ? Plusieurs ....
(passer) trois heures le soir devant le petit écran.

306 **Reconstituez les phrases.**

a. Comme je ne savais pas quoi acheter,

b. Le bombardement n'a épargné aucun immeuble.

c. Nous sommes allés à Paris pour voir tes amies mais

d. François a rencontré les deux actrices qui avaient écrit pour passer une audition.

e. Comme le dit le dicton :

f. Le responsable du recrutement a rencontré beaucoup de candidats

g. Dominique et Christian sont devenus amis au service militaire.

h. Quand le maître réprimande ses élèves,

1. pas un ne bronche.

2. j'ai tout pris.

3. L'un et l'autre viennent du même village corse.

4. Pas un n'est resté debout.

5. ni l'une ni l'autre n'étaient là.

6. L'une est aussi blonde que l'autre est brune.

7. ne faites pas à autrui ce que vous ne voudriez pas que l'on vous fît.

8. et en a eu d'autres au téléphone.

Bilans

307 **Rayez les pronoms qui ne conviennent pas.**

Le 29 décembre dernier, vers 22 h 30, la fourmi rencontra la cigale. (Cela/Celle-ci/Celle-là) *(1)* était toute maigre alors que (celle-ci/celle-là/laquelle) *(2)* avait les joues roses et brillantes de (ceux qui/chacun/personne) *(3)* sont bien nourris.

(Chacun/Tel/Quiconque) *(4)* aurait un peu de cœur – (maint/certain/cela) *(5)* se fait rare –, gémissait la cigale, emplirait cette assiette ; (personne/nulle/rien) *(6)* n'y a déposé le moindre morceau de pain depuis des jours.

(Nul/Tel/Ça) *(7)* ne doit manger ce qu'il n'a gagné par son travail, lui répondit la fourmi sentencieuse. (La plupart/Le mien/Celle-ci) *(8)*, ajouta-t-elle non sans fierté, m'a permis d'amasser un petit magot grâce auquel je vais aller passer le Jour de l'an aux Antilles.

Or, au pays de la libre entreprise, (chacun/personne/nul) *(9)* est libre de travailler, donc de manger.

(À quoi/Que/À qui) **(10)** faisiez-vous cet été ma chère ? *(À quoi/Que/À qui)* **(11)** pensiez-vous ? *(Desquelles/À quelles/Auxquelles)* **(12)** activités professionnelles et lucratives vous livriez-vous ? *(Cela/Personne/Rien)* **(13)** n'ignore que c'est aux beaux jours qu'on amasse pour l'hiver : *(telle/à quoi/tout)* **(14)** est la loi qui fait tourner le monde.

Je chantais, répondit en tremblant la cigale – *(à laquelle/cela/celle-ci)* **(15)**, en effet, était artiste –.

Vous chantiez, s'exclama la fourmi, au lieu de gagner le bon argent ! *(D'aucuns/ Duquel/Certain)* **(16)** se moqueraient de vous. Moi, je vous conseille de danser maintenant !

---

308 Lisez ce texte et rayez ce qui ne convient pas.

Extrait du règlement du collège Pasteur :

Parmi les élèves de cet établissement, (chacun/tous/plusieurs) **(1)** *doivent avoir lu ce règlement dès le jour de la rentrée, (nul/chacun/quiconque)* **(2)** *étant tenu de le respecter. Les derniers paragraphes sont destinés aux parents ; (ceux qui/ce qui/ceci)* **(3)** *souhaiteraient avoir plus d'informations peuvent quand ils le veulent rencontrer le proviseur ou ses adjoints à des heures bien précises. (Ceux-ci/Cela/Celles-ci)* **(4)** *sont affichées à l'entrée du collège. (Quiconque/Chacun/Personne)* **(5)** *s'absente du lycée doit présenter à son retour un mot d'excuse signé de ses parents. (Ceux-ci/Ceux qui/Cela)* **(6)** *ne seraient pas en mesure de présenter (le sien/les siennes/le leur)* **(7)** *ne seront pas acceptés en cours. (Personne/Nul/Aucun)* **(8)** *ne sera admis sans (ce/celui-ci/ça)* **(9)**. *Les retards ne sont pas acceptés à l'exception de (quelques-uns/plusieurs/certains)* **(10)** *pour raisons familiales. Dans ce cas, ils doivent être également justifiés. (Quiconque/ Ceux qui/N'importe qui)* **(11)** *sera pris en possession d'un téléphone portable ou d'un baladeur se le verra confisquer. Les objets de valeur tels que bijoux, vêtements de marques sont fortement déconseillés dans le collège et (ce/cela/ça)* **(12)** *pour le bien des élèves ; en effet, l'an dernier, (personne/certains/la majorité)* **(13)** *ont été l'objet d'agression à la sortie de l'établissement.*

XII. LE FUTUR ET LE FUTUR ANTÉRIEUR

Quand les chats siffleront, à beaucoup de choses nous croirons.

A. LE FUTUR : EMPLOIS

309 Transformez ces certitudes en projets. Utilisez le futur simple.

> *Exemple :* Nous allons vieillir ensemble. → Nous **vieillirons** ensemble.

a. Vous allez faire des voyages.

→ ....

b. Il ne va pas falloir déménager avant dix ans.

→ ....

c. Ton fils va vouloir s'installer à l'étranger ?

→ ....

d. On va tenir une librairie à Nîmes ?

→ ....

e. Tu ne vas pas envoyer tes enfants en Angleterre ?

→ ....

f. Je ne vais pas mourir de froid en Norvège.

→ ....

g. Nous allons avoir 40 ans en l'an 2010.

→ ....

h. Elles vont voir ce dont on est capable !

→ ....

310 Indiquez si le futur exprime une certitude (C), une proximité immédiate (P), une hypothèse (H) ou une prévision (PR).

> *Exemple :* Martine démissionnera le mois prochain. *(PR)*

a. Prenez un café, vous allez vous endormir ! ( )

b. Dans cinq mois, elle passera le bac. ( )

c. On va envoyer des invitations pour notre réception. ( )

d. Vous pourrez vous installer chez nous si vous le souhaitez. ( )

e. Seul, ton mari saura retrouver la route de nuit ? ( )

f. Dépêche-toi, on va rater le train ! ( )

g. On affirme qu'il fera beau demain. ( )

h. Michel ne va pas tarder à rentrer. ( )

311 Complétez les phrases suivantes par le futur proche ou le futur simple.

> *Exemples :* Le film **va commencer** (commencer) dans cinq minutes.
>
> Cette année, nous **prendrons** (prendre) trois semaines de congés.

a. En 2020, la population de la France ...*atteindra*... (atteindre) 61 à 66 millions d'habitants.

b. Comme il n'a pas de monnaie, il ...*va en demander*...(en demander) à la boulangerie.

c. Nous ...*partirons*... (partir) quand tu ...*voudras*... (vouloir).

d. Je ...*vais vous demander*...(vous demander) un petit service : pourriez-vous me prêter votre tire-bouchon ?

e. Écoutez bien ; je ...*vais vous expliquer*...(vous expliquer) les règles de l'accord du participe passé.

f. Nos amis américains ...*viendront*... (venir) nous voir dans deux ans ; ils nous l'ont promis.

g. Le temps ...*ne s'améliorera pas*... (ne pas s'améliorer) avant une dizaine de jours ; la météo vient de l'annoncer.

h. À partir du 18 février 2002, les Français ...*ne paieront plus*...(ne plus payer) leurs achats en francs !

312 Rayez ce qui ne convient pas.

> *Exemple :* Si tu ne travailles pas davantage, tu (ne seras pas admise/~~ne vas pas être admise~~) à Sciences Po.

a. J'ai sommeil, je (me coucherai/vais me coucher). Bonne nuit !

b. Ils ont pris leur décision : ils (achèteront/vont acheter) une maison dans le Sud-Ouest dans un an.

c. Il est déjà 8 heures ! On (prendra/va prendre) le métro pour être sûr d'arriver à l'heure !

d. Ils (se marieront/vont se marier) quand ils auront terminé leurs études.

e. Vous venez avec moi, je (me promènerai/vais me promener) sur les quais.

f. Le mois prochain, ils (fêteront/vont fêter) leurs noces d'argent. Ils nous ont invités.

g. Donne-moi la main, on (traversera/va traverser) la rue.

h. Dans quelques années, les Français (vont avoir/auront) tous un abonnement Internet.

B. LE FUTUR ANTÉRIEUR : MORPHOLOGIE

313 Écrivez ces phrases au futur antérieur.

> *Exemples :* Tu viendras nous rejoindre. → Tu **seras venu(e)** nous rejoindre.
>
> Elles comprendront l'exercice. → Elles **auront compris** l'exercice.

a. Vous serez étudiante. → ...*Vous aurez été étudiante.*...

b. Nous tiendrons notre promesse. → ...*Nous aurons tenu notre promesse*...

c. Elle ira à Hambourg. → ...*Elle sera allée à Hambourg*...

d. Ils deviendront des artistes célèbres. → ...*Ils seront devenus des artistes célèbres*...

e. Je verrai mes amis. → ...*J'aurai vu mes amis*...

f. Ils auront des enfants. → *Ils auront eu des enfants*

g. On devra déménager. → *On aura du déménager*

h. Il faudra trouver une solution. → *Il aura fallu trouver une solution*

314 Soulignez les verbes au futur antérieur.

Exemples : Elle sera invitée à mon anniversaire.

Ils <u>seront tombés</u> dans le piège.

a. Un courrier vous sera adressé.

b. À 8 heures, il sera parti depuis longtemps.

c. Elles seront allées chez Fabrice !

d. Tu seras convoqué en juin.

e. Vous serez arrivés avant nous.

f. Son bébé ne sera pas encore né.

g. Ils seront passés par la banlieue.

h. Tu seras reçu par Mlle Vignot.

315 Écrivez les verbes entre parenthèses au futur antérieur.

Exemple : Avant un mois, les ouvriers **auront terminé** (terminer) ce bâtiment.

a. Quand tu *auras fini* (finir) ce livre, tu pourras me le prêter ?

b. Elle se demande si elle *aura reçu* (recevoir) une réponse avant son départ.

c. Le chien s'est échappé : on *aura oublié* (oublier) de fermer la porte du jardin !

d. Nous sommes en retard ; j'imagine que le taxi *nous n'aura pas attendu* (ne pas nous attendre).

e. On réglera la facture aussitôt qu'on *l'aura reçu* (la recevoir).

f. À partir du moment où vous *aurez vu* (voir) ce film, vous pourrez en parler.

g. Une fois que nous *nous serons installé* (s'installer), nous adorerons le village. Elle me l'a assuré.

h. L'année prochaine, Jean *aura achevé* (achever) son doctorat de médecine.

C. LE FUTUR ANTÉRIEUR : VALEURS ET EMPLOIS

316 Indiquez si le futur antérieur exprime une antériorité (A), une supposition (S) ou une certitude (C).

Exemple : Il n'a pas pu entrer ; il sera arrivé trop tard. *(S)*

a. Dans six mois, les arbres auront poussé. ( )

b. Dès que j'aurai appris les résultats, je vous préviendrai. ( )

c. Aussitôt que nous nous serons mis d'accord, nous signerons le contrat. ( )

d. Sa mère sera revenue pour l'été prochain. ( )

e. Quand tu auras éteint les lampes, je commencerai la projection. ( )

f. Tu n'as pas le journal ? Tu l'auras laissé chez le marchand de journaux. ( )

g. François n'est toujours pas là ; il aura eu du monde sur la route. ( )

h. En octobre prochain, tu auras été admise à l'université. ( )

317 Indiquez l'ordre chronologique de ces actions.

  Exemple : Je t'interrogerai **(2)** lorsque tu auras étudié **(1)** ta leçon.

a. Avant que vous ne lui téléphoniez (2), Lucie sera passée (1) vous voir.

b. Nous pourrons faire (2) cet exercice dès que vous nous l'aurez expliqué (1).

c. Une fois que tu lui auras demandé (1) ce service, il se mettra (2) en quatre pour te le rendre.

d. Tant qu'il ne l'aura pas vu (2) de ses propres yeux, il ne nous croira (1) pas.

e. Nous partirons (2) faire les courses aussitôt que la pluie aura cessé (1).

f. Vous rentrerez (1) à la maison aussitôt qu'on vous aura appelés (2).

g. Ils ne prendront (1) pas le large tant que la grand-voile n'aura pas été changée (2).

h. Le jardinier aura taillé (1) les haies avant qu'ils ne reviennent (2).

318 Marquez l'antériorité dans le futur. Faites des phrases à partir des éléments donnés.

  Exemple : Marie – lire (1) – téléphoner (2)

  → ***Quand Marie aura lu ta lettre, elle te téléphonera.***

a. mes parents – faire construire (1) – prendre leur retraite (2)

→ ....

b. Louis – arriver (1) – rappeler (2)

→ ....

c. le directeur – signer (1) – convoquer (2)

→ ....

d. je – dîner (2) – préparer (1)

→ ....

e. on – sortir (2) – achever (1)

→ ....

f. vous – répondre (2) – réfléchir (1)

→ ....

g. tu – prévenir (2) – choisir (1)

→ ....

h. sa fille – se marier (2) – découvrir (1)

→ ....

319 Exprimer l'antériorité. Complétez les phrases suivantes par les verbes entre parenthèses au futur simple ou au futur antérieur.

  Exemple : Lorsque vous ***aurez visité*** (visiter) ce village, vous ***voudrez*** (vouloir) vous y installer.

a. Nous .... (prendre) la route aussitôt que le garagiste ....
.... (réparer) la voiture.

b. Quand vous .... (revenir), les petites ....
(changer beaucoup).

c. Elle .... (chercher) un logement une fois qu'elle ....
...... (trouver) un emploi.

d. Tant que vous .... (ne pas voir) cette exposition, vous ....
.... (ne pas avoir) le droit d'en parler.

e. À partir du moment où ils .... (terminer) leurs études, ils ....
.... (pouvoir) vivre ensemble.

f. Dès que tu .... (déjeuner), tu .... (devoir)
m'accompagner à la gare.

g. On lui .... (offrir) une voiture quand il ....
(obtenir) son permis de conduire.

h. Vous .... (aller) jouer quand vous .... (ranger)
votre chambre.

320 **Exprimez l'antériorité dans le futur : mettez les verbes au futur simple, au futur antérieur ou au subjonctif présent (parfois plusieurs possibilités).**

Exemple : Nous **aurons commencé** (commencer) les travaux d'ici la fin du mois.

a. Vous .... (faire) le ménage avant le retour des enfants.

b. Elle regardera le film après qu'il .... (partir).

c. Tout devra être prêt avant qu'on .... (rentrer).

d. Tu .... (essayer) ma voiture aussitôt qu'on me l'...................... (livrer).

e. Lorsque vous .... (apprendre) votre texte, vous .... (jouer)
cette pièce de Beckett au théâtre ?

f. Son mari .... (tout préparer) lorsqu'elle .... (arriver) à la
maison.

g. M. Dubois vous .... (recevoir) dès que son client .... (prendre)
congé.

h. On ne vous .... (laisser) pas partir tant que vous .... (ne pas
avouer) votre faute.

321 **Émettez des hypothèses concernant le passé à l'aide du futur antérieur.**

Exemple : Delphine n'est pas rentrée, comment expliquer ce retard ?

Perte de sa carte orange.

→ ***Elle aura perdu sa carte orange.***

a. Oubli de notre soirée en tête à tête.

→ ....

b. Rendez-vous de dernière minute.

→ ....

c. Rencontre de sa sœur dans la rue.

→ ....

d. Coup de fil de William, son meilleur ami.

→ ....

e. Courses aux grands magasins.

→ ....

f. Lettre urgente à poster.

→ ....

g. Contrôle d'identité dans le métro.

→ ....

h. Envie de flâner un peu.

→ ....

322 Répondez aux questions suivantes par des certitudes pour l'avenir.

Exemple : Dans vingt ans, qu'est-ce qui aura changé ?

Découverte du vaccin contre le sida.

→ *On aura découvert le vaccin contre le sida.*

→ *Le vaccin contre le sida aura été découvert.*

a. Équipement d'un système antipollution pour tous les véhicules.

→ ....

→ ....

b. Interdiction de fumer dans les lieux publics.

→ ....

→ ....

c. Réglementation plus stricte des ventes de boissons alcoolisées.

→ ....

→ ....

d. Fermeture des établissements scolaires le samedi.

→ ....

→ ....

e. Développement de nouveaux réseaux de communication.

→ ....

→ ....

f. Amélioration de l'enseignement des langues vivantes.

→ ....

→ ....

g. Extension du réseau autoroutier.

→ ....

→ ....

h. Réduction de la vitesse sur les routes.

→ ....

→ ....

323 Prédisez un avenir rose pour Constantin qui a aujourd'hui 6 mois. Utilisez des tournures passives du futur antérieur.

Exemple : études →

Dans vingt ans, il aura été reçu brillamment dans une grande école d'ingénieur.

a. amitié → ....

....

b. vie professionnelle → ....

....

c. amour → ....

....

d. famille → ....

....

e. invention → ....

....

f. notoriété → ....

....

g. ressources financières → ....

....

h. bilan d'une vie heureuse → ....

....

Bilans

324 Mettez les verbes entre parenthèses à la forme qui convient.

Comment les Français voient-ils les dix prochaines années ?

Pour l'emploi :

– *84 % pensent que dans quelques années le travail à temps partiel (se répandre)*
.... (1).

– *81 % souhaitent que plus de personnes (pouvoir) .... (2) faire leur*
travail de chez eux sur un ordinateur.

– *D'ici une dizaine d'années, les trois quarts estiment qu'un nombre croissant*
d'étrangers (venir) .... (3) vivre en France.

– *Avant 2010, 71 % croient que plus de Français (partir) .... (4) à*
l'étranger pour trouver un emploi, notamment les jeunes qui (préparer) ....
(5) des diplômes dans d'autres pays et qui (acquérir) .... (6) une bonne
maîtrise des langues étrangères.

– *57 % redoutent que le taux de chômage (progresser) .... (7).*

Pour la famille :

– *66 % estiment que les divorces (être) .... (8) plus nombreux.*

– *Mais 34 % sont certains que le nombre des naissances (augmenter) ....*
...... (9) de nouveau avant dix ans.

– *En bref, les Français sont optimistes puisqu'ils sont une majorité à penser qu'ils*
(connaître) .... (10) autant le bonheur qu'aujourd'hui et ils font confiance
à la politique actuelle ; ainsi ils sont 66 % à croire que l'Union européenne (porter) ....
.... (11) ses fruits d'ici quelques années.

325 Complétez ce dialogue par les verbes donnés entre parenthèses aux temps qui conviennent.

Visite chez Mme Irma, voyante célébrissime :

– *Voilà, j'ai de grandes décisions à (prendre)* .... *(1) et je souhaite que vous me (lire)* .... *(2) les lignes de la main.*

– *Tout d'abord, je vois que vous (traverser)* .... *(3) une période très mouvementée, je me trompe ?*

– *En effet, je (partir)* .... *(4) en mission au Vietnam le mois prochain.*

– *Oui, c'est cela. Je crois aussi que ce voyage (avoir)* .... *(5) des conséquences graves sur votre vie affective, non ?*

– *Vous voulez parler de mon fiancé ? Vous croyez qu'il (changer)* .... *(6) d'avis à mon retour, qu'il m' (oublier)* .... *(7) ?*

– *Oubliée, je ne pense pas mais peut-être qu'il vous (aimer)* .... *(8) moins !*

– *Qu'est-ce que je (devenir)* .... *(9) sans lui ?*

– *Attendez, la situation (s'améliorer)* .... *(10). Je distingue un homme, loin, très loin ; il (tomber)* .... *(11) éperdument amoureux de vous. Il vous (proposer)* .... *(12) de l'épouser.*

– *Et j' (accepter)* .... *(13) ?*

– *Quand vous (goûter)* .... *(14) aux charmes de l'étranger, vous (ne plus avoir)* .... *(15) aucune hésitation. Votre état d'esprit (changer)* .... *(16) totalement.*

– *Avant que je (partir)* .... *(17), pensez-vous que je (devoir)* .... *(18) parler de tout ça à mon fiancé ?*

– *À votre place, je m'abstiendrais. Laissez le temps (faire)* .... *(19) son travail !*

XIII. LES FORMES EN -ANT

En parlant du soleil, on voit ses rayons.

A. L'ADJECTIF VERBAL

326 Reconstituez les phrases suivantes.

a. Nous sommes allés voir tes parents

b. Gildas a trouvé les argumentations

c. Grand-père est fier de ses petits-enfants

d. Nicole ne boit plus de café.

e. Attention à ne pas tutoyer cet homme,

f. Pour nombre d'étrangers,

g. Les petits boutons que j'ai sur les bras

h. Ne dites pas que je vous ai pris au piège

1. car vous étiez consentants messieurs.

2. sont dus aux produits irritants avec lesquels je fais ma lessive.

3. les fromages français ne sont pas très ragoûtants.

4. des deux procureurs déroutantes.

5. que nous avons trouvés bien portants.

6. qu'il trouve épatants.

7. Elle trouve que c'est une boisson trop excitante.

8. c'est un personnage important.

327 Soulignez l'adjectif verbal lorsqu'il apparaît dans une de ces phrases.

Exemples : Zazie est une petite fille ne prenant jamais le métro.

Françoise m'a dit qu'elle avait trouvé le dernier spectacle de Jérôme Deschamps <u>consternant</u>.

a. Le résultat de cette élection est inquiétant pour l'avenir du pays.

b. Comme le disait Pascal, « l'homme est un roseau pensant ».

c. Je trouve surprenant de comparer Philippe Labro à André Gide.

d. *La Vie mode d'emploi* est vraiment un roman étonnant.

e. J'aime bien cette affiche de Gérard Philipe dévorant un livre.

f. Alain est un garçon dansant le tango comme un Argentin.

g. Je déteste Claude Lelouch. Je le trouve irritant.

h. Tout le monde dit de René qu'il n'est qu'un fainéant.

328 Trouvez pour chacune de ces phrases l'adjectif verbal correct et accordez-le si nécessaire : *percutant, chevrotant, exorbitant, dégoulinant, débilitant, hésitant, dégoûtant, éreintant, exaltant.*

Exemple : L'argumentation de Maître Pascale Borenstein fut ***percutante***.

a. Vous reconnaîtrez facilement l'auteur de ce roman : il a la voix ....

b. Cessez de regarder la télévision. C'est une activité ....

c. Je n'achèterai jamais de viande de cheval ; je trouve cela ....

d. Ce plat est immangeable, il est .... de graisse.

e. Mon déménagement a été .... et mes amis s'en souviendront longtemps.

f. Chaque fois que j'entends chanter Maria Callas, je trouve sa voix ....

g. Monique apprécie beaucoup ta peinture mais trouve tes tarifs ....

h. Les Fouquey ne savent pas s'ils achètent ou non cet appartement. Ils sont ....

---

329 **Transformez ces phrases en employant un adjectif verbal.**

> *Exemple :* Nous nous sommes regardés dans des glaces <u>qui déforment</u>.
>
> → Nous nous sommes regardés dans des glaces ***déformantes***.

a. Thomas est prêt à accepter n'importe quel travail, même <u>celui qui rebute le plus</u>.

→ ....

b. Nous avons essayé de décaper la commode mais la peinture <u>résiste</u>.

→ ....

c. Les décisions prises par la direction <u>révoltent</u>.

→ ....

d. Les chanteurs du groupe étaient vêtus de costumes <u>qui brillaient</u>.

→ ....

e. Il est très gentil mais ses propos <u>lassent</u>.

→ ....

f. *Le Petit Chose* est un roman <u>auquel on s'attache</u>.

→ ....

g. Ne vous appuyez pas contre ce mur, <u>il branle</u>.

→ ....

h. Lucien a une nouvelle <u>qui embête</u> à annoncer à sa mère.

→ ....

---

330 **Soulignez l'adjectif verbal lorsqu'il est employé dans ces phrases.**

> *Exemples :* J'aime beaucoup cet arbuste à feuillage <u>persistant</u>.
>
> De toutes les personnes assistant à l'opération, ce sont les infirmières qui m'ont le plus impressionné.

a. Il n'est pas rare que des enfants battus par leurs parents deviennent des parents battant leurs enfants.

b. Dans le film de Renoir, *La Grande Illusion*, le dialogue entre Pierre Fresnay et Erich von Stroheim est particulièrement marquant.

c. Connaissez-vous l'épisode de don Quichotte combattant les moulins à vent ?

d. Chacun s'accorde pour trouver très innovant le nouveau procédé de freinage mis au point par Citroën.

e. L'achat de cette station-service a représenté un véritable tournant dans sa vie.

f. Ce débutant exécutant une œuvre de Ravel est un représentant très impressionnant de la jeune génération de pianistes français.

g. Donnez-moi une pommade désinfectant les plaies superficielles, s'il vous plaît.

h. Nous avons vu un reportage sur la guerre en Sierra Leone. Nous trouvons ça absolument bouleversant.

B. LE GÉRONDIF PRÉSENT ET PASSÉ

 Exprimez une relation de cause à effet par l'emploi du gérondif à partir des phrases suivantes.

Exemple :   Quand j'étais étudiant, j'ai acheté ma première voiture. Je travaillais comme veilleur de nuit.

→ Quand j'étais étudiant, j'ai acheté ma première voiture **en travaillant** comme veilleur de nuit.

a. René a creusé un puits dans son jardin. Il a découvert un trésor.

→ ....

b. J'ai appris l'anglais. J'ai voyagé longtemps en Asie.

→ ....

c. Le député a bénéficié du report de voix d'un parti extrémiste. Il a été élu.

→ ....

d. Marylène a découvert qu'elle était myope. Elle a constaté que tous les films lui paraissaient flous.

→ ....

e. André a fait une recherche sur Internet. Il a trouvé des informations sur ses ancêtres.

→ ....

f. Brigitte et Henri se sont appuyés sur les garanties offertes par leurs parents. Ils ont pu louer cet appartement.

→ ....

g. Jean a croisé Michèle. Il est tombé amoureux d'elle.

→ ....

h. L'instituteur voit l'enfant lever la main. Il comprend que celui-ci connaît la réponse.

→ ....

332 Reconstituez les phrases.

a. Je suis sorti de la salle

b. Cette entreprise a réussi à maintenir ses parts de marché

c. Dans les années 60, les paysans ont considérablement développé les rendements

d. Le général de Gaulle s'est mis à dos les Américains et les Britanniques

e. Ferdinand de Lesseps s'est rendu célèbre

f. Molière a pu faire carrière

g. Le président Louis Napoléon est devenu Napoléon III

h. Rabelais est passé à la postérité

1. en ayant acquis la protection du frère de Louis XIV.

2. en ayant organisé un coup d'État.

3. en ayant percé le canal de Suez.

4. tout en ayant conservé l'intégralité de son personnel.

5. en ayant raconté l'histoire de Gargantua et de Pantagruel.

6. en ayant ri pendant toute la durée du film.

7. en ayant regroupé les petites parcelles.

8. en ayant décidé de constituer une défense française autonome.

333 Parmi ces deux actions simultanées, déterminez celle qui vous paraît être la principale puis écrivez une phrase en employant le gérondif.

Exemple : Les Parisiens prennent le métro. Ils lisent souvent le journal.

→ ***Les Parisiens lisent souvent le journal en prenant le métro.***

a. Marie fait de la gymnastique. Elle écoute de la musique africaine.

→ ....

b. Je fume, ce qui est détestable pour ma santé comme pour celle de mes collègues. Je travaille.

→ ....

c. Sylvie est entrée dans le magasin pour acheter une paire d'espadrilles. Sylvie tient son fils par la main.

→ ....

d. Nous avons regardé la télévision. Nous avons terminé la boîte de chocolats que papa m'avait offerte pour mon anniversaire.

→ ....

e. Vous chantez. Vous bricolez souvent.

→ ....

f. Il apprend l'anglais très sérieusement. Il prend trois cours particuliers par semaine.

→ ....

g. Depuis toujours, Frédérique écrit ses articles. Elle écoute la radio.

→ ....

h. Thierry repasse le linge de la famille. Il regarde très souvent la télévision.

→ ....

334 Construisez des phrases avec le gérondif lorsque cela est possible.

Exemples : Vous m'attendiez devant la statue de Jeanne d'Arc alors que moi j'étais devant celle de Charlemagne. → **impossible**

Vous regardiez sans cesse votre montre et espériez que je ne serais pas en retard à notre rendez-vous.

→ ***Vous regardiez sans cesse votre montre en espérant que je ne serais pas en retard à notre rendez-vous.***

a. Comme j'écoutais la radio, j'ai appris la mort de Nathalie Sarraute.

→ ....

b. Comme il était trop tard, nous ne sommes pas allés au cinéma.

→ ....

c. Philippe a bu une bouteille de Mouton-Cadet et a dégusté un perdreau sur canapé.

→ ....

d. Pendant que je terminais notre déclaration d'impôts, tu dormais paisiblement.

→ ....

e. Pendant qu'Odile faisait ses comptes, elle a constaté qu'elle vivait bien au-dessus de ses moyens.

→ ....

f. Il tombait une petite pluie fine et glaciale et il s'est mis à courir.

→ ....

g. Tu as pris le métro pour aller chez Eugène alors que moi, j'y suis allé à pied.

→ ....

h. Alors qu'elle dînait au restaurant avec des amis, elle a rencontré son associé.

→ ....

335 Reconstituez ces phrases.

a. Il m'a épargné l'huissier
b. Je me suis blessé
c. Il est tombé malade
d. Le gouvernement compte redynamiser certains groupes industriels
e. Jérôme a obtenu son diplôme
f. Ophélie s'est passionnée pour l'histoire antique
g. Nous nous sommes ruinés
h. Le gouvernement gagne beaucoup d'argent

1. en travaillant très dur.
2. en vendant du tabac.
3. en contractant trop de crédits.
4. en me prêtant de l'argent.
5. en agrafant la tapisserie.
6. en voyageant en Syrie et au Liban.
7. en mangeant des huîtres.
8. en les privatisant.

336 Transformez les phrases suivantes en employant le gérondif.

Exemple : Pour arriver plus vite, une seule condition : emprunter l'autoroute.

→ ***En empruntant l'autoroute, vous arriverez plus vite.***

a. Pour vous soigner, il faut prendre ces médicaments.

→ *Vous vous soignerez en prenant vos médicaments*

XIV. LA SITUATION DANS LE TEMPS

351 a. Ø b. Ø c. le ... l' d. Le ... la e. Ø ... le f. Ø ... une g. une ... la ... Ø h. la ... la

352 a. En b. Au c. en ... en d. au e. de ... à f. au g. de h. en

353 a. ... dans les années 90. b. ... sept jours sur sept. c. ... dans la matinée. d. ... en automne. e. ... en décembre. f. ... en 2000. g. ... au mois de mai. h. ... dans l'été.

354 a. en b. dans c. sur d. sur e. sur f. en g. sur h. en

355 a. Vous rappellerez avant 14 heures. b. Vous répondrez dans une semaine. c. Vous enverrez une réponse avant la rentrée de septembre. d. Vous déposerez votre candidature avant la mi-mars. e. Vous retirerez une fiche d'inscription avant le début octobre. f. Vous obtiendrez une réponse dans/avant deux mois. g. Vous aurez rendez-vous avant la fin du trimestre prochain. h. Vous donnerez une réponse définitive dans/avant six semaines.

356 a. 1 b. 1/2 c. 6 d. 5/10/11 e. 4/5/10 f. 3 g. 4/7/9 h. 4/8 i. 1/4/5/8/10 j. 4/7/9

357 a. 3 b. 2 c. 1 d. 2 e. 3 f. 1 g. 2 h. 1

358 a. 1 b. 3 c. 1 d. 3 e. 1 f. 1 g. 3 h. 1

359 *Conviennent :* a. matin b. cette année c. ans d. année e. Ce soir f. de la matinée g. la soirée h. Ces derniers jours

360 a. 6 b. 1 c. 7 d. 8 e. 3 f. 2 g. 5 h. 4

361 a. ne s'est pas revu b. as compris c. ne boit plus d. a déménagé e. jouez f. travaille g. a arrêté h. ne se parle plus

362 *Phrases possibles :* a. Non, il y a deux mois que je m'y suis inscrite. b. Oui, j'y joue depuis des années. c. Elle l'étudie depuis deux ans. d. Non, il y a un an que j'en fais. e. Il y a tout juste une semaine qu'il marche. f. Oui, ça fait trois jours que je suis allée chez le coiffeur. g. Elle suit un régime depuis un mois. h. Non, j'en fais depuis des années.

363 *Phrases possibles :* a. Nous y assistons rarement. b. Non, je ne l'ai encore jamais utilisé. c. Je ne prends jamais l'avion. d. Il y a longtemps que je ne les ai pas lus. e. Nous en visitons rarement. f. Je n'en fais plus depuis des années. g. Non, il ne m'arrive jamais de m'y asseoir. h. De temps en temps, je les écoute.

364 a. Ce magazine paraît tous les jeudis/le/chaque jeudi. b. Le lundi et le mardi/Chaque lundi et mardi/Tous les lundis et mardis, ... c. Chaque/Le vendredi/Tous les vendredis, on mange du poisson. d. À chaque fin de mois/Tous les mois/Le dernier jour du mois, les employés reçoivent leur salaire. e. Le ravalement a lieu tous les dix ans. f. Le lundi, le mercredi et le vendredi/Chaque lundi, mercredi et vendredi/Tous les lundis, mercredis et vendredis, on lui fait une piqûre. g. Chaque/Le samedi matin/Tous les samedis matin, Jacqueline va à la salle de gymnastique. h. Chaque matin/Tous les matins/Le matin à 8 heures, l'autobus scolaire passe devant la porte.

365 *Phrases possibles :* a. Nous allons assez souvent/régulièrement/fréquemment au cinéma. b. Je ne suis jamais allé à l'Opéra-Bastille. c. Claire va très régulièrement/souvent/fréquemment au Théâtre de la Ville. d. De temps en temps/Occasionnellement, il visite une exposition ... e. Cette pompe à essence est toujours ouverte. f. Vous dînez très souvent/fréquemment au restaurant. g. Je vais très rarement/très peu au concert. h. Ils jouent occasionnellement/très peu souvent au tennis.

366 *Conviennent :* a. avant b. avant c. avant d. après e. avant f. Après g. après h. avant

367 a. Avant de passer ... b. ... après avoir fini mes études. c. ... après avoir lu ce livre. d. Avant de mettre le contact, ... e. ... avant d'avoir mis ses bottes. f. ... après avoir terminé ton assiette ... g. ... après avoir fini la lecture ... h. Avant de venir, ...

368 a. ... pendant ton sommeil. b. Une fois les résultats connus, ... c. ... pendant ton absence. d. Dès la fin du film, ... e. Lors de ta visite de Notre-Dame, ... f. Dès leur retour de l'école, les enfants ont commencé ... g. ... sitôt la lecture de ta lettre d'adieu terminée. h. Lors de votre passage en Bretagne, ...

369 *Phrases possibles :* a. que tu seras rentré de vacances. b. le garçon ne retourne en cuisine. c. leur premier entretien d. nous n'ayons 40 ans. e. tu es allé au supermarché f. la fin du concert. g. avoir lu la fin de ma page h. vous lui aurez fait part de votre décision.

Bilans

370 1. pendant/durant 2. années 3. écoulées 4. entre 5. après 6. par 7. pendant/durant 8. au bout d' 9. dès 10. sur 11. depuis 12. à partir 13. Dès que 14. pendant/durant 15. soirées 16. Au début 17. tout à coup 18. ça fait 19. d'ici

371 *Conviennent :* 1. Il y a 2. Après que 3. aurait répondu 4. Avant 5. Sitôt 6. avaient contribué 7. l'année suivante 8. lors de 9. n'avait imaginé 10. il y a 11. ça fait

XV. LA CONSÉQUENCE

372 a. ainsi b. tant de ... qu' c. de sorte que d. c'est pourquoi e. au point qu' f. assez ... pour g. si ... que h. aussi

373 a. Nous allons au théâtre b. Philippe a gardé la chambre c. de gros dégâts d. au point d'essuyer quelques larmes e. Pauline reçoit donc peu de nouvelles de lui f. aussi ne les voit-elle pas grandir g. M. Leroux s'est fâché h. je n'y serais jamais arrivée

374 b. d. e. f. h.

375 a. 3 b. 6 c. 1 d. 8 e. 7 f. 2 g. 4 h. 5

376 *Phrases possibles :* a. je te prêterai celui qu'on m'a offert. b. avons-nous décidé de les inviter à notre tour. c. il a décidé de partir pour le Brésil. d. nous pourrions ... y aller ensemble demain soir. e. j'ai eu beaucoup de mal à choisir car tout était superbe mais hors de prix. f. j'ai décidé d'aller prendre un verre chez Sophie. g. elle ne participera pas au marathon de Paris. h. je t'emmène ... la semaine prochaine au lac d'Annecy.

377 a. de b. d' c. Ø d. de e. Ø f. Ø g. d' h. de

378 a. Ma sœur a mangé tant de chocolats qu'elle a le foie malade. b. Julien est si bavard que j'ai ... c. La tour Montparnasse est si haute que personne ... d. Tant d'automobilistes empruntent le boulevard périphérique que la circulation ... e. Sa mère a tant vieilli que j'ai ... f. Ils étaient si pressés qu'ils n'ont ... g. Tant de gens sont malheureux qu'on n'a ... h. Elles ont parlé si longtemps qu'elles n'ont ...

379 a. tellement b. tellement de c. tellement d. tellement e. tellement de f. tellement g. tellement de h. tellement de

380 *Conviennent :* a. telle b. tel c. tels d. telle e. tel f. telle g. tel h. tels

381 a. 2 b. 7 c. 1 d. 5 e. 6 f. 4 g. 8 h. 3

382 *Phrases possibles :* a. une réduction du personnel. b. nous avons annulé cette sortie. c. le gain de temps. d. créer des difficultés nouvelles. e. l'air devient parfois irrespirable dans les grandes villes. f. poursuite. g. l'ouverture de nombreuses voies piétonnes. h. proposer des parkings périphériques gratuits.

383 a. ... pour vivre seule. b. *impossible* c. ... pour être honnête. d. *impossible* e. *impossible* f. ... pour être de vos enfants. g. ... pour l'appeler. h. ... pour être vrai.

384 *Phrases possibles :* a. il a dû cesser toute activité professionnelle. b. leurs enfants puissent partir en Angleterre. c. tu sois obligé d'être hospitalisé. d. nous puissions l'acheter. e. les enfants ne soient pas seuls. f. nous y passons tous nos week-ends. g. il obtiendra bientôt un poste à l'université. h. nous le fassions en un jour.

385 *Phrases possibles :* a. des dégâts importants dans la basse ville. b. de violentes manifestations. c. des embouteillages monstrueux. d. des conditions de vie plus difficiles. e. l'enthousiasme de ses fans. f. un mécontentement général dans les établissements scolaires. g. de saturer les réseaux de communication à certaines heures. h. un grand sens de la solidarité chez les Français.

Bilans

386 a. leur vigilance est accrue envers la pollution de l'eau, de l'air et le tri des déchets est davantage respecté. b. achètent-ils plus de produits issus de la culture biologique et sont-ils plus méfiants envers les organismes génétiquement modifiés. c. ils refusent ces pratiques vécues comme des violations de leur vie privée. d. ils ont acquis de nouveaux comportements dans leur consommation. e. ils sont plus sensibilisés et ils participent davantage à des mouvements de solidarité. f. ils suivent l'actualité avec beaucoup plus de recul et ils ont une volonté de vérifier les sources de l'information. g. les abstentions qui se multiplient lors des élections. h. ils ont voté une loi sur la parité dans les institutions gouvernementales.

387 1. tellement ... que 2. de sorte que 3. de ce fait 4. aussi 5. telle que 6. afin que 7. si ... que

XVI. L'OPPOSITION

388 a. en revanche b. par contre c. contrairement d. alors que e. Au contraire f. À l'opposé g. Si h. sinon

389 a. contre b. Non seulement ... mais encore c. au lieu de d. Non content de e. et non pas f. alors qu' g. Autrement h. Pas moi

390 a. cependant b. D'un autre côté c. Pourtant d. Néanmoins e. bien qu' f. Toutefois g. Nonobstant h. N'empêche que

391 a. 6 b. 5 c. 1 d. 3 e. 7 f. 8 g. 2 h. 4

392 a. accompagnerai b. vivre c. aurais mangé d. regarder e. prétend f. passer g. devait h. prendrai

393 *Phrases possibles :* a. ... une SARL, en revanche il ne faut ... b. ... en 2000, alors qu'il était ... c. ... en France quand 82,5 % ... d. ... en 1997, cependant il devrait ... e. ... de leur travail. De leur côté, les non-salariés ... f. ... aux syndicats mais 34 % ... g. ... en 1997, par contre 52 265 entreprises ... h. ... en Suisse. Cependant, 8 % ...

394 *Phrases possibles :* a. il sait qu'il coûte trop cher à l'entreprise. b. l'avertissement que je lui avais donné. c. Maryvonne est très malade d. Paul n'a pas voulu passer le concours d'entrée à l'École polytechnique e. elle n'a pas assisté à un seul cours de gymnastique. f. leurs fenêtres s'ouvriront devant les nôtres. g. Vous avez encore fait des folies h. Christian Ranucci se savait condamné.

395 a. Non contente d'avoir gagné trois millions au tiercé, elle se met en grève pour être augmentée.

b. Louis est en excellente santé, par contre il est au chômage. c. Je t'ai dit de rapporter un cahier et non pas une rame de papier. d. Il est beau, riche et stupide tandis que moi, je suis laid, pauvre et intelligent. e. Paris est une ville très polluée, pourtant je n'aimerais pas vivre ailleurs. f. Nous avons adoré le spectacle de Planchon malgré la chaleur qu'il faisait dans la salle. g. Je suis d'accord pour acheter cette montre, toutefois j'exige une garantie d'un an. h. Je ne peux pas aller au cinéma ce soir bien que j'aimerais me changer les idées.

396 a. cependant → 8 b. malgré → 7 c. contre → 6 d. mais → 3 e. contrairement à → 2 f. Pas moi → 4 g. En revanche, → 1 h. n'empêche qu' → 5

397 *Phrases possibles :* a. ... mais sa femme ... b. ... sauf Alain qui ... c. ... alors que tu ... d. ... la campagne, par contre vous ... e. ... mais le pilote ... f. ... avec ses élèves. En revanche, ... g. ... sur sa maladie, pourtant ... h. ... ce soir, cependant ...

Bilans

398 *Conviennent :* 1. Bien que 2. En revanche 3. Malgré 4. Pourtant 5. Nonobstant 6. contre 7. Non seulement 8. mais encore

399 1. Contrairement à 2. Cependant 3. D'un autre côté 4. Pourtant 5. bien qu' 6. Toutefois 7. à l'opposé 8. Mais 9. En revanche 10. Pas moi 11. Néanmoins 12. en dépit des 13. malgré 14. Au lieu d' 15. Non 16. Non seulement ... mais encore

XVII. LA RESTRICTION ET LA CONCESSION

400 a. sauf b. Seuls c. simplement d. uniquement e. n' ... que f. juste g. seule h. réserve ... aux

401 *Phrases possibles :* a. Les salariés n'ont en général que 5 semaines ... b. On comptabilise seulement 11 jours ... c. La semaine de travail compte seulement 35 heures. d. On peut prendre sa retraite juste après 42 années ... e. Les professions non salariées seules représentaient 12,8 % ... f. En 1997, seulement une femme sur trois ... g. En 1997, le salaire des cadres n'a progressé que de 1 % ... h. Seulement 20 % des actifs ...

402 *Phrases possibles :* a. L'accès est uniquement réservé au personnel ... – L'accès est réservé au seul personnel ... b. Le stationnement est autorisé pour les livraisons seulement de 8 heures à 10 heures. – Le stationnement est autorisé aux seules livraisons de 8 heures ... c. On ne paie le tarif réduit qu'après 16 heures. – On paie le tarif réduit seulement après ... d. La file d'attente est de seulement 15 minutes. – La file d'attente ne dure que 15 minutes. e. Seuls les enfants âgés de moins de 6 ans entrent gratuitement au musée. – Le demi-tarif ne s'applique qu'aux enfants âgés de moins de 12 ans. f. L'exposition ne dure que du 30 avril au 9 juin. – L'exposition dure uniquement du ... g. Seules les personnes munies d'un billet seront admises. – Ne sont admises que les personnes munies d'un billet. h. Seuls les enfants non accompagnés seront invités au parc Astérix. – Uniquement les enfants non accompagnés seront invités ...

403 a. d. f. g. h.

404 a. 7 b. 1 c. 8 d. 2 e. 6 f. 3 g. 4 h. 5

405 *Phrases possibles :* a. ils fassent. b. vous vous trouviez c. M. Legrand n'en ait pas tout à fait l'âge. d. vous lui racontiez des histoires ... vous l'emmeniez promener. e. le prix n'en soit pas trop élevé. f. soit cette conférence g. vous décidiez h. soit votre attitude.

406 a. 1/3 b. 1/2 c. 1/2/3 d. 1 e. 2 f. 1 g. 3 h. 2

407 a. Bien que 80 % des logements disposent de tout le confort, les logements inconfortables ... b. Bien que les logements coûtent plus cher, les Français occupent ... c. Bien que le nombre d'habitants par foyer baisse, la surface ... d. Bien que les consommateurs soient mieux informés, le taux ... e. Bien que le prix de l'habillement ait diminué, on dépense ... f. Bien que la qualité de l'alimentation baisse, on vit ... g. Bien que les prix des appareils électroménagers aient baissé, les jeunes sont ... h. Bien que les Français soient très attachés à leur intérieur, ils achètent ...

408 *Phrases possibles :* a. la législation du travail ne soit modifiée. b. on ait déjà beaucoup amélioré les transports ces dernières années. c. la politique en matière linguistique ne change d. les services dans le domaine de la télécommunication aient déjà énormément progressé. e. nous n'assistions à une multiplication de virus inconnus. f. les générations futures aient d'autres préoccupations. g. nous ne préférions revenir à des pratiques plus naturelles. h. les nôtres soient actuellement importants.

409 a. quoiqu' b. Quoi que c. quoi que d. quoiqu' e. quoi que f. Quoi qu' g. Quoi qu'/Quoiqu' h. quoiqu'

410 a. 3/6/7 b. 1/8 c. 5 d. 2/4

411 a. Quelle que soit l'heure, on ne peut pas leur téléphoner la nuit. b. Quel que soit le prix de cette maison, Sophie la louera. c. Quelque travailleur que soit cet élève, il ne réussira pas ... d. Quelque gentil que soit leur chien, ils ne ... e. Quelque généreuse que soit cette femme, elle ... f. Quelque juste que soit cette cause, aucun ... g. Quelles que soient les conditions, nous acceptons ... h. Quel que soit le cadeau, c'est le geste ...

412 a. quoi qu' b. qui que c. Quoi que d. où que e. qui que f. qui que g. où que h. quoi que

413 a. Il a beau pleuvoir, la cité de Carcassonne ... b. Il a beau avoir une solide expérience, cet homme

... c. Vous avez beau être un peu âgé, vous n'aurez
... d. Nous avons beau avoir une bonne connaissance de la région, nous nous sommes ... e. Vous
avez beau mal parler le français, vous aurez plaisir ...
f. Monique a beau suivre un régime, elle n'a pas ...
g. Le printemps a beau approcher, les températures
rafraîchissent. h. J'ai beau faire des efforts, je
n'arrive pas à ...

Bilans

414 1. ne ... que 2. ai beau 3. Quoi que
4. quelle que 5. quelle que 6. Malgré/En dépit de
7. en dépit d'/malgré 8. Il n'en reste pas moins que
9. même si/toutefois 10. À moins que 11. toutefois
12. il suffit que

415 *Conviennent :* 1. fasse 2. aille 3. qu'
4. évidemment 5. sauf s' 6. Quitte à 7. quand
même 8. pourtant 9. quelles 10. Tu as beau me
dire 11. Bien que 12. il n'en reste pas moins que
13. Il suffit que 14. Heureusement 15. seulement
16. Pourtant 17. Il n'en reste pas moins

XVIII. LES ARTICULATEURS DU DISCOURS

416 a. 4 b. 7 c. 1 d. 3 e. 5 f. 2 g. 8 h. 6

417 *Phrases possibles :* Je suis arrivée samedi
dernier. Il y a deux jours/Avant-hier, j'ai visité la
nécropole de Termassos et hier j'ai découvert
Aspensos. Aujourd'hui, nous allons à Antalya voir le
musée. Pour les prochains jours, le programme est
tout aussi chargé ; demain, nous ferons une excursion à Sidé en bateau, après-demain/dans deux
jours, nous nous reposerons à la plage et dans trois
jours/vendredi prochain dans la soirée, nous assis-
terons à un spectacle folklorique à l'hôtel. Samedi
prochain/Dans quatre jours, ce sera déjà le retour...

418 *Phrases possibles :* Puis ils nous offriront un
café de bienvenue. Plus tard, nous visiterons
l'université avant d'assister à la conférence sur la
chanson française et francophone. Ensuite, nous
déjeunerons à la cafétéria. Après le repas, nous
participerons à la table ronde. Peu après, les
éditeurs nous présenteront leurs nouveautés. Après
cette présentation aura lieu un atelier suivi d'un
débat sur le conte. Enfin, nous dînerons en chansons.

419 *Phrases possibles :* Juste après, on nous a
offert un café. À la suite de quoi, nous avons visité
l'université. Une demi-heure plus tard a eu lieu la
première conférence. Au bout de deux heures nous
avons déjeuné à la cafétéria. Par la suite, les éditeurs
nous ont présenté leurs nouvelles publications mais
auparavant, il y a eu une table ronde sur le thème :
« Comment apprendre le français en s'amusant ? ».
Après quoi, nous avons participé à un atelier sur des
jeux peu avant d'écouter un débat sur le conte.

Enfin, pour terminer agréablement cette journée,
nous avons dîné en chansons.

420 a. ou b. ni ... ni c. et d. ni ... ni ... ni
e. *virgule* ... et f. ni ... ni g. Ni ... ni ... ni
h. *virgule* ... et

421 a. ainsi que/puis b. surtout/particulièrement
c. aussi d. ainsi qu' e. enfin/puis f. une fois
g. comme h. surtout i. Enfin

422 a. Avec les taxes, ... b. Les boissons sont
incluses dans le prix ... c. ... y compris les
personnes sensibles. d. Sans compter les enfants,
... e. ... même si vous êtes souffrant. f. ...
pendant le mois d'août. g. ... sans voiture. h. sauf
si nous rentrons tard.

423 a. ... enfin/puis nous sommes rentrés chez
nous. b. ... puis n'a plus dit un mot. c. ... ainsi/de
sorte que ses parents lui ont payé des cours de
conduite. d. ... puis furent enfin heureux. e. ...
mais elle n'a pas été retenue. f. ... alors qu'on est
seulement en mars. g. ... de sorte que/ainsi ce sera
plus simple pour vous. h. ... alors qu'il avait failli
renoncer à cette course.

424 *Phrases possibles :* a. pourra-t-on faire un
tour sur les quais. b. nous allions chez tes parents.
c. on aimerait faire une promenade en mer. d. son
médecin l'a-t-il arrêtée pour une semaine. e. nous
séjournions à la montagne. f. elle n'a pas encore
atteint l'âge de la retraite. g. ce ne soit pas la
faillite. h. nous soyons en plein mois de juillet.

425 a. ..., par ailleurs je me suis fait ... b. ...,
d'ailleurs il a quelque chose ... c. ..., d'ailleurs ils
jouent ... d. ..., par ailleurs tout va très bien. e. ...,
d'ailleurs elle a de la fièvre. f. ..., par ailleurs nous
envisageons ... g. ..., par ailleurs je me demandais
... h. ..., par ailleurs j'aimerais bien voir ...

426 a. Outre b. en outre c. Outre d. en outre
e. outre f. en outre g. Outre h. en outre

427 a. En fait b. en effet c. En effet d. en fait
e. en effet f. en effet g. en effet h. en fait

428 a. Effectivement b. en fait c. Effectivement
d. Effectivement e. Effectivement f. En fait g. en
fait h. Effectivement

429 a. finalement b. enfin c. enfin d. enfin
e. Finalement f. Enfin g. Finalement h. finalement

430 a. de cette façon b. par exemple c. par
exemple d. par exemple e. par exemple f. de
cette façon ils se sentent rassurés. g. par exemple

431 a. sinon b. en revanche c. Soit ... soit
d. En fin de compte e. c'est-à-dire f. de toute
façon g. de fait h. et encore

432 a. tantôt ... tantôt b. ou ... ou bien ... ou
encore c. Soit ... soit d. Soit ... soit e. Tantôt ...
tantôt f. Ni ... ni g. Ou/Soit ... ou bien/soit
h. soit/ou ... soit/ou

433 *Conviennent :*   a. quoique   b. par contre c. du moins   d. néanmoins   e. ainsi   f. d'ailleurs g. toutefois   h. sinon

434 a. opposition   b. concession   c. hypothèse d. explication   e. addition   f. opposition   g. cause h. restriction

Bilans

435 1. Ainsi   2. de même   3. Néanmoins   4. même si/alors que   5. De ce fait/Ainsi   6. soit   7. soit   8. ou encore   9. ainsi   10. même s'

436 1. Néanmoins   2. Or   3. ainsi   4. Bien que 5. Par conséquent   6. désormais   7. Cependant 8. car   9. Afin que   10. outre   11. soit   12. soit 13. ou encore

XIX. LA PONCTUATION

437 a. M. Léonardini a annoncé les résultats du concours ce matin : je suis admis. **M**aintenant, je dois remplir les formalités d'inscription.   b. Nous avons demandé au docteur Joss de passer voir maman. **J**'espère que cette visite lui aura fait plaisir. c. J'ai acheté tout ce qu'il fallait pour prendre la route : une bouteille d'eau, trois sandwichs, des fruits secs, etc. **J**e pense ne rien avoir oublié. d. Odile a téléphoné aux renseignements de la SNCF. **O**n lui a confirmé qu'aucun train ne circulerait demain à cause de la grève. **L**a reprise du trafic est prévue pour lundi.   e. Vous savez, j'ai téléphoné à René ; il m'a annoncé son divorce. **J**'ai été très surpris.   f. La plaidoirie de maître Lamy a duré près d'une heure. **I**l a réussi à convaincre les jurés de l'innocence de Mlle Cordier qui a été libérée. **L**e soir même elle a pu réintégrer son poste à l'Unesco. g. Le musée des Arts premiers ouvrira prochainement ses portes. **C**'est une création originale qui permettra de présenter des œuvres primitives de tous les continents.   h. Le médecin impose à Jean-Louis de suivre un régime très strict mais il ne l'écoute pas. **J**e l'ai vu hier en train de dévorer un hamburger.

438 a. « Pour qui sont ces serpents qui sifflent sur vos têtes **?** » demande Oreste dans son délire à la fin d'*Andromaque*. **Q**uel vers magnifique **!**   b. Tu te rappelles ce qu'a dit René **?** « J'ai vu Christine avec Antoine hier matin. » **O**ui, inutile de me le répéter. c. « À quoi bon prendre la voiture **?** » me dis-je. d. Henri voulait savoir à quelle heure arriverait mon train.   e. Ô rage **!** **Ô** désespoir **!** **Ô** vieillesse ennemie **!** f. « Tu passes tes vacances en Corse **?** » me demanda-t-elle l'air surpris.   g. Jean ignore la date à laquelle sa fille doit passer le voir.   h. Je me demande quelle langue vont parler ces enfants : l'anglais ou le français **? O**h, ils parleront sans doute les deux.

439 a. Avec ma femme, j'ai visité Tours, Azay-le-Rideau, Blois, Chambord et Chenonceaux.   b. Mon père, ingénieur agronome, me désignait chaque arbre, chaque fleur, par son nom lors de nos promenades.   c. Patrice a vu ces œuvres de Picasso à Antibes, où il habite, avec ma sœur qui a visité le musée en même temps que lui.   d. Ses amis, ses frères, ses sœurs, et même quelques-uns de ses collègues, étaient là.   e. Pendant les vacances, Lucien passe son temps à bricoler dans la maison, à entretenir le jardin, à jouer avec les enfants, à faire les courses pour toute la famille et à préparer les biberons des bébés.   f. Quand j'étais jeune, j'ai vu des pièces formidables, j'allais au cinéma cinq fois par semaine, je lisais cinq livres par mois et, en plus, j'étais tout le temps amoureux. g. Le métier de mon mari, lui-même le reconnaît, n'a pas grand intérêt.   h. Alain, Jean-Marc et Jacqueline, Philippe et Stéphanie, Anne et Roland sont des amis chez qui nous allons très souvent.

440 Au nord de Paris, entre la rue Stephenson et le boulevard Barbès, la rue Ordener et le boulevard de la Chapelle, la Goutte d'or est le territoire traditionnel, avec son frère siamois Barbès, de la population maghrébine de la capitale, tout comme le Marais est celui de la population juive. À l'époque où on ne parlait pas de « ville lumière », la Goutte d'or était un petit village célèbre pour son vin le « goutte d'or ». **A**u XIXe siècle, le développement industriel attira à Paris une importante population d'ouvriers immigrés des quatre coins de France. **C**'est dans ce quartier que se situe l'action de *L'Assommoir* qu'Émile Zola publia en 1868. **S**i vous passez un jour devant le numéro 20 de la rue de la Goutte d'or, sachez que c'était l'adresse de Gervaise, l'héroïne de Zola, qui allait laver son linge, un peu plus loin, aux 11 et 15 de la rue des Islettes.

441 a. Jeanine est sortie samedi, vers 7 heures ; elle s'est immédiatement rendue au kiosque à journaux.   b. Jacques a reçu des tas de cadeaux pour son anniversaire : un Meccano, des livres, des maquettes, bref, c'est un enfant gâté.   c. Nadine m'a dit que... **E**n fait, elle ne m'a rien appris de spécial.   d. Constantin a revu Nina plusieurs années après leur séparation ; elle semblait triste, surtout perdue, déçue par la vie.   e. J'aurais voulu que tu viennes, j'aurais aimé te voir une dernière fois, mais à quoi bon ?   f. Je crois que nous allons vendre la maison, les écuries et toutes les terres ; je sais que tu en auras le cœur brisé, tout comme moi.   g. Jean était un séducteur et, dans la région, chacune des jeunes femmes, ou presque, avait été sa... son amie.   h. Le devoir du professeur est d'enseigner ; celui de l'étudiant d'écouter.

442 *Phrases possibles :* a. Je suis certain que tu as raison ; j'ai toute confiance en toi, tu le sais, mais ce sont les jurés qu'il faut convaincre.   b. Tableaux, sculptures, objets d'art divers... Richard connaît presque toutes les pièces du Louvre ; il connaît aussi parfaitement les musées Picasso, d'Art moderne et Gustave-Moreau.   c. Nous avons à te parler : nous avons bien réfléchi, nous avons pris une décision importante, grave et définitive.   d. Les oiseaux chantent. **I**l fait beau. **L**a vie est belle.   e. Depuis que vous avez rencontré nos amis Cohen, vous les voyez plus souvent que nous ; nous en sommes d'ailleurs un peu jaloux. f. Range ces photos ; fais un tri. Sans cela, on oubliera très vite à quoi elles correspondent. g. Pour monter votre ordinateur, il suffit de relier l'unité centrale à l'écran, le clavier et la souris à l'unité centrale ; les lecteurs de CD-ROM et de disquettes sont intégrés. h. Christelle s'est mariée avec André. Pour leur voyage de noces, ils ont pris l'avion. Ils sont allés en Martinique, en Guadeloupe puis en Haïti.

443 a. Comme le dit Louis Aragon, « la femme est l'avenir de l'homme ». b. Sébastien a eu 19 enfants (10 garçons et 9 filles). Tous sont devenus musiciens. c. Fabienne, qui est une fanatique de Daniel Pennac (non seulement elle a lu tous ses livres – de *La Fée carabine* à *Monsieur Malaussène* – mais elle a même essayé de faire inscrire sa fille dans son lycée – vous saviez que Pennac était professeur n'est-ce pas ?), vient d'écrire une adaptation théâtrale de *Comme un roman*. d. J'ai entendu une interview intéressante de « Poupou », Raymond Poulidor, notre éternel numéro 2. Il disait qu'il admirait beaucoup les jeunes champions actuels. Il a même ajouté : « Certains sont encore plus forts que nous. » e. Je suis désolé d'être en retard : je n'ai pas entendu le réveil sonner. f. Et le Général déclara : « J'ai faim. » Alors, tout le monde (sauf Suzy et moi qui avions mieux à faire) passa à table. g. Chaque fois que nous dînons avec les Lantiez (nous nous connaissons depuis plus de vingt ans) nous nous disputons avec eux (à cause de la politique, de l'éducation des enfants, des films – autant de ceux que nous avons vus que de ceux que nous aurions dû voir –, que sais-je encore) si bien que je me demande si nous ne ferions pas mieux de refuser leur invitation. h. « Il n'y a que les petits hommes qui redoutent les petits écrits », se disait Figaro en attendant Suzanne. (*Le mariage de Figaro*, Acte V scène 3.)

444 *Phrases possibles :* a. Donne-moi la main, que je t'aide à traverser la rivière. b. Est-ce que vous avez acheté le programme ? Non, il est beaucoup trop cher. c. Sur les quais, les estivants se détendent en dévorant d'énormes glaces, des gâteaux à la crème ou des assiettes de frites. d. Baignade et pêche interdites ! Si on avait su, on serait allé ailleurs. e. Bonjour Monsieur Ferran ! Comment allez-vous ? Et comment se portent Madame Ferran, vos enfants et vos beaux-parents ? f. Il voulait, d'après ce qu'on m'a dit, épouser une fille de trente ans sa cadette ! Vous rendez-vous compte ? g. « Qui veut aller loin ménage sa monture », dit la sagesse populaire. h. J'ai ouvert les volets ; j'ai laissé entrer le soleil dans la chambre.

445 *Phrases possibles :* a. Aline a croisé Loïc sur les Champs-Élysées. C'est le garçon roux qu'elle a rencontré l'année dernière en Bretagne, à côté de Pont-l'Abbé. Elle l'a abordé et lui a dit bonjour. Mais lui a fait semblant de ne pas la reconnaître. Quel mufle ! b. Ils sont entrés par la fenêtre de la cuisine qui donne sur le jardin. J'avais fait les courses la veille et ils ont vidé le réfrigérateur. Puis, ils se sont installés tranquillement devant la télévision pour regarder le match de football et vider nos bouteilles d'apéritif. Bien entendu, ils ont brûlé les fauteuils et le tapis avec leurs cigarettes. c. Au marché, nous avons acheté un poulet, une livre de petits navets ronds, un kilogramme de pommes de terre nouvelles, trois oignons pas trop gros. Chez le boulanger, en face du charcutier, j'ai pris une glace. Tu m'as dit que ce charcutier faisait de l'excellent museau. Il faudra que je le goûte mardi prochain. Comme nous avions oublié de faire vider le poulet, on a dû retourner chez le volailler. Comme m'a dit Frédéric : « Quand on n'a pas de tête, on a des jambes ». Frédéric lui a dit de laisser le gésier et le foie et il nous a fait ça très bien. d. Les enfants sont venus passer une semaine à Toulon avec nous. Ils sont très fatigants, surtout les grands qui bougent tout le temps et qui donnent l'impression, comme le dit Paul, de marcher avec des piles inusables. Bref, cette semaine n'a pas été de tout repos. e. La maison a été construite dans les années 60 sur un sol trop meuble. Ainsi, à cause des infiltrations, elle s'est lentement affaissée. Aujourd'hui, elle menace de s'effondrer et les assurances refusent de couvrir ce risque. f. Comme, avec ce temps, on laisse les fenêtres grandes ouvertes, on a entendu toute la journée hurler les sirènes de police et de pompiers. On s'est dit qu'il avait dû se passer quelque chose de grave. Ça rappelait l'époque des attentats terroristes mais le soir, personne n'en a parlé à la télévision, pas même au journal de 20 heures. g. J'ai l'impression de ne plus rien y voir, surtout le soir. Je crois qu'il faut que je change ma paire de lunettes. C'est sans doute à cause de l'écran de l'ordinateur devant lequel je passe au moins huit heures par jour. Or, dans la notice, ils précisent de ne pas y rester plus de deux heures consécutives. Cela m'inquiète parce que je sais que, dans ma famille, plusieurs personnes sont devenues aveugles avant l'âge de 60 ans. h. On estime à 250 000 les victimes des bombardements. Selon le rapport d'Amnesty International, une quantité au moins équivalente de personnes seraient encore mortes depuis la fin de la guerre à cause de l'embargo. De fait, ce n'est pas le dirigeant du pays qu'il oppresse mais son peuple.

446 *Phrases possibles :* a. Chez eux, ils ont entrepris d'importants travaux de peinture des plafonds, de pose de papier peint dans le salon et de changement de moquette. b. Ce matin, j'ai entendu à la radio qu'une importante vague de froid allait s'étendre sur toute l'Europe occidentale et que des records de basses températures allaient être atteints. c. Pour aller à Étoile, prenez la direction Porte Dauphine par le métro après avoir changé à Villiers et descendez à Charles-de-Gaulle-Étoile. d. Cette année, j'ai envie d'essayer les nouveaux manèges de la foire du Trône où je vais aller avec Hubert. e. J'ai acheté et j'ai essayé de lire sans rien y comprendre le livre que tu m'avais conseillé car il est clair qu'il est trop intellectuel pour moi. f. Vous trouverez le magasin de mon père en feuilletant les pages jaunes de l'annuaire à la rubrique « peinture » et en vous arrêtant à « Botitch ». g. Le chef de l'État passe en revue le régiment dont tous les soldats sont au garde-à-vous sous une chaleur torride. h. J'adore l'instant où le rideau va se lever, trente secondes avant que ne résonnent les premières mesures de l'opéra.

447 *Conviennent :* a. Hep **!** Taxi **!** Vous êtes libre **?** b. Pourquoi me demandes-tu si je vais bien **?** Je sais parfaitement que tu t'en fiches. c. Je crois que vous êtes allés voir le maire ; il vous a trouvé (ou plutôt elle, c'est une femme) une place en crèche **?** d. Vous avez rêvé de cet appareil ; nous l'avons fabriqué. e. Ce livre, que j'ai lu dès sa sortie, s'est vendu à 500 000 exemplaires. f. Elle m'a demandé : « Pourquoi ne viens-tu jamais chez moi **?** » g. Attention **!** Vous n'avez pas vu que le feu était rouge **?** h. J'ai des remords, j'ai aussi des regrets. Si j'avais su **!**

448 Le terrorisme est devenu omniprésent dans la réalité contemporaine. **C**ependant, qu'en sait-on **?** **Q**ue savons-nous de ces hommes et de ces femmes qui ont fait le choix de se mettre à dos de l'ensemble de la société, allant à l'encontre de ses fondements moraux **?** **R**ien, ou à peu près. **L**es terroristes appartiennent à notre univers médiatique au même titre que les vedettes de la politique, des médias ou du show-business. **T**out comme la leur, leur existence paraît abstraite au public, comme s'ils étaient d'un autre monde. **M**ais si l'univers des stars peut être comparé à une sorte d'Olympe moderne ou de paradis céleste (c'est dans le ciel que brillent les étoiles **!**), celui des terroristes s'apparente à un enfer dont ils seraient les démons ou les anges déchus. **N**ous sommes tous virtuellement victimes et cibles du terrorisme ; nous le savons mais n'en faisons aucun cas. **C**omment, du reste, vivre autrement **?**

Bilans

449 Je roulais dans ma Twingo, sur les quais de la Seine ; en même temps, je téléphonais à ma sœur..., ou non, plutôt, je me remettais du rouge à lèvres : j'étais invitée chez Georges et Marie... – enfin, je faisais autre chose – et j'étais fatiguée par ma journée de travail – comme tout le monde, non **?** –. **T**out à coup, un ado, monté sur ses rollers, s'est accroché à l'arrière de ma voiture ; la peur de ma vie **!** **J**e n'osais pas accélérer (j'avais trop peur qu'il tombe), je ne pouvais pas freiner (la voiture derrière moi pouvait l'écraser**!**) ; alors, que faire... **?** **J**'ai envoyé de l'eau sur la vitre arrière, en me disant que ça le ferait lâcher prise, en ralentissant. **M**ais là, il m'a crié : « **A**vance, mémère ! » **J**'étais furieuse et angoissée à la fois. **A**près cinq bonnes minutes, il est arrivé à hauteur de ma vitre et m'a dit : « **M**erci madame, pour la balade. **À** la prochaine... ! » **J**e lui ai dit : « **M**ais tu es fou ! **T**u pourrais te tuer... ! » et il m'a répondu : « **C**'est ça qui est drôle ! » **S**tupéfaite, mais rassurée de l'avoir laissé sain et sauf, j'ai poursuivi ma route, pensive : « **Q**ue peuvent bien avoir ces ados dans la tête **?** »

450 « **C**'est lundi, c'est ravioli ». **C**ette réplique, comme d'autres extraites de *La vie est un long fleuve tranquille* (d'Étienne Chatiliez), est entrée dans le langage courant, preuve du grand succès populaire que remporta ce film lors de sa sortie (1988). **A**ujourd'hui encore, lorsqu'il est diffusé sur une chaîne de télévision, il séduit un large public de téléspectateurs. Comédie burlesque, *La vie est un long fleuve tranquille* peut pourtant être vu sous un angle sérieux : une petite ville du Nord fortement marquée par son héritage industriel ; à l'est la zone ouvrière, celle de la famille Groseille. **À** l'ouest, le quartier des notables comme le docteur Mavial ou la famille Le Quesnoy. Aucune circonstance ne permet jamais aux uns de croiser les autres. **T**out sépare les Le Quesnoy des Groseille, tant géographiquement que sur le plan des valeurs. **I**ls ont pourtant une chose en commun. Laquelle **?** **L**es deux familles sont nombreuses : cinq enfants pour les Le Quesnoy (il faut croître et se multiplier ainsi que les préceptes chrétiens l'exigent) et neuf pour les Groseille (qui ne vivent que des allocations familiales). Or, un jour, une nouvelle va bouleverser la vie de ces deux familles, les forçant à se rencontrer. Vous voulez en savoir davantage **?** **A**lors allez voir le film, nous vous garantissons 90 minutes d'excellent cinéma.

CORRIGÉS

I. L'INTERROGATION/LA NÉGATION/ L'INTERRO-NÉGATION/L'EXCLAMATION

1 a. S b. S c. S d. P e. S f. S g. P h. S

2 b. d. e. h.

3 a. 4 b. 5 c. 3 d. 6 e. 7 f. 8 g. 2 h. 1

4 a. Que lis-tu ? b. Savez-vous où sont ... ? c. Vas-tu bien ? d. Qu'as-tu compris ? e. Où sont-ils allés ? f. Pourquoi doit-on partir ... ? g. Comment fait-elle ... ? h. Qu'attendent-ils pour ...

5 a. à quoi b. De quoi c. Que d. Avec qui e. Qui f. sur quoi g. Que h. Pour qui

6 a. De quoi t'occupes-tu ? b. Que doit-on présenter ? c. De quoi Mme Lanvin a-t-elle besoin ? d. De quoi cet article traite-t-il ? e. Que lisez-vous ? f. Qu'achètent-ils ? g. Que va-t-on voir ? h. Sur quoi Mathilde travaille-t-elle ?

7 a. Qu'a-t-elle commandé ? b. Par quoi es-tu préoccupé ? c. De quoi ont-ils besoin ? d. De quoi parlez-vous ? e. Sur quoi Jean se renseigne-t-il ? f. Qu'apportent-ils ? g. Qu'observe-t-elle ? h. À quoi ça sert/À quoi cela sert-il ?

8 a. 6 b. 5 c. 1 d. 4 e. 8 f. 2 g. 3 h. 7

9 a. Comment b. Quand c. Pourquoi d. D'où e. Combien de f. Où g. pourquoi h. combien

10 a. Où partirez-vous en avion ? – Comment partirez-vous à Londres ? b. Que traversera-t-il avec Michel ? – Avec qui traversera-t-il le désert ? c. Quand as-tu appris à jouer aux échecs ? – Comment as-tu appris à jouer aux échecs ? d. Pourquoi êtes-vous rentrés plus tôt de la campagne ? – D'où êtes-vous rentrés plus tôt ? e. Quand a t il mangé deux tartines ? – Qu'a-t-il mangé ce matin ? f. Comment ont-ils traversé la vallée de l'Eure ? – Qu'ont-ils traversé à bicyclette ? g. Quand/Pourquoi a-t-il invité des amis ? – Combien d'amis a-t-il invités pour son anniversaire ? h. Comment a-t-elle accepté votre invitation ? – Pour quand/Pour quel mois a-t-elle accepté votre invitation ?

11 a. Comment ce micro-ondes marche-t-il ? b. Pourquoi nous quittez-vous déjà ? c. Comment Marie voyage-t-elle ? d. Qu'en pensez-vous ? e. À quelle heure le dernier métro passe-t-il ? f. Le musée de Cluny, où est-ce ?/Où se trouve le musée de Cluny ? g. Pourquoi cet enfant pleure-t-il ? h. Comment écrivez-vous « protagoniste » ?

12 a. Combien de semaines de congés payés par an le gouvernement du Front populaire instituait-il ? b. Quand la semaine de travail était-elle de 39 heures ? c. Jusqu'à combien d'heures par jour les enfants ... pouvaient-ils travailler en 1892 ? d. À partir de quel âge le travail est-il autorisé en France ... e. Quand/À quelle époque la journée de travail dépassait-elle les 8 heures ? f. Quel pourcentage/ Quelle proportion/Combien les charges salariales retenues au salarié représentent-elles ? g. À quelle date/Quand le SMIC est-il révisé chaque année ? h. Combien les femmes gagnent-elles de moins que les hommes en ce début du ... ?

13 a. duquel b. Lequel c. lequel d. Auxquels e. Auxquels f. Duquel g. lequel h. Laquelle

14 a. Desquels ?/De quoi ? b. Auquel ?/À quoi ? c. À laquelle ?/À qui ? d. Desquelles ?/De quoi ? e. De laquelle ?/De quoi ? f. Auxquels ?/À quoi ? g. Auxquels ?/À quoi ? h. Desquels ?/De quoi ?

15 a. Laquelle b. Par quel c. Quelles d. Quels e. Lequel f. Sur lequel g. à quelles h. laquelle

16 a. Depuis quand/Quand les charges et le loyer ont-ils augmenté ... b. De quoi rêvent de plus en plus de Franciliens ? c. Combien/Quelle proportion de Français bricolent chez eux ? d. Qu'est devenue la cuisine ? e. Pour quoi les chambres sont-elles conçues ? f. Que remplace la douche ? g. De combien est la surface moyenne des jardins/Quelle est la surface moyenne des jardins ... h. Combien de pièces composent en moyenne le logement ...

17 a. Comment sont les repas ? b. Combien de temps dure le petit déjeuner ? c. Qu'observe-t-on depuis le début des années 80 ? d. À quoi s'est révélée opposée une majorité de Français ? e. Qu'adoptent de plus en plus les urbains comme les ruraux ? f. Où déjeunent un quart des Français ? g. À quelles préoccupations répond la consommation de produits frais ? h. Que facilite l'e-business ?

18 c. d. e. h.

19 a. 2 b. 1 c. 4 d. 6 e. 5 f. 3 g. 4 h. 2

20 *Phrases possibles :* a. Je ne pars jamais en ... b. Je ne passe mes vacances nulle part. c. Je ne vois personne. d. Je ne fais rien. e. Je n'ai aucun ami. f. Je ne suis plus de cours ... g. Je ne vois jamais ma famille. h. Je ne fais guère de projets./Je ne fais aucun projet.

21 Audrey n'a pas décidé ... Elle ne ressent pas le besoin ... Elle n'a jamais rien ... elle ne travaille pas beaucoup : elle n'a pas acheté d'ordinateur et ne s'est pas connectée ... elle ne peut pas communiquer ... Elle ne retourne jamais à Vannes, qui n'est pourtant pas très loin ... Elle n'y a pas de clients ni d'amis à voir de temps en temps. Elle n'y fait jamais de courses ... elle n'a aucune autre activité. Elle n'est pas très heureuse ...

22 a. Elle n'étudie ni la littérature ni les langues. b. Ni le piano ni la flûte ne sont mes instruments préférés. c. Nous ne jouons ni au squash ni au tennis. d. Ni Bertrand ni Martine ne viendront nous rejoindre. e. Nous n'avons visité ni le musée Picasso ni le Centre Pompidou. f. Ils n'ont vécu ni au Japon ni en Allemagne. g. Ni Madeleine ni Alice ne veulent s'installer en province. h. Ni son frère ni ses amis ne lui ont téléphoné.

23 c. f.

24 a. Ne travaillez-vous pas chez ... b. Ne connaissez-vous pas ... c. N'est-ce pas une ... d. Ne vous a-t-elle pas invitée chez ... e. N'avaient-ils pas organisé une ... f. N'avez-vous pas dansé une ... g. Ne vous souvenez-vous pas d'un ... h. N'en êtes-vous pas ...

25 a. Si b. Oui c. Oui d. Si e. Oui f. Si g. Oui h. Oui

26 *Phrases possibles :* a. Habitez-vous par ici ? b. Vous ne travaillez pas ? c. Vous enseignez dans la région ? d. Votre mari n'est-il pas enseignant ? e. Aimez-vous la Bourgogne ? f. N'êtes-vous pas originaires de la région ? g. Connaissez-vous des gens dans le coin ? h. Aimez-vous la vie ici ?

27 *Phrases possibles :* a. Vous n'aimez pas la cuisine brésilienne ? b. On se retrouve au restaurant ? c. Ne vous intéressez-vous pas à l'art moderne ? d. Tu n'aimes pas la sculpture ? e. Vous ne connaissez pas les sculptures de Rodin ? f. Vous êtes passionnée par la peinture moderne ? g. Allez-vous parfois à l'opéra ? h. N'es-tu jamais allée à l'Opéra Garnier ?

28 *Phrases possibles :* a. Ne prenez-vous pas de cours de dessin ? b. Vous téléchargez des fichiers sur votre ordinateur ? c. Allez-vous au cinéma ? d. Vos amis n'assistent-ils pas aux grands matchs ? e. Tes collègues fréquentent-elles les salles de gymnastique ? f. Jouez-vous régulièrement au volley-ball ? g. Ne faites-vous pas de jogging ? h. N'écoutez-vous pas les tubes de l'été ?

29 a. Quelle jolie robe ! b. Quelles chaussures ravissantes ! c. Quel superbe manteau ! d. Quel sac original ! e. Quelle broche splendide ! f. Quels bijoux raffinés ! g. Quelles lunettes magnifiques ! h. Quel maquillage discret !

30 a. Que de pluie ! – Quel déluge ! b. Quel projet ambitieux ! – Quel travail de titan ! c. Quelle chaleur ! – Que de soleil !/Quel soleil écrasant ! d. Quel embouteillage monstrueux ! – Que de voitures ! e. Quel menteur ! – Que de mensonges ! f. Quel froid ! – Que de neige ! g. Quelle catastrophe ! – Que de victimes ! h. Que d'eau ! – Que de dégâts !

31 a. Comme b. Quelle c. Que de d. Quelles e. Comme f. Quel g. Que de h. Quel

Bilans

32 *Phrases possibles :* 1. Quel est le problème ? 2. Combien de 3. Lesquels ? 4. C'est incroyable ! 5. Pas sur la nourriture quand même ? 6. Comment expliques-tu cette situation ? 7. Je n'ai pas les moyens ! 8. je peux t'aider financièrement ? 9. Bien sûr ! 10. Formidable ! 11. d'accord ?

33 *Phrases possibles :* 1. n'es pas allée voir 2. Comment va-t-elle ? 3. Elle y habite depuis longtemps ? 4. n'es pas allée non plus te promener 5. quelle 6. quel 7. n'as pas visité le musée Matisse 8. Tu l'as vu 9. l'as trouvée comment 10. Qu'est-ce que tu as préféré ? 11. Que de 12. quelle 13. À quoi/Comment 14. Tu ne t'es jamais sentie seule/Tu ne t'es jamais ennuyée ? 15. Quelle 16. Quand pourrait-on partir ensemble ? 17. Avec plaisir/Super !

II. DÉTERMINANTS ET PRÉPOSITIONS

34 a. Un ... le ... le b. un ... l' c. Le ... un d. Le ... un ... le e. le ... un f. Le ... l' ... le g. le ... un ... le ... le h. Le ... le

35 a. l' b. un c. le d. le e. un f. un g. l' h. le i. La j. les k. la l. une m. l' n. un o. un p. le q. la

36 a. Le b. Ø c. Le d. Ø e. Ø f. le g. Ø h. le ... le

37 1. → a/d 2. → c/g 3. → b/e/f/h

38 a. ... des voiliers magnifiques/de magnifiques voiliers. b. ... de vieux bateaux. c. ... des paysages sauvages. d. ... de petits flacons ... e. ... de longues marches ... f. ... de bonnes photos ? g. ... d'énormes progrès ... h. ... de merveilleux week-ends/des weeks-ends merveilleux ...

39 a. ... des vieilles lunettes ... b. ... de nombreux amis. c. ... d'excellentes affaires. d. ... des pommes de terre nouvelles. e. ... de gros efforts ... f. ... de mauvaises nouvelles ... g. ... des jeunes enfants ... h. ... des jolies fleurs ...

40 a. ... ma petite montre dorée. b. ... une belle robe rayée. c. ... cette magnifique ville hollandaise/cette ville hollandaise magnifique. d. ... de gros cigares cubains. e. ... de vieux amis étrangers ... f. ... un plat copieux typique ... g. ... un excellent dîner gastronomique/un dîner gastronomique excellent. h. ... une belle Autrichienne quadragénaire.

41 a. c'est ... Elle est b. il est ... Il est c. C'est ... Il est d. c'est ... il est e. elle est ... c'est f. c'est ... elle est ... c'est g. C'est ... il est ... c'est h. c'est ... elle est

42 a. Je n'ai pas de téléphone ... b. Je ne mange pas de fruits ... c. Je ne prendrai pas de vacances cet été. d. Je n'ai pas de micro-ordinateur chez moi. e. Je ne fais pas de peinture. f. Je n'ai pas de musicien ... g. Je ne fais pas d'équitation l'été. h. Je n'ai pas d'amis ...

43 a. Pas de café mais un thé. b. J'ai assez de fruits. c. Pas de glace mais un gâteau. d. Je mange trop de pommes ... e. Je bois beaucoup de bière. f. Je prends énormément de sucreries. g. Pas de bonbons mais des chewing-gums. h. Je ne bois pas du tout d'alcool.

44 a. Ø b. les c. Ø d. la e. la f. Ø g. la h. Ø

45 a. Une coupe de glace au ... b. Un plateau de fromages. c. Une assiette de hors-d'œuvre. d. Une carafe d'eau. e. Une bouteille de vin ... f. Une tasse de chocolat ... g. Une portion de frites. h. Un demi de bière.

46 a. 5 b. 6 c. 8 d. 7 e. 1 f. 2 g. 4 h. 3

47 a. un sauté de veau à l'orange. b. une pizza aux champignons et au fromage. c. un poulet de ferme à l'estragon. d. un gigot d'agneau au curry. e. une marinade de poissons à la tomate. f. une salade de fruits à la cannelle. g. une tarte aux fraises à la chantilly. h. une crème de marrons au café.

48 a. en b. de/en c. de/en d. en e. en/de f. de g. en h. de/en

49 *Conviennent :* a. de b. à c. en d. de/en e. à f. à g. de h. à

50 *Phrases possibles :* a. plongée b. chevet c. café d. famille e. écrire f. cuisine g. voyages h. quartz

51 a. F b. C c. F d. F e. F f. F g. C h. C

52 a. de ... de la ... du ... de ... du ... des ... de b. D'un ... du ... de la ... de ... de ... des c. de l'... de ... d'une ... de d. d'... d'une ... de la ... de... du

53 a. de la → 6 b. de → 1/5 c. de l' → 7, du → 3, de la → 8 d. de l' → 7, du → 3, de la → 8 e. de → 1/5, d' → 7 f. de → 1/5, d' → 7 g. de → 2 h. de → 4

Bilans

54 1. Le 2. de 3. au 4. la 5. de 6. Un 7. Les 8. à 9. le 10. de 11. la 12. les 13. les 14. de 15. des 16. à 17. les 18. de 19. du 20. de 21. la 22. à 23. de 24. de 25. de 26. Les 27. du 28. de 29. la 30. une 31. la 32. de 33. l' 34. le 35. aux 36. de 37. elle 38. la 39. au 40. une 41. à

55 1. Le 2. du 3. le 4. du 5. l' 6. l' 7. du 8. des 9. à 10. l' 11. le 12. le 13. de 14. la 15. la 16. des 17. le 18. des 19. au 20. les 21. d' 22. Les/Des 23. les 24. le 25. du 26. les 27. les 28. des 29. la 30. l' 31. des 32. à 33. l' 34. le 35. du 36. à 37. l' 38. des

39. des 40. le 41. de l' 42. au 43. du 44. des 45. le 46. le 47. la 48. une 49. les 50. à la 51. du 52. le 53. une 54. à la 55. du

III. AUTRES PRÉPOSITIONS

56 a. ... près de ... b. ... au-dessous de ... c. ... à droite de ... d. Au sommet de/En haut de ... e. ... derrière ... f. ... en haut de ... g. ... avant ... h. ... à l'extérieur du ...

57 a. autour de b. le long du c. sous d. vers e. près de/en face de/à l'opposé de f. contre g. en face de/près de h. à l'opposé du

58 a. en → 5 b. devant → 1/7/8, chez → 2, sous → 1, par → 3/6/7/8 c. pour → 3 d. devant → 1/7, chez → 2, sous → 1 e. en face de → 1 f. devant → 1/7/8, chez → 2, sous → 1, vers → 3/6/7 g. sous → 1 h. devant → 4

59 a. de ... à/jusqu'à b. de ... à/jusqu'à c. du ... vers d. de ... à e. du ... jusqu'à f. De ... à g. de ... à/jusqu'à h. de ... à/jusqu'à

60 a. Avant de b. dès c. après/au bout d' d. d'ici là e. d'ores et déjà f. à partir du g. après h. au début de

61 a. dès b. depuis c. avant d. en e. dans f. depuis g. par h. de

62 *Conviennent :* a. dès b. À partir de c. Depuis d. en e. pour f. depuis g. d'ici h. au cours

63 a. 5 b. 7 c. 6 d. 8 e. 1 f. 4 g. 2 h. 3

64 a. par b. par c. pour d. par e. Par f. Pour g. pour h. pour

65 a. sans b. envers/pour c. d'après d. pour e. sur f. en g. contre h. avec

66 *Conviennent :* a. avant b. à l'arrière c. sous le d. à l'intérieur de e. derrière f. avant g. au-dessous de h. dans le

67 a. hormis b. en raison de c. faute de d. hors de e. à la rencontre de f. À raison de g. À défaut de h. à l'encontre de

68 a. Quitte à b. en faveur de c. de la part de d. Quant à e. en travers de f. à part g. à la faveur de h. à travers

Bilans

69 1. En dépit 2. de 3. à 4. dès 5. dans 6. À partir de 7. pour 8. Pendant 9. à travers 10. sur 11. par 12. Face aux 13. sous 14. contre 15. hors de 16. Depuis 17. en

70 1. Depuis 2. par 3. En dépit des 4. et 5. de 6. à 7. pour 8. dans 9. À partir de 10. face aux 11. sur 12. dès/depuis 13. Pendant 14. en

15. derrière 16. pendant/sur 17. à travers 18. hors de 19. Après 20. parmi

IV. LES TEMPS DU PASSÉ

71 a. ... apportait ... b. ... se trouvait ... c. ... était ... d. ... ne se levait jamais ... e. ... parcourait ... f. ... exerçait ... g. ... allions ... h. ... choisissait ...

72 a. je ne l'ai pas déchiffrée. b. elle ne les a pas envoyées. c. nous en avons fait. d. je ne l'ai pas lu. e. il les a réparées. f. elle ne les a pas identifiés. g. ils ne l'ont pas annoncée. h. je ne l'ai pas donnée.

73 a. Ø b. Ø c. aperçues d. désaltérées ... Ø e. relevée f. accompagnée g. Ø h. convaincue

74 a. opposée b. Ø c. aperçus d. Ø e. Ø f. Ø g. installés h. ratés

75 a. circulaient b. est devenue c. a dit d. fumait e. mesurait f. n'avons pas corrigé g. travaillait h. disait

76 a. 6 b. 7 c. 5 d. 8 e. 3 f. 1 g. 2 h. 4

77 a. avaient plu ... avais été b. étions allés c. avait représenté d. était devenu e. n'avaient rien avalé f. avait donné g. n'avait jamais ri h. avait composé

78 a. allait ... c'était ... l'avait vue b. travaillait ... avait eu c. m'ont dit ... fallait éviter d. était ... accusait ... avait déshonorée e. a constaté ... était f. a traversé ... voulait g. aimait ... était venue h. a renforcé ... trouvait

79 a. passions ... prenions ... déjeunions ... dînions b. attendais ... espérais c. était ... m'étais demandé ... pouvait d. donnait e. avait ... disais ... avait f. avais g. avais pratiqué h. l'ont transformé

80 entendis – parlai – fit – s'empara – tombai – sentis – sembla – compris – se peignit – désola

81 a. Ils saluèrent ... b. Nous levâmes tous ... c. Juliette entreprit ... d. je souris ... e. vous continuâtes ... f. Des étudiants accoururent ... g. Le poète se fit un peu prier ... h. il prit ...

82 a. 6 b. 5 c. 4 d. 3 e. 2 f. 1 g. 8 h. 7

83 alluma ... commencèrent ... oublia ... vit ... alla ... poussa ... eut ... allèrent

84 a. pris ... partait b. remirent c. décidèrent ... étaient d. eut ... engloutit e. prit ... tendit f. emplirent ... étaient g. entendis ... passait h. servit ... sentait

85 a. séduisit ... avait b. était ... plut c. ravirent d. put e. brisa ... était ... avait conçue f. était ... fit g. survécut ... avait héritée h. termina

86 a. mangeais ... arrivas b. dis ... avions oublié ... étions c. demandai ... s'agissait ... haussas d. reçus ... répondis e. jaillit ... avais construit f. eus ... poussas g. pressait ... descendirent h. s'engouffrèrent ... attendait

87 a. avait épousé ... avait mis b. divorça ... ne lui avait pas donné c. était ... fit ... couraient d. ne lui avait pas donné e. accoucha ... fut f. divorcèrent g. décapita ... avait déshonoré h. fut ... précéda

88 a. Nous eûmes vaincu ... b. Nous eûmes passé ... c. Tu eus perdu ... d. Elles eurent descendu ... e. Elles eurent ému ... f. Il eut désigné ... g. Ils eurent dormi ... h. Elle eut disparu ...

89 a. n'eut pas plutôt sonné b. n'eut pas plutôt rendu c. n'eut pas plutôt ouvert d. ne fûtes pas plutôt montés e. ne fûmes pas plutôt partis f. n'eurent pas plutôt éteint g. ne furent pas plutôt sortis h. n'eut pas plutôt acheté

90 a. Dès que je l'eus vu, ... b. ... il fut descendu du train. c. ... elle fut revenue de New york. d. Quand nous eûmes terminé ... e. ... ils eurent appris la nouvelle. f. Dès qu'elle eut su ... g. Quand il eut fini ... h. ... vous eûtes décidé d'aller en Corée.

91 a. 7 b. 4 c. 6 d. 2 e. 1 f. 5 g. 8 h. 3

92 *Phrases possibles :* a. a eu compris, elle s'est mise à pleurer. b. as eu regardé les résultats, tu as été rassuré. c. avons eu constaté notre échec, nous avons quitté la salle. d. ont eu attrapé une dysenterie, leur voyage a été fichu. e. ai eu vu son visage, je suis tombé amoureux. f. a eu choisi un plat, il a été impossible d'en changer. g. as eu ralenti, mon mal de mer a cessé. h. ont eu décidé de partir en Espagne, rien n'a pu les faire changer d'avis.

93 a. as eu connu b. ai eu arrêté c. as eu pris d. avez eu rendu e. ont eu trouvé f. ont eu commencé g. a eu appris h. a eu rencontré

94 a. 8 b. 5 c. 4 d. 1 e. 2 f. 7 g. 6 h. 3

95 a. tomba ... eut porté b. eut embrassée ... se réveilla c. eut ouvert ... prit d. le laissâmes tomber ... eûmes compris e. eut quitté ... se mit f. eut accepté ... se montra g. eurent voté ... regrettèrent h. sentîmes ... eûmes appris

96 a. eut repeint ... invita b. cherchai ... eûmes pris c. devinrent ... eurent admis d. j'eus rencontré ... nous mariâmes e. m'eut convaincu ... fit f. eurent compris ... mirent g. rentras ... eus congratulé h. eûmes fermé ... se mit

97 a. 5 b. 1 c. 6 d. 7 e. 4 f. 8 g. 2 h. 3

98 a. qu'il avait raison. b. que le cinéma français était ... c. les gens mangeaient ... d. que les tarifs du téléphone ne cessaient ... e. que grâce aux 35 heures, nous partions ... f. qu'il y avait beaucoup de poussière chez elle. g. qu'on ne voyait pas ... h. qu'on connaissait ...

99 a. admettaient b. disait c. était arrivée d. espérais e. aviez gagné f. aviez eu g. remarquaient h. avait passé

100 a. avais trouvé b. a affirmé c. a dit ... avait aménagé d. a prétendu ... avait perdu e. a constaté ... avions maigri f. a dit ... avaient eu g. avaient remarqué ... aviez bu h. avons cru ... avions gagné

101 a. qu'il avait travaillé ... b. qu'on ne leur avait pas laissé ... leur devoir. c. que sa mère l'avait battu ... d. qu'ils n'avaient tué ... e. que j'étais parti ... f. qu'elle avait construit elle-même sa maison. g. que tu avais changé ... h. qu'elles avaient lu ...

102 a. qu'il avait pêché ... b. ce que nous avions fait ... c. que Gustave n'avait pas écrit ... d. que j'avais perdu sa montre ... e. que vous étiez allés ... f. que tu avais rencontré ... g. qu'Émilie et Estelle avaient eu ... h. que le vétérinaire avait bien soigné ...

103 a. prétendit b. dirent ... avaient mangé c. affirmai ... avait vu d. reconnurent ... avaient dormi e. se plaignirent ... avaient eu f. confia ... avait décidé g. assura ... avait réussi h. murmuras ... avais préparé

Bilans

104 1. ai toujours trouvé 2. étaient 3. me promenais 4. fus pris 5. mangeais 6. pouvait 7. était 8. dit 9. croyaient 10. était 11. était 12. voyais 13. entrai 14. avait 15. accueillit 16. s'appelait 17. connus 18. avais entendu 19. fallait 20. était 21. avais retenu 22. tendit 23. ne dis rien 24. ai fait 25. ai pris

105 1. fut   2. furent mis   3. survint   4. furent 5. fut annulé 6. fut finalement donné 7. se produisit 8. suivirent 9. apparut 10. présenta 11. fut immédiatement arrêtée 12. n'eurent pas 13. se produisit 14. bloquèrent 15. fut alors donné 16. ce fut 17. fut 18. se succédèrent 19. ne fut pas épargné 20. tomba 21. se coinça 22. rendit 23. fut 24. n'espérait

V. LES PRONOMS PERSONNELS COMPLÉMENTS

106 a. je lui en demande. b. il me la donne. c. je l'en informe. d. elle le leur dit. e. je le leur expédie. f. vous leur en envoyez une. g. nous vous les communiquerons. h. vous nous en emprunterez.

107 a. On m'envoie aux États-Unis. – On m'y envoie. b. Je te donnerai bientôt des nouvelles. – Je t'en donnerai bientôt. c. Louis t'accompagnera au zoo ... – Il t'y accompagnera ... d. Ils me demandent le chemin le plus court. – Ils me le demandent. e. Tu me déposes au coin de la rue. – Tu m'y

déposes. f. Je te prête mes patins ... – Je te les prête. g. Elle m'accordera ce rendez-vous. – Elle me l'accordera. h. Vous m'inviterez au restaurant demain soir ? – Vous m'y inviterez ... ?

108 a. 2 b. 3 c. 2 d. 3 e. 1 f. 1 g. 3 h. 3

109 a. Il le leur a distribué hier soir. b. Elle nous les portera ce soir. c. Tu les lui rends immédiatement. d. Je ne les y rangeais pas. e. Tu leur en as refusé. f. On me l'a déjà interdit. g. Je te les montrerai bientôt. h. Elle vous la demande souvent.

110 a. 3 b. 6 c. 1 d. 8 e. 4 f. 2 g. 7 h. 5

111 a. sentie b. vus c. écoutée d. sentie e. écoutées f. entendue g. vues ... montrées h. entendue

112 a. 3 b. 2 c. 1 d. 1 e. 3 f. 3 g. 3 h. 1/3

113 *Phrases possibles :* a. il prêtera un magnétophone à son beau-père la prochaine fois. b. elle a rendu les photocopies du texte à son professeur. c. Stéphanie assure qu'elle n'a pas raconté ses aventures de l'été à ses collègues. d. Philippe dit qu'il a déjà montré les plans de son bateau à sa sœur. e. M. Dufour me demande si j'ai offert des fruits aux visiteurs. f. M. Fouquey nie avoir avancé à Annie son salaire du mois de juin. g. Je dis que François ne m'a pas proposé de thé. h. Mon associé m'affirme qu'il me parlera de ses projets plus en détail demain soir.

114 a. je me les suis fait couper. b. il se l'est accordée. c. elle ne se les est pas soignés. d. je me la suis achetée. e. il ne se l'est pas rasée. f. elles ne se les sont pas prêtés. g. ils se la sont offerte. h. je ne me la suis pas cassée.

115 a. Occupez-vous-en. b. Adressez-la-nous. c. Faites-m'en part. d. Rendez-la-nous. e. Construisez-la-vous. f. Apporte-m'en. g. Donne-le-leur. h. Prends-t'en.

116 *Phrases possibles :* a. ne pas lui donner la réponse. b. à ses enfants de rendre cette enveloppe aux institutrices. c. à ses amis d'acheter quelques magazines à ses parents. d. Paul demande à son frère de prêter ses pinceaux à son copain. e. Je demande à ma voisine de ne pas me rapporter de pain. f. Cet homme demande à la marchande de légumes des tomates bien mûres. g. Sophie demande à sa mère de lui envoyer son certificat de naissance. h. Le professeur demande à ses élèves de ne pas montrer leurs livres à leurs camarades.

117 a. Ne leur en donnez pas. b. Chantez-la-leur. c. Prêtez-les-lui. d. Ne lui en demande pas. e. Lisons-la-leur. f. Ne m'en rends pas. g. Ne vous en gardez pas. h. Envoyons-lui-en.

118 *Phrases possibles :* a. Donnez du chocolat à vos enfants, ça leur fait plaisir. b. Ne chantez pas cette ritournelle à vos admirateurs ; ils ne l'aimeraient pas. c. Ne prêtez pas vos skis à ce jeune homme, il risquerait de les abîmer. d. Demande quelques conseils à ce médecin : ça peut toujours être utile. e. Ne lisons pas cette lettre à tes grands-parents, ils ne comprendraient pas. f. Rends-moi une des boîtes que je t'ai prêtées ; elle pourrait m'être utile. g. Gardez-vous des fruits pour le voyage, c'est agréable. h. N'envoyons pas de carte postale à notre professeur de piano, il vient de déménager.

119 a. nous n'avons pas réussi à la donner. b. ils ont dû le quitter. c. nous avons décidé de le prendre. d. nous ne sommes pas allés le voir. e. elle a accepté d'y partir. f. ils n'ont pas pu les emprunter. g. j'ai préféré le passer chez moi. h. elle n'a pas aimé le faire.

120 a. Elle ne le voit pas passer. b. Tu les fais travailler ? c. Il l'a laissé échapper. d. L'avez-vous entendue sonner ? e. Le policier l'a vue doubler. f. nous les avons écoutés chanter. g. Tu l'as fait laver ? h. Il l'a senti trembler.

121 a. Michel leur a appris à jouer aux échecs. b. Ils nous y ont fait venir en urgence. c. Tu les as vus entrer dans la poste ? d. Ils m'ont interdit de le faire. e. Vous avez préféré/Avez-vous préféré le leur dire ? f. Ils l'ont regardé descendre la piste. g. Elle leur a appris à en faire. h. Il nous les a fait écouter hier.

122 *Phrases possibles :* a. Vous avez gagné cette poupée ... b. Jean a prévenu ses parents ... c. Nous avons vu nos amis ... d. Marie et Jeanne aiment beaucoup Patrick. e. Les enfants respectent l'instituteur. f. Je compte vendre la maison ... g. Ils ont oublié les clés ... h. Tu ne devrais pas garder le code de ta carte de crédit sur toi.

123 a. Mon patron me l'a imposé. b. Je me le demande. c. Je ne le sais pas. d. L'employé me l'a indiqué. e. Il me l'a dit. f. Je ne le sais pas. g. Un voyageur me l'a proposé. h. Je le lui ai montré.

124 *Conviennent :* a. en b. y c. en d. le e. y f. le g. en h. en

125 a. Je vous le permets. b. On nous en informe. c. Elle me l'assure. d. Il s'y est décidé. e. Je vous y encourage. f. Elle le refuse. g. Elle veut nous en convaincre. h. Il s'y est mis.

126 a. nous nous en occupons. b. elle nous le recommande. c. ils m'y incitent. d. elle en a pris le parti. e. je vous y autorise. f. je m'y suis décidé. g. il me le conseille. h. je m'y engage.

127 a. le b. y c. en d. y e. le f. y g. le h. en

128 a. je t'y autorise. b. je vous le propose. c. réfléchissez-y. d. je vous l'explique. e. Viens vite, je t'en supplie. f. Change d'attitude, prends-en la décision. g. Je vous enverrai une carte de Tahiti, je vous le promets. h. Faites construire votre maison, pensez-y.

129 *Phrases possibles :* a. Vous engagez-vous à rembourser vos dettes ? b. T'efforces-tu de lire un journal étranger régulièrement ? c. Je dois m'occuper de chercher un studio ? d. A-t-elle décidé d'apprendre à conduire ? e. M'interdisez-vous d'aller au cinéma ? f. S'est-elle mise à suivre des cours d'informatique ? g. Te moques-tu de ne pas voir ce film ? h. Envisagez-vous de partir en province dans les années à venir ?

130 a. de gâteau b. en Corse c. de lunettes d. à la télévision e. chez moi f. la chatte de Geneviève g. du buffet de leur grand-mère h. dans la boule de cristal

131 s'adresser – tenir – se consacrer – recourir – songer – s'intéresser – se mêler – se présenter – se confier – s'adapter – se joindre – se plaindre – renoncer

132 a. à lui b. y c. y d. y e. y f. à elle g. à lui h. à lui

133 a. je pense à lui. b. je ne leur en envoie pas. c. je m'intéresse beaucoup à lui. d. je ne veux pas lui téléphoner. e. je ne leur en ai pas posé. f. elle est très attachée à lui. g. ils se sont consacrés à eux. h. je ne les leur ai pas remis.

134 a. y b. à lui c. y d. lui e. à elle f. lui g. leur h. à elles

135 a. je le leur enseigne. b. elle ne le lui a pas envoyé. c. vous ne m'avez pas présentée à lui. d. il s'y consacre entièrement. e. je me suis bien adapté à elle. f. je n'ai pas eu affaire à elles. g. j'y crois. h. ils la leur ont indiquée.

136 attendre – parler – se plaindre – penser – se moquer – se souvenir – se soucier – s'occuper – se méfier – se détourner – se passer

137 a. 2 b. 1 c. 1 d. 1 e. 1 f. 1 g. 2 h. 1

138 a. elle s'est débarrassée de lui. b. je ne m'en suis pas assuré. c. je ne me souviens pas d'elle. d. j'en suis consciente. e. elle s'en occupe. f. elle ne s'en charge pas. g. ils ne s'en moquent pas. h. nous sommes satisfaits d'eux.

Bilans

139 1. la 2. les 3. lui 4. y 5. en 6. l' 7. lui 8. la 9. d' 10. elle 11. en 12. de 13. moi 14. en 15. les 16. en 17. le 18. d' 19. elle 20. me 21. me 22. me 23. leur 24. le 25. lui 26. y 27. les 28. eux

140 1. vous la passe 2. y suis allée 3. pourrais me dire 4. l'ai déjà lu 5. a parlé de lui 6. lui 7. peut la faire 8. la connais 9. l'ai déjà étudiée 10. peux me les passer 11. les recopie 12. les 13. les lui 14. avoir affaire à lui 15. elle 16. le

VI. LES PRONOMS RELATIFS

141 a. J'ai rendu à tes enfants des jouets. Ces jouets appartiennent à tes enfants. b. Ces gens ont une attitude déplaisante. Cette attitude attire les pires ennuis à ces gens. c. Cyril a rencontré un chauffard. Ce chauffard a enfoncé la voiture de Cyril. d. Philippe a un diplôme. Ce diplôme ne permet pas à Philippe de trouver du travail. e. Tu as présenté hier une dame à Hélène. Hélène a revu cette dame. f. Mes cousins évoquent des punitions. On infligeait ces punitions à mes cousins ... g. Les chiens se ruent sur la pâtée. On vient de servir cette pâtée aux chiens. h. Stéphanie s'est décidée à suivre des conseils. Tu as donné ces conseils à Stéphanie.

142 a. 5 b. 3 c. 6 d. 7 e. 8 f. 2 g. 4 h. 1

143 a. ... dont personne ne voulait. b. ... dont je me serais bien passé. c. ... dont je lui avais dit tant de bien. d. ... dont on discute ... e. ... dont Michel raffole. f. ... dont le journal fait la critique ... g. ... dont je me sers ... h. ... dont Eugène a hérité.

144 *Phrases possibles :* a. 7 b. 5 c. 4 d. 6 e. 8 f. 3 g. 1 h. 2

145 a. qui b. que c. dont d. où ... où e. où f. qui g. que h. qui

146 a. Les enfants qui jouent dans la rue sont les cousins ... b. Tu me rends les disques que je t'ai prêtés. c. C'est le chien dont tu as peur ? d. Voilà l'appartement où j'habite avec ... e. Avec les enfants, je suis allé voir le film dont tu redoutais la violence. f. La semaine passée, j'ai lu le livre que tu lis en ce moment. g. Solange et Patrick prennent les médicaments que le médecin leur a prescrits. h. J'aime les voitures qui ne font aucun bruit.

147 a. ce dont b. ce dont c. ce qui d. ce que e. ce que f. ce qui g. ce dont h. ce qui

148 a. qu'il b. qu'il c. qu'il d. qui l' e. qu'il f. qui l' g. qui l' h. qu'il

149 a. Nous sommes allés voir l'exposition. Ta sœur en a dit ... b. Richard est le fils de Thérèse. Elle l'a eu avec ... c. J'ai rangé tous les livres. Ils sont à Maryvonne. d. Marka est un village isolé du monde. J'aimerais vivre à Marka. e. Certains économistes condamnent les systèmes d'information centralisés. Ils favorisent ... f. Aujourd'hui, le Minitel est devenu un outil archaïque. Les réseaux le condamnent ... g. J'ai lu un article sur une espèce de mouton. Sa tête est ... h. Au-dessous se déroulait un escalier à double rampe. Il donnait ...

150 a. 6 b. 8 c. 4 d. 3 e. 7 f. 2 g. 1 h. 5

151 a. sans quoi b. avec quoi c. pour quoi d. à quoi e. à quoi f. par quoi g. contre quoi h. dans quoi

152 a. lequel b. lesquels c. laquelle d. lesquelles e. lesquels f. laquelle g. lesquels h. lesquelles

153 a. par laquelle nous sommes venus. b. sur laquelle j'ai posé ... c. avec laquelle vous avez fait ... d. sans lequel il n'est plus possible ... e. pour lequel j'ai toujours ... f. contre lequel l'opposition

compte déposer ... g. avec lesquels je joue ... h. sans lequel on ne peut ...

154 a. dont b. desquelles c. de laquelle d. dont e. duquel f. de laquelle g. dont h. desquelles

155 a. auxquelles b. de laquelle c. auxquels d. auquel e. desquelles f. de laquelle g. desquels h. duquel

156 *Phrases possibles :* a. à qui → 3 b. auxquelles → 1 c. auquel → 6 d. à laquelle → 4 e. auxquelles → 8 f. auquel → 2 g. auxquels → 5 h. auxquels → 7

157 a. Pour Pierre, le vin rouge est une boisson sans laquelle il est impossible ... b. ... est une condition à laquelle les pays de l'Union européenne doivent souscrire. c. ... est un médicament grâce auquel Papi Jules a retrouvé ... d. ... est un sujet important à propos duquel il est difficile ... e. ... sur laquelle on peut toujours compter. f. ... un rêve après lequel j'ai couru toute ma jeunesse. g. ... un beau métier dans lequel je m'épanouis. h. ... un masque derrière lequel il se cache.

158 *Phrases possibles :* a. grâce auquel b. grâce auquel c. par lequel d. auxquels e. chez laquelle f. à laquelle g. contre lequel h. pour laquelle

159 a. dont → 5 b. avec qui → 6 c. contre qui → 1 d. à propos de qui → 7 e. à qui → 3 f. pour qui → 8 g. sans qui → 2 h. grâce à qui → 4

160 a. auquel b. auxquels c. auxquelles d. duquel e. par laquelle f. sans lesquelles g. desquels h. avec lequel

161 a. 3 b. 8 c. 5 d. 6 e. 1 f. 4 g. 2 h. 7

162 a. ... ton petit frère, lequel croit toujours ... b. ... la carte grise, laquelle se trouve ... c. ... des cèpes, lesquels sont rares ... d. ... cette ville, laquelle a été ... e. ... les clés de la maison de campagne, lesquelles étaient ... f. ... des fraises, lesquelles sont ... g. ... les Cartier, lesquels ont ... h. ... le film de Chabrol, lequel est ...

163 a. Cet été, j'ai vu des films sans intérêt. b. Tu souhaites rencontrer des personnalités très occupées. c. Les Japonais courent très peu de risques cardio-vasculaires. d. On dit du footballeur Nicolas Anelka qu'il a gagné énormément d'argent. e. Lindsay Davenport semblait être la mieux placée pour remporter Wimbledon en 2000. f. Vous avez contracté une maladie très grave en voyageant. g. Une météorite serait à l'origine de la disparition des dinosaures. h. Honoré de Balzac a vécu dans cette maison.

Bilans

164 1. qui 2. dont 3. qu' 4. que 5. qui 6. que 7. pour lequel 8. grâce auquel 9. auquel 10. que 11. avec lequel 12. qui 13. dont 14. sur lequel

165 1. qui 2. lesquels 3. que 4. desquels 5. qui 6. auxquelles 7. que 8. où 9. dont 10. qui 11. auxquels 12. que 13. lesquels 14. auquel

VII. LE CONDITIONNEL

166 a. Ne connaîtriez-vous pas ... b. Auriez-vous la monnaie de 20 euros ? c. Pourriez-vous m'aider ... d. Seriez-vous intéressé par une invitation ... e. Attendriez-vous que la pluie ... f. Habiterait-elle au cinquième ? g. Auriez-vous l'heure ? h. Serait-ce lui qui décide ...

167 *Phrases possibles :* a. Pourriez-vous me prêter de l'argent ? b. Voudrais-tu aller en Sicile ? c. Préféreriez-vous du fromage ou un dessert ? d. Pourrais-je passer chez vous, même tard, vous rapporter ... ? e. Je souhaiterais rencontrer ... f. Aimerais-tu aller ... ? g. Nous souhaiterions parlementer ... h. Pourriez-vous vous baisser ... ?

168 a. Ils passeraient ... b. On aurait ... c. Vous verriez ... d. Je te dirais ... e. Il travaillerait ... f. Tu sourirais ... g. Tu leur déplairais ... h. J'aurais attendu ...

169 a. Les Français seraient ... b. 63 % des Français ignoreraient ... c. Les Français reverseraient ... d. La route tuerait ... e. Un musée ... ouvrirait ... f. Les suicides feraient ... g. 15 % des Français souffriraient ... l'ignoreraient. h. Nous fumerions de moins en moins.

170 a. je téléphonerais ... b. je n'oublierais pas mon ... c. je fermerais ... d. je ne boirais plus ... e. je partirais en vacances avec mes enfants. f. je n'ouvrirais la porte ... g. je me ferais refaire ... h. je lirais. J'arrêterais de me saouler ...

171 a. Nous serions ... b. Vous pourriez ... c. Vous accepteriez ... d. Je serais ... e. Les cousins Jourdain viendraient ... f. Nous ferions ... g. Christophe obtiendrait ... h. Elle travaillerait ...

172 a. Vous boiriez ... vous seriez b. Tu arrêterais ... tu monterais c. Vous tailleriez ... ils seraient d. Vous feriez ... vous resteriez e. Vous liriez ... vous entretiendriez f. Vous prendriez ... vous arriveriez g. Nous irions ... nous trouverions h. Vous regarderiez ... se développerait

173 a. Ce ne serait pas vous ..., ce serait votre femme ! b. Je serais incapable de tenir ma parole ! c. Je ne devrais plus danser le rock à mon âge ! d. ... que tu as pêché pèserait plus de six kilos ! e. Laurent reviendrait ... f. ... cette terre nous appartiendrait ! g. ... il n'en existerait ... h. Certains films passeraient ...

174 a. Il mangerait ... b. Il repeindrait ... c. Il ne prendrait ... d. Il ne dirait ... e. Elle n'enverrait plus ... f. Nous ne prendrions jamais plus ... g. Ce ministre se teindrait ... h. Les locataires du second ne paieraient pas ...

175 a. aurais b. seriez c. aurais d. auraient e. aurait f. aurait g. aurait h. aurions

176 a. ... ils seraient allés ... b. Tu aurais vu ... c. ... nous aurions réservé ... d. ... elle aurait consacré ... e. ... elle aurait réussi ... f. ... vous auriez voté ... g. ... vous auriez obtenu ... h. ... elles seraient allées ...

177 a. j'aurais repris ... b. je me serais endetté ... c. j'aurais acquis ... d. je serais allé ... e. j'aurais diversifié ... f. j'aurais construit ... g. j'aurais démoli ... h. j'aurais vécu ...

178 a. aurait déménagé. b. Si nous avions su, nous aurions voté ... c. Si vous aviez su, vous auriez inscrit ... d. Si Céline et Julie avaient su, elles auraient pris ... e. Si j'avais su, j'aurais lu ... f. Si tu avais su, tu aurais décrit ... g. Si Lucien et Alice avaient su, ils auraient détruit ... h. Si Simone avait su, elle aurait revendu ...

179 a. aurions préféré b. serait resté c. aurait épousé d. aurait sombré e. serais parti f. aurait fait g. aurais gâché h. aurais pu

180 a. 4 b. 8 c. 2 d. 1 e. 7 f. 5 g. 6 h. 3

181 a. tu aurais atteint ... b. nous ne serions ... c. Cicéron aurait perfectionné ... d. Ulysse serait entré ... e. Hamlet aurait cru qu'il s'agissait ... f. Gisèle aurait perdu ... g. vous n'auriez plus eu besoin ... h. le député aurait financé ...

182 a. Gwenaëlle l'aurait attendu ... b. Ils seraient allés prendre ... c. Il y aurait eu ... d. Il se seraient regardés ... e. ... auraient refroidi. f. Le soleil se serait levé ... g. Ils se seraient embrassés ... h. ... serait resté ...

183 a. aurait prouvé b. aurait obtenu c. aurait fait d. aurait acquis e. aurait pris f. serait devenu g. aurait entrepris h. aurait joint

184 a. Vous seriez entrés ... b. Ils seraient montés ... c. Tu serais sorti ... d. Annie serait venue ... e. Vous seriez passé ... f. Les loups seraient entrés ... g. ... Roger serait devenu triste. h. Louis serait tombé ...

185 a. tu m'aurais quitté trois jours avant ... b. on l'aurait retrouvé ... c. ils y seraient allés avant ... d. je l'aurais revu. e. vous l'auriez réussie. f. vous l'auriez admise. g. nous l'aurions tous atteint. h. on en aurait si peu parlé.

186 a. ... vous auriez raté ... b. ... tu lui aurais fait plaisir ! c. ... j'aurais réussi ... d. ... il lui aurait laissé ... e. ... nous aurions obtenu ... f. ... elle aurait reçu ... g. ... tu aurais tout compris ! h. ... elles auraient été contentes !

187 a. voulais b. deviendriez c. rangeais d. pourrait e. voyagiez f. payeriez/paieriez g. passiez h. ne m'aurais pas oublié

188 a. 7 b. 3 c. 2 d. 6 e. 8 f. 4 g. 5 h. 1

189 *Phrases possibles :* a. je serais moins malheureux. b. Si j'avais surveillé l'eau, c. il ne poserait pas ces questions stupides. d. Si le bateau avait été mieux attaché, e. elle aurait remporté la médaille d'or. f. Si nous n'avions pas pris nos pulls, g. vous comprendriez son comportement. h. Si elles avaient refusé de le saluer, ...

190 a. 7 b. 5 c. 4 d. 6 e. 2 f. 3 g. 8 h. 1

191 a. n'avions pas mangé ... serions arrivés ... avions pris b. serions arrivés ... avions pris c. avais prêté ... aurais roulé d. auriez été ... aviez changé e. n'avait pas été ... serait sortie f. aurait pensé ... avais téléphoné g. avait ronflé ... aurais mieux dormi h. ne se serait pas effondré ... avait achevé

192 a. Les accidents nucléaires auraient été ... b. Louis XIV aurait eu ... c. Des groupes financiers auraient soutenu ... d. La majorité des aristocrates n'aurait pas su ... e. De vastes plaines fertiles se seraient étendues ... f. Les Égyptiens de l'Antiquité auraient détenu ... g. Les maladies européennes auraient décimé ... h. 60 % des athlètes ... auraient été dopés.

193 a. aurais eu ... b. serait rentré ... c. aurait franchi ... d. aurais changé de voiture avant lui. e. aurions perdu nos kilos ... f. seraient installés ... g. aurait acheté ... h. serait sorti ... auraient recommencé ...

Bilans

194 1. n'avait pas pris 2. n'aurait jamais rencontré 3. se serait sans doute déroulée 4. aurait épousé 5. aurait peut-être eu 6. aurait ravi 7. aurait achevé 8. aurait écrit 9. serait passé 10. aurait peut-être réussi 11. aurait été accueilli 12. n'aurait jamais connu 13. n'aurait jamais ouvert 14. n'aurait jamais appris 15. n'aurions jamais pu 16. n'aurions jamais pleuré

195 1. aurait changé 2. aurait vu 3. rôdait 4. aurait appelé 5. aurait hurlé 6. seraient intervenus 7. auraient fait 8. ne se serait pas fait 9. serait arrivée 10. n'aurait pas eu à attendre 11. ne l'aurait pas croisé 12. ne serait pas venue 13. n'aurait pas su 14. existait 15. n'auraient pas constaté 16. lisaient 17. partageaient 18. n'auraient pas engagé 19. ne se seraient pas donné 20. avait fermé 21. n'assisterions pas 22. serait 23. épouserait

VIII. LE SUBJONCTIF

196 je n'arrive jamais – je t'écrive – on ne se perde pas – tu sois – on se voie – on sorte – tu ne prennes plus – tu viennes

197 a. Que je comprenne. – Que nous comprenions. b. Que je voie. – Que nous voyions. c. Que je croie. – Que nous croyions. d. Que je tienne. – Que nous tenions. e. Que je vienne. – Que nous venions. f. Que je prenne. – Que nous prenions. g. Que j'envoie. – Que nous envoyions. h. Que je jette. – Que nous jetions.

198 a. être b. aller c. vouloir d. valoir e. faire f. pleuvoir g. avoir h. falloir

199 a. Qu'elle sorte ! b. Qu'il prenne ... c. Qu'elles aillent ... d. Qu'ils fassent ... e. Qu'elle prévienne ... f. Qu'il soit ... g. Qu'elles aient ... h. Qu'il sache ...

200 a. ... nous ne prenions froid. b. ... vous vendiez votre voiture. c. ... elles ne viennent pas nous voir. d. ... vous n'alliez pas ... e. Que nous apprenions ... f. ... vous poursuiviez des études. g. Quoi que nous disions, ... h. Je vous accompagnerai partout pour peu que vous le vouliez.

201 a. Je ne crois pas qu'elle lui doive de l'argent. b. C'/Il est normal que les adolescents veuillent ... c. C'/Il est dommage que tu ne sois pas ... d. C'/Il est préférable que tu aies ... e. On regrette que vous ne puissiez pas ... f. Nous souhaitons tous qu'il fasse ... g. Je suis heureux qu'elles sachent parler ... h. Je m'étonne que vous ayez ...

202 a. 8 b. 7 c. 3 d. 1 e. 6 f. 5 g. 2 h. 4

203 a. soyez b. soit c. soit d. soyons e. soient f. sois g. soit h. soyez

204 a. Que tu aies bu. b. Qu'ils aient eu. c. Que vous soyez allé(e)(s). d. Qu'on ait fini. e. Que nous ayons été. f. Que j'aie voulu. g. Qu'il ait plu. h. Qu'elles aient su.

205 a. soit revenue b. ait eu c. se soient vraiment disputés d. ait été e. ait pu f. ait bu g. ait dépassé ... ait élevé h. n'ait rien prévu

206 *Phrases possibles :* a. soit parti vivre à l'étranger. b. soyez arrivé avant l'heure du rendez-vous. c. ayons terminé ce travail avant la fin de la semaine. d. aient eu des ennuis sur la route. e. aies pris ta voiture pour venir nous rejoindre. f. soit devenue un pays plus accueillant encore. g. aient pu entendre notre conversation ? h. ait arrêté de disputer des tournois internationaux.

207 *Phrases possibles :* a. Il est consternant que le nombre des commerçants et des artisans ait diminué. b. Il est dommage que l'âge de la retraite ait reculé. c. Il est regrettable que les jeunes diplômés aient eu des difficultés ... d. Il est dommage que la proportion des retraités ait augmenté. e. Il est attristant que la pollution se soit aggravée. f. Il est consternant que les divorces se soient multipliés. g. Il est regrettable que les problèmes de circulation se soient accentués. h. Il est triste que la délinquance ait persisté.

208 *Phrases possibles :* a. Il est heureux que les jeunes aient acquis ... b. Il est appréciable que l'habitat se soit amélioré. c. Il est rassurant que le pouvoir d'achat se soit accru. d. Il est heureux qu'on ait développé une ... e. Il est rassurant que la médecine ait progressé. f. Il est bon que les Français aient découvert la ... g. Il est rassurant que les exportations aient augmenté. h. Il est heureux que la durée de vie se soit allongée.

209 souhaiter – craindre – falloir – préférer – regretter – demander – proposer – s'étonner – aimer

210 a. H b. R c. D d. S e. O f. S/O g. S h. D

211 a. 8 b. 1 c. 7 d. 2 e. 5/3 f. 4 g. 6 h. 3

212 a. Ça me fait plaisir que nous ayons discuté ... b. Je suis heureuse qu'elle ait déménagé ... c. Je m'étonne que ses amis ne l'aient pas aidée ... d. Je trouve bizarre qu'ils ne se soient pas manifestés ... e. Je suis ravie qu'elle ait décidé ... f. Elle n'est pas mécontente que je lui aie raconté ... g. Ça l'a touchée que je lui aie rapporté ... h. Je suis triste qu'elle ne soit pas restée ...

213 a. je ne crois pas qu'il fasse froid ... b. elle n'a pas l'impression que tu aies progressé. c. elle n'est pas sûre qu'il veuille ... d. je ne trouve pas que ce soit ... e. il ne me semble pas qu'elle se soit améliorée. f. elle ne pense pas qu'ils se plaisent ... g. je ne suis pas certaine qu'ils aient écrit. h. je ne suis pas convaincu qu'on fasse ...

214 *Phrases possibles :* a. Je me félicite que les écoliers n'aient plus ... b. Des parents se plaignent que le latin ne soit plus enseigné ... c. Des enseignants n'acceptent pas que les congés d'été puissent être écourtés. d. Le ministre se réjouit que l'enseignement des langues prenne ... e. On comprend que l'éducation civique soit à nouveau enseignée. f. Il est normal que les activités d'éveil aient pris ... g. Certains enseignants regrettent que la semaine scolaire puisse être concentrée ... h. Le ministère n'admet pas que les enseignants soient trop souvent mal considérés.

215 *Phrases possibles :* a. il soit b. il n'ait pas fait un temps merveilleux. c. vous ayez trouvé vos clés d. vous ayez perdu toute trace de votre véhicule. e. ils n'aient pas raté leur correspondance. f. votre frère ait manqué de tact g. tu apprennes rapidement à conduire ! h. je ne l'aie vue que l'espace d'une seconde.

216 *Phrases possibles :* a. Il se peut qu'il se soit senti souffrant et qu'il soit rentré à la maison. b. Il est possible que ce soit mon directeur qui veuille se faire pardonner pour sa mauvaise humeur. c. En admettant que j'aie le gros lot, je suis certaine que j'arrêterais de travailler dans l'instant. d. Il est possible que ce soit sa robe de bal. e. À supposer que l'expéditeur ne me soit pas inconnu, je préfère ne faire aucun cas de cette lettre. f. En admettant que ce ne soit pas une blague, je me demande qui ça pourrait être. g. Il se peut que ce soit des sans-abri qui ne savaient pas où passer la nuit. h. Il se peut que j'aie rêvé.

217 a. La première chose que nous ayons faite en arrivant a été de boire un grand verre ... b. La meilleure chose que tu aies apprise, c'est qu'il ne faut pas trop compter ... c. Le principal défaut que vous ayez, c'est votre égoïsme. d. L'unique regret que j'aie, c'est que nous n'ayons pas voyagé ... e. La dernière chose à faire serait que vous vous découragiez. f. Leur unique souci est que leur fils s'en sorte. g. Ma préoccupation majeure est que nous arrivions à ... h. La seule solution qu'elle ait trouvée, c'est d'aller vivre ...

218 a. Le Louvre est le plus grand musée qu'on ait visité. b. La tour Eiffel est la plus haute tour au sommet de laquelle elles soient montées. c. *La Tour d'Argent* est le restaurant le plus cher où vous ayez dîné. d. *La Maison Troisgros* est la meilleure table que vous connaissiez. e. ... est l'acteur le plus connu que j'aie vu jouer. f. ... est l'avenue la plus large sur laquelle nous nous soyons promenés. g. ... sont les vestiges les plus anciens que tu aies vus. h. ... est l'avion le plus rapide dans lequel mon frère ait voyagé.

Bilans

219 1. soit passée 2. attende 3. fassent 4. aillent 5. prenne 6. désoriente 7. aient préparés 8. aient encore trouvé 9. ont été transmises 10. entraînent 11. parviendra

220 1. ayez 2. alliez 3. puissiez 4. soient 5. ne trouviez rien 6. consultiez 7. n'y en ait pas 8. soient proposées 9. regardiez 10. soient 11. soient 12. vous munissiez 13. puisse 14. soit 15. soit demandée 16. facilitent 17. trouviez 18. retienne 19. ayez eu 20. ne vous y plaisiez 21. envoyiez

IX. LE PASSIF

221 b. serons reçus d. sont gardés f. est reconnue g. serions invités

222 a. Le personnel de l'aéroport remettra les billets ... b. Le steward invitera les passagers à ... c. Le personnel navigant servira un repas. d. Le pilote prévoit l'arrivée à Damas aux environs ... e. ... ; nous rappelons que notre agence a distribué un guide ... f. Cette brochure indique les adresses ... g. La direction de France Tour vous souhaite un merveilleux séjour. h. La direction vous adressera le programme des prochaines destinations dès votre retour.

223 a. Le délégué sera élu par les salariés ... b. Une nouvelle assistante a été engagée par le directeur ... c. Une lettre de démission avait été envoyée par l'ancienne ... d. Une augmentation salariale sera bientôt négociée par les représentants ... e. Le conseil d'administration a été réuni par le président. f. Une nouvelle campagne d'information est mise en place par le directeur ... g. Le départ en retraite est demandé par Mmes ... h. La demande de congé ... sera probablement acceptée par la direction.

224 a. *impossible* b. On aura annulé le rendez-vous. c. On aura convoqué les étudiants pour les examens ... d. Un documentaire avait précédé le film. e. *impossible* f. L'entreprise Beaulieu restaurera la façade ... g. Les organisateurs du tournoi distribueront des récompenses. h. On a enfin communiqué le nom ...

225 a. On versera une caution un mois ... b. On avait reçu une lettre de candidature ... c. On a classé des dossiers ... d. On remettra un formulaire au ... e. On a mené une enquête sur la consommation le trimestre ... f. On avait délivré une autorisation de sortie en ... g. On effectuera des sondages ... h. On connaîtra la liste des candidats dès ...

226 a. ce courrier a pu être expédié. b. ces plis ne devront pas être envoyés en express. c. ce dossier va être revu. d. certaines clauses risquent d'être changées à ... e. ces données ne viennent pas d'être enregistrées. f. le compte rendu ne peut pas être tapé. g. les clients ne doivent pas être informés. h. des e-mails vont être envoyés.

227 a. *impossible* b. Oui, trois places vont être réservées dans ... c. *impossible* d. Oui, votre départ vient d'être annulé. e. Oui, les numéros de vos places vont être vérifiés. f. *impossible* g. Oui, la voiture a pu être garée ... h. Oui, votre voyage d'affaires venait d'être retardé.

228 a. Dimanche prochain, la finale du tournoi de Roland-Garros sera disputée. b. Depuis janvier 2000, le temps de travail a été réduit : passage aux 35 heures. c. Le vote des étrangers a été débattu avec animation à ... d. À partir du 1er juillet, le prix des carburants sera augmenté. e. Nouveaux projets : le quartier Austerlitz va être aménagé. f. Au printemps prochain, le musée des Arts premiers sera ouvert. g. Sur les grands axes parisiens, les pistes cyclables sont multipliées. h. Depuis le début de l'année, la TVA a été réduite.

229 a. cette affaire n'a pas été conclue. b. le contrat d'embauche n'avait pas été signé. c. les conditions et les tarifs n'auront pas été négociés. d. ces clauses ne seront pas retirées de ... e. une nouvelle entrevue n'est pas envisagée. f. les garanties n'avaient pas été vérifiées. g. la procédure ne peut pas être mise en route. h. vos associés ne devront pas être avertis.

230 a. ce sont les documents qui seront distribués. b. c'est le secrétaire général qui a été élu. c. c'est la chambre qui a été réservée. d. c'est cette intervention qui sera enregistrée. e. ce sont les discours qui étaient préparés pour les assemblées. f. c'est le texte qui aura été tapé avant midi. g. ce sont leurs effets personnels qui furent emportés. h. c'est ce diplomate japonais qui avait été accueilli.

231 a. aurait été reçu b. ne pourraient pas être relues c. pourraient être présentées d. auraient dû être recontactés e. aurait été réservée f. auraient dû être retenues – devraient avoir été retenues g. serait noté – pourrait être noté h. ne serait pas pris

232 a. qu'ils soient mieux surveillés. b. qu'elle soit mieux entretenue. c. qu'elle soit mieux restaurée. d. qu'elle soit mieux entourée. e. qu'ils soient mieux reçus. f. qu'elles soient mieux arrosées.

g. qu'ils soient mieux nettoyés. h. qu'elle soit mieux réparée.

233 a. l'ait suivie b. entendra c. la licencie d. soit terminé e. avons été prévenus f. les reconduise g. l'ait reconnu h. ait engagées

234 a. soient prises par ce photographe. b. aient été obtenus par ses étudiants. c. aient été changés. d. soient connues des jeunes. e. soit restauré. f. aient été organisées en mon absence. g. aient été dévorées par les enfants. h. soit loué trop cher.

235 a. d' b. par c. de d. de/par e. par f. par g. par h. par

236 a. de/par → 5 b. de → 4 c. par → 7 d. de → 8 e. par → 6 f. de/par → 3 g. par → 2 h. de → 1

237 a. par b. de c. de d. par e. par f. de g. par h. de

238 *Phrases possibles :* a. par un excellent animateur. b. de tous leurs amis. c. par M. Bonpain. d. de votre refus. e. de moustiques. f. de grillages. g. d'un débat. h. de votre attitude.

239 a. s'est vu retirer d. s'est laissé soigner f. s'est fait inviter

240 a. ... se disent ... b. ... se sont ouverts ... c. ... se confirmera ... d. ... s'écrit ... e. ... se prendra souvent ... f. ... s'obtiennent ... g. ... se répandra ... h. ... s'explique ...

241 a. Des œuvres inédites d'Albert Camus se vendent aux enchères ... b. En 1997, les salles égyptiennes du Louvre se sont modernisées. c. La Grande Bibliothèque s'est ouverte ... d. Depuis une quinzaine d'années, les quotidiens se lisent moins. e. Un hôpital spécialisé pour les enfants se créera ... f. Les pistes cyclables se multiplieraient dans les grandes villes. g. Des matières d'éveil se développeront dans ... h. Depuis janvier 2000, la semaine de travail s'est réduite : 35 heures pour les salariés.

242 a. Les Français s'attacheraient ... b. Les modes vestimentaires se sont adaptées ... c. ... que le vin blanc se serve frais. d. La salade se mange ... e. Actuellement, les jupes se portent ... f. Le climat s'est modifié depuis dix ans. g. ... se serait développé ... h. Le réseau Internet s'utilisera de plus en plus ...

243 a. on leur construira bientôt une piscine. b. on lui a retiré son permis de conduire. c. on l'a emmené au commissariat. d. on la convaincra de vendre ... e. la presse théâtrale l'a critiqué. f. les propositions du ministre l'ont séduite. g. on la privatisera ... h. on les remboursera ...

244 a. Certains riverains se verront relogés/se feront reloger. b. Les rives de la Seine se sont déjà fait aménager. c. Des entreprises et des entrepôts ... se verront expulsés/se feront expulser. d. Une prolongation … se verrait tracée.   e. Des terrains se verraient destinés à …   f. Certaines voies ferrées se verront modifiées par la SNCF.   g. De nouvelles stations … se verraient créées.   h. Les habitants de ce nouveau quartier se verront consultés/se feront consulter par les urbanistes.

Bilans

245 Le tennis se pratique sur un court séparé en deux par un filet bas. Les parties (ou matchs) se disputent à deux ou quatre joueurs. On marque des points lorsqu'un joueur fait rebondir la balle de l'autre côté du filet sans que l'adversaire la rattrape. Les Anglais ont largement popularisé ce sport au cours du XIXᵉ siècle. On l'avait adapté du jeu de paume que les aristocrates du XVIᵉ appréciaient beaucoup mais on avait inventé les règles au Moyen Âge en France. Le tournoi le plus ancien s'est disputé à Wimbledon en 1877. En France, chaque année depuis 1891, on organise des tournois internationaux. En mai 2000, on a entièrement refait le central de Roland-Garros qu'on avait construit en 1928 pour accueillir les Mousquetaires, et on a aménagé de nouveaux espaces. Cette année encore, plus de 15 000 spectateurs suivront les matchs. Dès le lendemain de la finale, on mettra en chantier de nouveaux réaménagements pour rendre les prochaines rencontres encore plus populaires auprès du public.

246 Le nom du confesseur … fut donné à ce cimetière. Celui-ci avait embelli ce terrain qui avait été acquis par les Jésuites en 1626 ; divers bâtiments y avaient notamment été construits. Au début du XIXᵉ siècle, ce domaine sera acheté par la ville de Paris … L'aménagement du parc est dirigé par l'architecte Brongniart à qui sera confiée la construction de la Bourse. À l'occasion …, une vaste opération de promotion est organisée ; les tombeaux supposés … Héloïse et Abelard y auraient été déplacés ainsi que ceux … Ce même lieu a vu … : une lutte féroce y aura été livrée par les derniers insurgés contre les Versaillais. Les cent quarante-sept survivants seront fusillés contre le mur d'enceinte qui est appelé aujourd'hui le mur des Fédérés. Au hasard …, des tombes célèbres peuvent être découvertes comme celles … La grande richesse de la statuaire du XIXᵉ siècle pourra également y être admirée.

X. LES CONSTRUCTIONS VERBALES

247 a. *impossible*   b. Il va faire nuit alors elle ne va pas tarder …   c. Elle a un peu froid, mais c'est normal : il est 23 heures.   d. Elle fait jeune, il me semble !   e. Il est tôt mais elle est déjà là.   f. Il y a une heure, elle y a retrouvé Brigitte, dans ce parc.   g. Elle arrivera …   h. *impossible*

248 a. Il peut encore geler en avril.   b. Il pleuvra sur …   c. Il neigera légèrement dans …   d. Il y aura

de la brume sur les côtes bretonnes dans …   e. Il y aura/Il soufflera un vent violent sur …   f. Il y aura un peu de soleil en …   g. Il fera chaud/Il fera 25 °C à …   h. Il arrêtera de pleuvoir et il y aura des éclaircies …

249 a. Il est nécessaire de contrôler régulièrement …   b. Jeunes gens, il faut vous faire recenser.   c. Il est mort plus de monde sur la route au cours …   d. Il suffit d'un petit geste pour …   e. Il faut/Il convient de lutter contre le tabagisme …   f. Il s'est créé SOS Vieillesse pour …   g. Il peut toujours arriver un accident ; il faut vous assurer.   h. Il existe un épicier … ; il ne faut pas l'oublier.

250 a. à   b. à   c. Ø … à   d. à … à   e. Ø … à   f. à   g. à … à   h. Ø … à

251 a. de   b. à   c. à … de   d. de … à   e. Ø … à   f. à … de   g. à … de   h. Ø … de

252 penser – s'adresser – renoncer – s'adapter – se présenter – s'intéresser – se confier

253 a. de → 1/2/3   b. à → 1/2/3   c. à → 2/3   d. à → 3, de → 1/2/3   e. à → 1   f. à → 1   g. de → 1/2/3   h. à → 2/3

254 *Conviennent :*   a. de   b. à   c. de   d. à   e. de   f. de   g. de   h. à

255 a. à ma proposition   b. à m'écrire – à moi   c. de prendre la clé – d'une minute   d. de signer un accord – de la famine   e. de leur condition – de vivre en banlieue   f. de la retrouver   g. de sortir – de calme   h. de démographie – de se marier

256 a. de   b. de   c. à   d. de   e. à   f. de   g. à   h. à

257 a. 1/2   b. 5/6/7/8   c. 1/2/3/4   d. 5/6/7/8   e. 1/2/3/4   f. 5/7/8   g. 5/6/8   h. 5/7/8

258 a. de   b. à   c. de   d. de   e. à   f. à   g. de   h. à

259 a. à partir – à ce dont tu nous as parlé – à un bon résultat   b. de devoir attendre – de ce que tu lui as dit – de votre attitude   c. à téléphoner   d. à vivre à Grenoble – à sa belle-famille

260 a. *impossible*   b. Elle est ennuyée que vous soyez …   c. On a besoin que tu viennes …   d. *impossible*   e. *impossible*   f. *impossible*   g. Alice se plaint qu'elle travaille …   h. *impossible*

261 parler – dire – proposer – interdire – permettre – refuser – se plaindre – ordonner – commander – conseiller

262 a. Vous interdisez aux candidats d'utiliser certains programmes informatiques.   b. La Bourse invite les particuliers à investir dans des actions.   c. La Sécurité sociale conseille aux médecins de traiter les dossiers …   d. Le ministre de l'Éducation propose aux enseignants de revoir …   e. On demande aux automobilistes de respecter davantage …   f. Les fonctionnaires reprochent au gouvernement d'avoir retardé …   g. Les syndicats imposent aux employeurs de réduire ... h. L'ANPE incite les demandeurs d'emploi à faire ...

263 *Phrases possibles :* a. être entendus par le recteur. b. préparer le pot-au-feu ? c. faire un grand voyage. d. vous connaître/avoir été volé. e. prendre l'avion. f. être rentrée avant minuit/avoir terminé ce qu'elle a entrepris. g. vous connaître/vous avoir déjà rencontrés. h. faire ce qui est dangereux.

264 a. Elle pense s'absenter quelques jours. b. Les jeunes espèrent trouver facilement un emploi. c. Tu crois avoir réussi ton examen ? d. Tu te demandes que faire ? e. Cet homme prétend avoir dessiné les plans ... f. Elle s'imagine être milliardaire ! g. Virginie et Alain reconnaissent s'être trompés. h. Le chef d'État étranger a affirmé vouloir la paix.

265 a. Mme Blanc n'est pas certaine de vous avoir déjà rencontré. b. Ses enfants se souviennent vaguement d'être passés par là ... c. Je crois connaître cet ... d. Il se plaint de faire la ... e. Tu m'as assuré rentrer de ... f. Cette femme prétend avoir ... g. Vous pensez être capable d'identifier ... h. Tu n'admets pas de pouvoir te tromper ?

266 a. je suis convaincu de ne pas avoir eu tort. b. il a dit ne pas avoir agressé cette femme. c. nous avons le sentiment de ne pas nous être fait avoir ... d. il a reconnu ne pas avoir emprunté ... e. elle est convaincue de ne pas avoir été désagréable ... f. je crois ne pas m'être mal comporté ... g. elle est sûre de ne pas avoir oublié ... h. elle a l'impression de ne pas avoir mangé trop ...

267 *Phrases possibles :* a. ne pas avoir passé quelques jours avec vous. b. ne pas être retenus dans les embouteillages. c. travailler dans le jardin plus longtemps d. avoir doublé en haut d'une côte. e. nous avoir laissé leurs coordonnées. f. quitter Paris g. s'installer en grande banlieue h. repeindre la barrière du jardin !

268 a. Je reconnais que mon neveu est arrivé très en retard. b. Vous pensez que vos amis nous accompagneront ... c. Elle nous a annoncé que sa sœur était enceinte ... d. Tu promets que vous reviendrez nous voir ... e. Vous croyez que Cécile vit dans ... f. Le maire affirme qu'un paysan a trouvé une ... g. Les enfants soutiennent que Martin n'a pas cassé ces ... h. L'inculpé a nié que son complice avait pénétré chez ...

269 *Phrases possibles :* a. Nous supposons qu'ils sont ... b. J'imagine que tu voyageras ... c. Ils croyaient que nous n'emmènerions pas ... d. Je suis sûr qu'on se verra plus souvent ... e. Elle me rappelle que nous reprendrons le ... f. Je vous assure que ça paraît très long. g. Il pense que c'était difficile pour vous. h. Elle me répète qu'on lui manque beaucoup.

270 a. aller b. se trouve c. connais d. faire e. exerce f. avoir commencé g. dire h. emmène

i. a changé j. avez grillé k. arriver l. expliquer m. retrouver n. se transforme o. juger p. parlerai q. refaire

271 *Phrases possibles :* a. On croyait que les taux d'intérêt avaient diminué. b. Il a expliqué que les cotations en Bourse se stabiliseraient. c. On note que l'euro a reculé par rapport au dollar. d. Elle a entendu dire que le Premier ministre syrien serait reçu à l'Élysée. e. Nous avons appris que la Chine avait acheté pour plusieurs milliards d'Airbus. f. On prévoit que les touristes étrangers viendront ... g. Vous avez avancé que la population mondiale atteindrait ... h. Ils ont annoncé que le nombre des naissances correspondait au seuil ...

272 a. *impossible* b. Il est préférable de les faire garder par la baby-sitter. c. Il est important d'y arriver de ... d. *impossible* e. Il est inutile de lui apporter des ... f. Je préfère l'inviter à dîner ... g. *impossible* h. ... il vaut mieux prendre le métro.

273 a. à ce que b. à ce que c. que d. à ce que e. que f. de ce qu'/qu' g. de ce qu'/qu' h. à ce qu'

274 a. Je vous suggère de prendre des leçons ... b. Mes parents nous demandent de les appeler ... c. Je leur déconseille d'emprunter ... d. On lui recommande d'être très prudente ... e. Le professeur leur rappelle de lire ... f. Tu leur conseilles de descendre ... g. Leurs parents leur interdisent de rentrer ... h. Tu lui imposes de s'occuper ...

275 a. Charles accepte-t-il que tu sortes ... ? b. Vos amis refusent que Marthe voie ... c. Tu préfères que j'aille à ... d. Je tiens à ce que mon frère dorme ... e. On veille à ce que vous organisiez tout. f. Nous aimerions que nos parents partent ... g. Valérie est heureuse que tu t'installes ... h. Tu proposes que je prévienne ...

276 vouloir – aimer – préférer – proposer – souhaiter – sembler – refuser

277 a. Je suis persuadée que vous arriverez à ... b. J'espère qu'on déjeunera ... c. Je ne pense pas que vous soyez/serez fatigués ... d. Je propose que nous allions faire ... e. Je ne doute pas que vous aimiez la ... f. Il est regrettable que la cathédrale soit en ... g. Je tiens à ce que nous vous emmenions dans ... h. Je souhaite que vous trouviez ...

278 a. 2/3/5/6 b. 2/3/5/6/8 c. 1/6/7 d. 7 e. 2/3/4/6/8 f. 2/3/4/5/6/8 g. 2/3 h. 1/6/7

279 a. réfléchisse b. a été parti c. avait eu d. suis e. est f. donniez g. proposiez h. termines – aies terminé

280 *Conviennent :* a. Ce n'est pas que b. depuis que c. si bien qu' d. parce qu' e. Quoique f. Si g. où que h. Pendant que

281 a. Nous regrettons que vous ayez refusé. b. Je m'inquiète qu'elle soit en retard ... c. ...

qu'elle se marierait le mois prochain. d. ... que vous arriviez avec impatience. e. ... que vous donniez votre démission/que vous démissionniez. f. ... qu'il avait été de mauvaise humeur. g. ... que vous lui racontiez votre voyage en Turquie. h. ... que Catherine se rétablisse promptement.

Bilans

282 1. travaillent   2. font/ont fait   3. soient/aient été   4. soit   5. revient   6. ait changé   7. prenne/ait pris   8. aille   9. conduise   10. fasse   11. a   12. Vivre   13. devient   14. soient   15. vivent   16. de demander   17. de revendiquer

283 *Conviennent :* 1. de visiter   2. attirés   3. soit   4. d'entrer   5. avoir contourné   6. qu'elle ne fonctionnait plus   7. d'y pénétrer   8. d'en faire   9. nous avons remarqué   10. que nous entrions   11. nous encourager   12. hésiter   13. avait oublié   14. à avouer   15. qu'elle avait   16. avons entendu   17. un hibou crier   18. de nous   19. de   20. de nous retrouver   21. avons   22. nous avouer

XI. PRONOMS POSSESSIFS, DÉMONSTRATIFS, INTERROGATIFS ET INDÉFINIS

284 a. les miens   b. Le mien   c. les siens   d. la leur   e. les tiennes   f. les vôtres   g. La mienne   h. la tienne

285 a. 5   b. 7   c. 8   d. 1   e. 3   f. 4   g. 2   h. 6

286 a. des vôtres   b. au tien   c. du mien   d. des nôtres   e. aux miens   f. du tien   g. du nôtre   h. aux vôtres

287 a. 5   b. 6   c. 8   d. 3   e. 7   f. 2   g. 4   h. 1

288 a. celui-ci   b. celle-là   c. celui-ci   d. ceux-là   e. celles-là   f. celle-ci   g. celui-ci   h. ceux-là

289 a. ... une méthode. Celle-ci ...   b. ... articles. Ceux-ci ...   c. ... Maroc. Celui-ci ...   d. ... du nombre des chômeurs. Celui-ci ...   e. ... tableau de Cranach. Celui-ci ...   f. ... Dominique. Celle-ci/Celui-ci ...   g. ... le professeur. Celui-ci ...   h. ... un juge. Celui-ci ...

290 a. 6   b. 4   c. 7   d. 5   e. 1   f. 8   g. 3   h. 2

291 a. celui dont   b. ceux auxquels   c. celui où   d. ceux dont   e. ceux qui   f. celles qui   g. celle qui   h. celle à laquelle

292 a. ce que → 6   b. ce qui → 7   c. ce dont → 5   d. ce à quoi → 1   e. ce vers quoi → 3   f. ce avec quoi → 8   g. ce dont → 2   h. Ce qu' → 4

293 a. celle-ci   b. celle-là   c. celle-ci ... celle-là   d. celui-ci   e. celui-là   f. Celle-ci ... celui-là   g. celui qui   h. celui

294 a. Qui   b. Laquelle   c. Qui   d. Lesquelles   e. Lequel   f. Lequel   g. Laquelle   h. Lesquels

295 a. 4   b. 1   c. 8   d. 7   e. 6   f. 5   g. 2   h. 3

296 a. De quoi s'occupe-t-il ?   b. Par quoi commence-t-on ?   c. Qu'a-t-il réparé ?   d. En quoi la tour Eiffel est-elle construite ?   e. Qu'avez-vous caché derrière ...   f. Qu'a-t-il décidé de prendre comme dessert ?   g. À quoi Justin Legendre a-t-il consacré ...   h. En quoi puis-je vous aider ?

297 a. 5   b. 4   c. 2   d. 8   e. 6   f. 1   g. 3   h. 7

298 a. Dans lequel   b. À laquelle   c. Pour laquelle   d. dans lequel   e. Par laquelle   f. Sous laquelle   g. devant lesquelles   h. Vers lesquelles

299 a. Lequel des trois fils de Henri II est devenu ...   b. Contre qui l'amiral Nelson remporta-t-il ...   c. Que penses-tu des ...   d. Qu'as-tu choisi sur ...   e. Dans lequel des placards Mireille a-t-elle ...   f. Qui a pris ...   g. Lequel de Philippe et Marc est ...   h. Auxquels de vos voisins pourrons-nous confier ...

300 *Phrases possibles :* a. auquel → 8 b. Desquels → 7   c. Auxquelles → 2   d. De laquelle → 6   e. à laquelle → 1   f. Duquel → 5   g. desquelles → 3   h. Auxquels → 4

301 a. Tout b. Quelqu'un c. chacun d. Quiconque e. personne/nul/rien f. aucun/personne/nul g. Nul/Personne   h. tout

302 a. 5   b. 7   c. 6   d. 1   e. 8   f. 3   g. 2   h. 4

303 a. tel   b. aucun   c. la même   d. les autres e. plusieurs/quelques-uns f. plusieurs/quelques-uns g. n'importe qui   h. n'importe quoi

304 a. tout → 4   b. quelqu'un → 6   c. quiconque → 8   d. Rien → 3   e. personne → 5   f. nul → 7 g. Les autres → 1   h. quelques-uns → 2

305 a. ne peut le révéler   b. serait prête   c. ont souhaité d. parlent e. seraient f. pensent g. seraient h. passent

306 a. 2   b. 4   c. 5   d. 6   e. 7   f. 8   g. 3   h. 1

Bilans

307 *Conviennent :* 1. Celle-ci   2. celle-là   3. ceux qui   4. Quiconque   5. cela   6. personne   7. Nul 8. Le mien   9. chacun   10. Que   11. À quoi   12. À quelles   13. Personne   14. telle   15. celle-ci 16. D'aucuns

308 *Conviennent :* 1. tous   2. chacun   3. ceux qui 4. Celles-ci   5. Quiconque   6. Ceux qui   7. le leur 8. Personne 9. ça 10. certains 11. Quiconque 12. ce 13. certains

XII. LE FUTUR ET LE FUTUR ANTÉRIEUR

309 a. Vous ferez ...   b. Il ne faudra pas ...   c. Ton fils voudra ...   d. On tiendra ...   e. Tu n'enverras pas ... f. Je ne mourrai pas ... g. Nous aurons ... h. Elles verront ...

310 a. P b. C c. C d. H e. H f. P/H g. PR h. C

311 a. atteindra b. va en demander c. partirons ... voudras d. vais vous demander e. vais vous expliquer f. viendront g. ne s'améliorera pas h. ne paieront plus

312 *Conviennent :* a. vais me coucher b. achèteront c. va prendre d. se marieront e. vais me promener f. fêteront g. va traverser h. auront

313 a. Vous aurez été ... b. Nous aurons tenu ... c. Elle sera allée ... d. Ils seront devenus ... e. J'aurai vu ... f. Ils auront eu ... g. On aura dû ... h. Il aura fallu ...

314 b. sera parti c. seront allées e. serez arrivés f. ne sera pas encore né g. seront passés

315 a. auras fini b. aura reçu c. aura oublié d. ne nous aura pas attendu(e)s e. l'aura reçue f. aurez vu g. nous serons installés h. aura achevé

316 a. C b. A c. A d. C/A e. A f. S g. S h. C

317 a. 2 – 1 b. 2 – 1 c. 1 – 2 d. 1 – 2 e. 2 – 1 f. 2 – 1 g. 2 – 1 h. 1 – 2

318 *Phrases possibles :* a. Lorsque mes parents auront fait construire leur maison, ils prendront leur retraite. b. Louis sera déjà arrivé et nous le rappellerons. c. Le directeur aura signé ce contrat le matin même puis il nous convoquera. d. Je dînerai quand j'aurai préparé le repas. e. On sortira quand on aura achevé la lecture de ces dossiers. f. Vous répondrez seulement lorsque vous aurez réfléchi à une solution convenable. g. Tu nous préviendras dès que tu auras choisi. h. Sa fille se mariera lorsqu'elle aura découvert l'homme idéal.

319 a. prendrons ... aura réparé b. reviendrez ... auront beaucoup changé c. cherchera ... aura trouvé d. n'aurez pas vu ... n'aurez pas e. auront terminé ... pourront f. auras déjeuné ... devras g. offrira ... aura obtenu h. irez ... aurez rangé

320 a. aurez fait/ferez b. sera parti c. rentre d. essaieras ... aura livrée e. aurez appris ... jouerez f. aura tout préparé ... arrivera g. recevra ... aura pris h. laissera ... n'aurez pas avoué

321 a. Elle aura oublié notre ... b. Elle aura pris un rendez-vous/Elle aura eu un rendez-vous/Elle aura été retenue par un rendez-vous de ... c. Elle aura rencontré sa sœur ... d. Elle aura reçu un coup de fil ... e. Elle aura fait des courses ... f. Elle aura dû poster une lettre urgente./Elle aura eu une lettre urgente à poster. g. Elle aura été contrôlée/Elle aura dû se plier à un contrôle dans le métro. h. Elle aura eu envie ...

322 a. On aura équipé tous les véhicules ... – Tous les véhicules auront été équipés d'un système ...

b. On aura interdit de fumer ... – Le tabac aura été interdit dans les lieux ... c. On aura réglementé de façon plus stricte la vente de ... – La vente de boissons alcoolisées aura été réglementée de façon ... d. Les établissements scolaires auront été fermés ... – On aura fermé les établissements scolaires le samedi. e. On aura développé de nouveaux ... – De nouveaux réseaux de communication auront été développés. f. On aura amélioré l'enseignement ... – L'enseignement des langues vivantes aura été amélioré. g. On aura étendu le réseau ... – Le réseau autoroutier aura été étendu. h. On aura réduit la vitesse ... – La vitesse aura été réduite sur les routes.

323 *Phrases possibles :* a. Dès l'adolescence, il aura scellé de solides amitiés. b. Il aura connu une vie professionnelle passionnante dès le début de sa carrière. c. Il aura vécu un grand amour de jeunesse. d. Il aura fondé une famille très unie. e. Il aura inventé un procédé révolutionnaire pour économiser l'énergie. f. Il aura acquis une notoriété internationale. g. Il aura bénéficié des ressources financières très importantes de ses parents. h. Il aura vécu une existence très heureuse.

Bilans

324 1. se répandra/se sera répandu 2. puissent 3. seront venus 4. seront partis 5. auront préparé 6. auront acquis 7. progresse 8. seront 9. aura augmenté 10. connaîtront 11. aura porté

325 1. prendre 2. lisiez 3. traversez 4. vais partir 5. aura 6. aura changé 7. aura oubliée 8. aimera 9. deviendrai/vais devenir 10. s'améliorera 11. tombera 12. proposera 13. accepterai 14. aurez goûté 15. n'aurez plus 16. aura changé 17. parte 18. devrai 19. faire

XIII. LES FORMES EN -ANT

326 a. 5 b. 4 c. 6 d. 7 e. 8 f. 3 g. 2 h. 1

327 a. inquiétant b. pensant c. surprenant d. étonnant g. irritant

328 a. chevrotante b. débilitante c. dégoûtant d. dégoulinant e. éreintant f. exaltante g. exorbitants h. hésitants

329 a. ... même le plus rebutant. b. ... la peinture est résistante. c. ... sont révoltantes. d. ... brillants. e. ... sont lassants. f. ... attachant. g. ... il est branlant. h. ... embêtante ...

330 b. marquant d. innovant f. impressionnant h. bouleversant

331 a. René a découvert un trésor en creusant ... b. J'ai appris l'anglais en voyageant ... c. Le député a été élu en bénéficiant du report ... d. Marylène a découvert qu'elle était myope en constatant que ... e. André a trouvé des informations sur ses ancêtres en faisant une recherche ... f. Brigitte et Henri ont pu louer cet appartement en s'appuyant ... g. Jean est tombé amoureux de Michèle en la croisant. h. L'instituteur comprend que l'enfant connaît la réponse en le voyant lever ...

332 a. 6 b. 4 c. 7 d. 8 e. 3 f. 1 g. 2 h. 5

333 a. Marie fait de la gymnastique en écoutant de la musique ... b. Je fume en travaillant, ce qui est ... c. Sylvie est entrée dans le magasin pour ... en tenant son fils par la main. d. Nous avons terminé ... en regardant la télévision. e. Vous bricolez souvent en chantant. f. Il apprend l'anglais très sérieusement en prenant trois cours ... g. Depuis toujours, Frédérique écrit ... en écoutant la radio. h. Thierry repasse le linge de la famille très souvent en regardant ...

334 a. J'ai appris ... en écoutant ... b. *impossible* c. Philippe a bu ... en dégustant ... d. *impossible* e. Odile a constaté ... en faisant ses comptes. f. *impossible* g. *impossible* h. En dînant au restaurant avec des amis, elle a rencontré ...

335 a. 4 b. 5 c. 7 d. 8 e. 1 f. 6 g. 3 h. 2

336 a. Vous vous soignerez en prenant ... b. Vous ne serez pas en retard en partant ... c. Vous gagnerez beaucoup d'argent en travaillant dur. d. Vous ne prendrez pas de risques en attachant ... e. Garantissez la démocratie en votant. f. Gardez l'esprit ... en lisant des romans. g. Entrez dans ce restaurant en passant par ... h. Deviens écrivain en lisant.

337 *Phrases possibles :* a. l'assurance que tu passeras tes vacances avec moi. b. démissionné quand il en était temps c. joué les bons numéros au Loto d. monté sur la table e. accueillis par des familles américaines f. refusé de porter des lunettes g. entré par hasard dans sa chambre h. suivi tes recommandations

338 *Phrases possibles :* a. en me prêtant les clés de son appartement. b. en souscrivant à l'emprunt Monory. c. tu as pu faire remplacer les ardoises de ton toit. d. En ayant lu tout ce que tu as lu e. Alain a pu se concentrer sur son véritable métier. f. En ayant investi de tels capitaux g. En ayant évoqué la mort de ses parents h. J'ai découvert que la liaison Toulon-Sollies n'existait plus ...

339 a. en jouant b. en ayant acquis c. en écoutant d. en ayant assassiné e. en gardant f. En ayant peint g. en faisant les courses h. en ayant résolu

340 a. surplombant b. faisant c. concernant d. correspondant e. connaissant f. parlant ... portant g. regardant h. brandissant

341 *Phrases possibles :* a. ayant dessiné → 5 b. ayant abandonné → 6 c. ayant reçu → 7 d. ayant touché → 1 e. ayant condamné → 2 f. étant nés → 8 g. étant allés voir → 3 h. étant arrivés → 4

342 *Phrases possibles :* a. lui trouver un héritier. b. se relèveront cette nuit pour manger. c. ne tourne que dans quelques rares séries télévisées. d. toute promesse de démocratisation semble disparaître. e. nous nous passerons de toi. f. la circulation est impossible. g. tu ferais mieux de lui téléphoner demain. h. devaient venir d'Asie ou du nord de l'Europe.

343 a. 3 b. 8 c. 7 d. 6 e. 4 f. 5 g. 1 h. 2

344 *Phrases possibles :* a. Le médecin ayant soigné ma mère vient de mourir. b. L'homme montant cette affaire est un escroc. c. Julie ayant apprécié le vin de Loire a acheté quinze caisses de Chinon. d. La femme ayant révélé le nom de l'assassin est mise sous surveillance. e. Certains sportifs participant aux Jeux olympiques sont dopés. f. Le petit Jack a effectué l'ascension de la roche de Solutré en refusant. g. Ayant visité Lisbonne, nous avons découvert l'art de la faïence. h. Ayant préparé moi-même le plat de résistance, tu pourrais t'occuper du dessert !

345 *Phrases possibles :* a. nous l'annulons. b. je vous prie d'agréer l'expression de ma considération distinguée. c. son procès est différé de soixante jours. d. aucun constat n'a pu être effectué. e. il ne pourra assister aux cours cette semaine. f. ceux-ci ont décidé d'organiser une grève générale. g. je ne pourrai assister à la réunion des délégués départementaux. h. je vous prie d'agréer, Monsieur, l'expression de mes cordiales salutations.

346 c. roulant d. voyageant ... prenant f. travaillant h. fonctionnant

347 b. exploitant c. enseignant e. protestant h. gagnant

348 a. ... qui sont en même temps passionnantes et déstabilisantes. b. Sophie étant très fatiguée, ... c. ... en dérapant sur une plaque de verglas. d. ... c'est un fruit très nourrissant. e. Ayant déjà vu le film, ça ne l'intéresse pas ... f. ... en passant au bureau de poste. g. ... une forme éblouissante. h. Jacques, souffrant d'un ulcère à l'estomac, ne doit pas boire ...

Bilans

349 1. En sortant 2. constatant 3. changeant 4. prévoyante 5. En attendant 6. glissante 7. en roulant 8. en oubliant 9. clignotant 10. Voulant 11. étant glissante 12. voulant 13. disant 14. en arrivant 15. en vous arrêtant 16. en faisant 17. en circulant

350 1. Remontant 2. ayant 3. reconnaissant 4. en passant 5. éblouissant 6. discutant 7. en ... observant 8. saluant 9. remarquant 10. extravagant 11. Ayant 12. en courant 13. étonnant 14. demeurant

b. Pour ne pas être en retard, il faut partir avant 22 h 30.

→ *Vous ne serez pas en retard en partant avant 22h30*

c. Si vous voulez gagner beaucoup d'argent, il faut travailler dur.

→ *Vous gagnerez beaucoup d'argent en travaillant dur*

d. Ne prenez pas de risques : attachez votre ceinture de sécurité.

→ *Vous ne prendrez pas de risques en attachant votre ceinture de sécurité*

e. Pour garantir la démocratie : votez.

→ *Vous garantissez la démocratie en votant*

f. Afin de garder l'esprit toujours ouvert, lisez des romans.

→ *Gardez l'esprit en lisant des romans*

g. Pour entrer dans ce restaurant, passez par la porte du fond.

→ *Entrez dans ce restaurant en passant par la porte*

h. Si tu souhaites devenir écrivain, tu dois lire.

→ *Deviens écrivan en lisant*

337 **Complétez ces phrases selon votre imagination.**

> *Exemple :* En ayant **longtemps vécu en Provence**, Cézanne s'est imprégné de couleurs qui n'existent nulle part ailleurs.

a. Je serais heureux en ayant ....

b. En ayant ....
...., vous ne seriez pas au chômage aujourd'hui.

c. En ayant ....
.... , je serais multimillionnaire aujourd'hui.

d. En étant ....
.... , Franck a pu attraper le pot de confiture.

e. En étant ....
.... , quelques rares privilégiés ont pu échapper à la guerre.

f. En ayant ....
.... , Marie s'est condamnée à vivre dans le brouillard.

g. En étant ....
...., j'ai découvert qu'elle était mariée.

h. En ayant ....
.... , mes rosiers sont magnifiques cette année.

338 **Imaginez un début ou une fin pour chacune de ces phrases.**

> *Exemples :* En ayant parcouru tous ces kilomètres à vélo, **tu devrais être fatigué.**
>
> **En ayant donné ta démission**, tu ne peux prétendre à aucune indemnité de licenciement.

a. Il m'a témoigné sa confiance ....
....

b. Les Français ont permis au gouvernement de réduire une partie de la dette publique .....
....

c. En ayant revendu ces tableaux, ...
....
d. ....
...., tu devrais être un véritable érudit.
e. En ayant décidé de sous-traiter une partie de ses activités, ...
....
f. ....
...., on est en droit d'espérer de meilleurs résultats.
g. ....
...., tu as réussi à éveiller sa sensibilité.
h. ....
.... en ayant consulté le 3615 SNCF.

339 Complétez les phrases suivantes en mettant les verbes entre parenthèses au gérondif présent ou passé, selon ce que propose la consigne.

Exemple : Vous avez fait une bonne affaire **en ayant échangé** (échanger/*passé*) cette toile contre ces livres.

a. Tu t'es foulé la cheville .... (jouer/*présent*) au tennis.
b. Certains sportifs professionnels ne paient pas d'impôts .... (acquérir/*passé*) la nationalité monégasque.
c. J'ai renoncé à prendre la mer .... (écouter/*présent*) le bulletin de la météo marine.
d. Ravaillac a remis en cause la sécurité des protestants en France .... (assassiner/*passé*) Henri IV.
e. Cécile s'est fait de l'argent de poche .... (garder/*présent*) des enfants.
f. .... (peindre/*passé*) *Guernica*, Picasso a témoigné pour l'éternité de l'horreur de la guerre d'Espagne.
g. Nous avons retrouvé de vieux amis de lycée .... (faire les courses/*présent*) au supermarché.
h. Le commissaire Bourel, ... (résoudre/*passé*) cette énigme, s'était bâti une réputation de fin limier.

C. LE PARTICIPE PRÉSENT ET LE PARTICIPE PRÉSENT PASSÉ

340 Complétez les phrases par l'un de ces verbes en le mettant au participe présent : *offrir, regarder, porter, connaître, surplomber, brandir, faire, correspondre, concerner, parler*.

Exemple : J'ai choisi l'assurance **offrant** les meilleures garanties contre le vol.

a. J'ai acheté la maison .... le village.
b. L'homme .... les cent pas devant la bijouterie est le mari de Gertrude.
c. Quand tu viendras me voir, apporte-moi les dossiers .... les années 54 à 62.

d. Une personne .... au signalement communiqué par la presse a été vue ce matin devant l'école.

e. L'instituteur félicite les enfants .... leur récitation.

f. La jeune femme .... suédois et .... un tailleur vert est le nouveau directeur général du groupe.

g. Ne dérangez jamais un homme .... un match de football à la télévision.

h. Les syndicalistes remontaient le boulevard .... un calicot sur lequel était écrit : « Non aux privatisations ».

341 **Regroupez les éléments pouvant constituer une même phrase.**

a. L'architecte	étant nés	1. des pots-de-vin vient d'être condamné.
b. Les personnes	ayant touché	2. le jeune Marc a eu un accident.
c. Le philosophe	étant arrivés	3. ce film ont tous été emballés.
d. Le député	étant allés voir	4. à l'heure ont été félicités.
e. Le juge	ayant abandonné	5. le palais de justice vient de mourir.
f. Tous les enfants	ayant condamné	6. leur chien ont été retrouvées.
g. Les étudiants	ayant dessiné	7. le prix Nobel vient d'annoncer qu'il le refusait.
h. Les gens	ayant reçu	8. en fin d'année n'auront pas de place en crèche.

342 **Imaginez une conséquence pour terminer les phrases suivantes.**

Exemple : Guillaume n'ayant obtenu la moyenne ni en français ni en mathématiques ***a été recalé au baccalauréat***.

a. Julien n'ayant aucune famille, il a été impossible de ....

b. Les enfants n'ayant pas terminé leur dîner ....

c. Cette actrice n'ayant aucun talent ....

d. Le premier tour des élections ayant été annulé, ...

e. Cette décision ne semblant pas susciter ton enthousiasme, ...

f. Les chauffeurs de taxi faisant la grève, ...

g. Sylvie recevant de nombreux amis ce soir, ...

h. Les marins ayant découvert le continent américain ....

343 Reconstituez les phrases suivantes.

a. La loi condamnant les criminels de guerre

b. Les archéologues ayant abandonné leurs recherches

c. Les écrivains publiant dans cette collection

d. Les deux statues dominant l'entrée des Champs-Élysées

e. La vente des véhicules entraînant une pollution excessive

f. Les pays générant le plus de richesses industrielles

g. Le chien courant derrière la balle

h. La cigarette produisant des effets catastrophiques chez les jeunes

1. appartient à Olivier.

2. n'est pourtant pas interdite à la vente.

3. est appliquée depuis plusieurs années.

4. est actuellement interdite.

5. sont aussi ceux qui créent le plus de déchets dans le tiers-monde.

6. sont des copies.

7. sont tous des universitaires prestigieux.

8. sont tous retournés dans leurs pays respectifs.

344 Imaginez des phrases à partir des structures verbales qui vous sont proposées.

Exemple : ayant composé → *Le chanteur français ayant composé le plus de succès ces trente dernières années était Serge Gainsbourg.*

a. ayant soigné → ....

....

b. montant → ....

....

c. ayant apprécié → ....

....

d. ayant révélé → ....

....

e. participant → ....

....

f. refusant → ....

....

g. ayant visité → ....

....

h. ayant préparé → ....

....

345 Quelle conséquence pouvez-vous imaginer à chacun de ces extraits de courriers ou d'articles ?

Exemple : Étant sans nouvelles de vous depuis le 21 janvier, *nous nous voyons contraints d'annuler votre réservation*.

a. N'ayant pas reçu le chèque correspondant à la commande 20 237, ...

....

b. Comptant sur votre diligence, ...

....

c. Le prévenu ayant refusé de comparaître, ...

....

d. N'ayant pu entrer dans la maison, ...

....

e. Mon fils étant souffrant, ...

....

f. Le gouvernement ayant repoussé les conditions des syndicats, ...

....

g. Passant mon permis de conduire le 24 juin à 8 heures, ...

....

h. Vous souhaitant bonne réception, ...

....

346 **Distinguez l'adjectif verbal du participe présent en soulignant ce dernier.**

Exemples : J'ai reçu un coup de fil attristant.

Les enfants <u>mangeant</u> du fromage fortifient leurs os.

a. Je n'ai pas préparé de repas fin, juste un plat bien consistant.

b. La météo prévoit un brouillard persistant sur toute la région.

c. Les voitures roulant très vite devraient être interdites.

d. Une personne voyageant en train découvre mieux un pays qu'une autre prenant l'avion.

e. Mes parents trouvent mon nouveau style vestimentaire provocant.

f. Les architectes travaillant encore à la règle et au crayon se font de plus en plus rares.

g. Françoise est au régime pourtant elle trouve ce morceau de brie bien tentant.

h. René a trouvé dans une brocante une pendule fonctionnant parfaitement.

347 **Soulignez les participes présents.**

Exemples : Les étudiants <u>manifestant</u> depuis trois semaines ont été reçus par le ministre ce matin.

Les manifestants <u>étudiant</u> la proposition du ministre donneront leur réponse en fin de soirée.

a. Nous avons assisté au congrès et j'ai discuté avec un exploitant agricole.

b. Les agriculteurs exploitant de petites surfaces sont condamnés à disparaître.

c. Murielle enseignant depuis trente ans va bientôt prendre sa retraite.

d. Pascal a choisi la carrière d'enseignant.

e. Certains religieux, protestant contre la politique immobilière de la municipalité, ont été mis en garde à vue.

f. Henri de Navarre était protestant mais dut se convertir au catholicisme pour monter sur le trône de France.

g. On a dit de cet homme d'affaires que c'était un gagnant.

h. Certains industriels gagnant beaucoup d'argent soutiennent des partis politiques.

348 Transformez les phrases relatives ou circonstancielles en employant un participe présent, un gérondif ou un adjectif verbal. Attention aux modifications nécessaires.

> *Exemple :* Les enfants qui partent dans les Landes cet été nous ont demandé de leur acheter des planches de surf.
>
> → Les enfants **partant** dans les Landes cet été nous ont demandé de leur acheter des planches de surf.

a. J'adore Italo Calvino parce qu'il raconte toujours des histoires qui passionnent et désta-bilisent en même temps.

→ ....

b. Comme Sophie était très fatiguée, elle a décidé de ne pas sortir avec nous.

→ ....

c. La voiture a quitté la route quand elle a dérapé sur une plaque de verglas.

→ ....

d. Chaque matin, Nadine mange une banane ; c'est un fruit qui nourrit beaucoup.

→ ....

e. Il a déjà vu le film, alors ça ne l'intéresse pas de retourner le voir ce soir avec nous.

→ ....

f. Mon père a croisé Antoine Doinel lorsqu'il est passé au bureau de poste.

→ ....

g. Nous trouvons que, en ce moment, tu es dans une forme qui éblouit.

→ ....

h. Jacques qui souffre d'un ulcère à l'estomac ne doit pas boire de café.

→ ....

Bilans

349 Mettez ces verbes à la forme qui convient.

Au service des urgences d'un hôpital :

– Alors, madame, comment cela vous est-il arrivé ?

*– (Sortir) .... **(1)** de chez moi, pour aller à mon bureau comme chaque matin, j'ai regardé le ciel et (constater) .... **(2)** qu'il ne pleuvait pas, j'ai pris ma moto. Mais au bout d'un quart d'heure, vous savez comme le temps peut être (changer) .... **(3)** au printemps, un orage violent a éclaté et la pluie s'est mise à tomber. Très (prévoir) .... **(4)** de nature, je me suis immédiatement abritée et j'ai attendu que la pluie cesse. (Attendre) .... **(5)**, j'ai enfilé un imperméable et je suis repartie. Comme la chaussée était (glisser) .... **(6)**, je me suis dit qu' (rouler) .... **(7)** doucement, j'arriverais sans ennui. Malheu-reusement, à un carrefour, un automobiliste a voulu tourner à droite juste devant moi, bien*

sûr (oublier) .... **(8)** *de mettre son feu (clignoter)* .... **(9)**. *(Vouloir)* .... **(10)** *éviter ce véhicule, j'ai freiné et la chaussée (glisser)* .... **(11)**, *je suis tombée. Un piéton (vouloir)* .... **(12)** *m'aider a essayé de relever ma moto mais un policier l'a interrompu, lui (dire)* .... **(13)** *qu'il ne fallait jamais toucher un accidenté. Il a appelé les pompiers qui (arriver)* .... **(14)** *m'ont aussitôt emmenée aux urgences.*

– Je pense que votre cheville est légèrement foulée ; (s'arrêter) .... **(15)** *quelques jours et (faire)* .... **(16)** *quelques séances de massage, vous irez beaucoup mieux. Mais sachez qu' (circuler)* .... **(17)** *à moto, vous prenez des risques !*

350 **Complétez ce texte en utilisant les éléments de cette liste :** *discutant, ayant, demeurant, en passant, en courant, saluant, remontant, reconnaissant, Ayant, remarquant, extravagant, éblouissant, en ... observant, étonnant.*

Hier, j'avais rendez-vous à 16 heures chez le coiffeur. .... **(1)** *à travers la foule du boulevard, je me sentis frôlé par un être mystérieux que je reconnus tout de suite, bien que ne l'*........................ **(2)** *jamais vu avant. Lui-même me* .... **(3)**, *me fit* .... **(4)** *un clignement d'œil significatif auquel je me suis hâté d'obéir. Je le suivis et descendis derrière lui dans une demeure souterraine d'un luxe* .... **(5)**. *Il y avait là des visages étranges d'hommes et de femmes* .... **(6)** *les uns avec les autres. Il me sembla,* .... *les* .... **(7)** *attentivement, en reconnaître certains que j'avais dû croiser dans des temps reculés. Quelques-uns, me* .... **(8)**, *me faisaient des sourires amicaux, d'autres, ne* .... **(9)** *pas ma présence, restaient indifférents. Aucun ne paraissait hostile. Bref, tout cela était très* .... **(10)** *mais je me sentais presque chez moi.* .... **(11)** *soudain réalisé que j'allais être en retard à mon rendez-vous, j'ai décidé de sortir* .... **(12)** *de cet endroit* .... **(13)**, *quitte à y revenir une autre fois. C'est au contact du marbre froid d'une porte* .... **(14)** *obstinément close que je compris que j'étais dans mon lieu de résidence définitif : le premier sous-sol du cimetière du Père-Lachaise.*

XIV. LA SITUATION DANS LE TEMPS

Il faut tourner sept fois sa langue dans sa bouche avant de parler.

A. LES REPÈRES TEMPORELS : DÉTERMINANTS ET PRÉPOSITIONS

351 Complétez par un déterminant lorsque c'est nécessaire.

> *Exemples :* **L'**année dernière, l'été a été particulièrement chaud.
>
> J'ai déjeuné avec ta sœur ... lundi dernier.

a. Pour ...... Pâques, ils sont partis sur la côte basque.

b. ...... vendredi soir, nous avons invité les Piquart.

c. Pour ...... pont de ...... Ascension, il y a toujours beaucoup de monde sur les routes.

d. ...... jour de ...... Toussaint, les Français se rendent traditionnellement au cimetière.

e. Tu es libre ...... mardi prochain ? – Non, ... mardi soir, je prends toujours des cours de natation.

f. ...... 1995 fut ...... année exceptionnelle pour la chaleur.

g. Nous avons passé ...... semaine au Québec, ... première semaine de ...... mai.

h. Pendant ...... nuit de ...... Saint-Jean, on allumait un grand feu dans les villages.

352 Utilisez les prépositions *à, au, en, de* lorsque c'est nécessaire.

> *Exemple :* **De** mars **à** juin, c'est le printemps.

a. ...... juin arrive la saison des fruits rouges.

b. ...... mois d'octobre, de nombreux étudiants entrent à l'université.

c. Les températures sont les plus basses en France ...... janvier et ...... février.

d. C'est ...... printemps que la campagne est la plus belle.

e. Les estivants prennent leurs vacances ...... juin ...... septembre.

f. La saison de la pêche est ouverte ...... mois d'avril.

g. On pratique les sports d'hiver en France, à partir ...... décembre.

h. Les agriculteurs travaillent beaucoup ...... été.

353 Faites des phrases à partir des éléments suivants. Employez *en, au, sur* ou *dans*.

> *Exemple :* François Mitterrand est mort – janvier 1995.
>
> → François Mitterrand est mort **en** janvier 1995.

a. Les prix de l'immobilier ont baissé – les années 90.

→ ....

b. Certaines stations-service sont ouvertes sept jours – sept.

→ ....

c. Ils devraient passer – la matinée.

→ ....

d. La rentrée universitaire s'effectue – automne.

→ ....

e. Le commerce marche généralement bien – décembre.

→ ....

f. Le taux de chômage a baissé – 2000.

→ ....

g. Les jours fériés sont très nombreux – mois de mai.

→ ....

h. Les étudiants prennent souvent un petit emploi – l'été.

→ ....

354 **Exprimer la durée. Complétez les phrases suivantes par** *en, dans* **ou** *sur.*

Exemple : Il aura terminé sa licence d'espagnol ***dans*** quatre mois.

a. Jeanne a fait le tour de l'Inde .... trois semaines.

b. L'avion pour Hong-Kong décollera .... une demi-heure.

c. Nous avons pris un emprunt .... dix ans.

d. Le service des urgences est ouvert vingt-quatre heures .... vingt-quatre.

e. On propose des stages de conduite .... quatre semaines.

f. Il a obtenu son diplôme de bibliothécaire .... trois ans.

g. La nouvelle campagne de publicité est programmée .... six mois.

h. Nicolas a lu ce roman de Maurice Leblanc .... quelques heures.

355 **Faites des phrases au futur à partir des éléments donnés ; employez** *dans* **ou** *avant* **(parfois plusieurs possibilités).**

Exemples : recevoir le programme – quelques jours

→ ***Vous recevrez le programme dans quelques jours.***

rapporter les dossiers d'inscription – fin juin

→ ***Vous rapporterez les dossiers d'inscription avant la fin juin.***

a. rappeler – 14 heures

→ ....

b. répondre – une semaine

→ ....

c. envoyer une réponse – rentrée septembre

→ ....

d. déposer candidature – mi-mars

→ ....

e. retirer fiche d'inscription – début octobre

→ ....

f. obtenir réponse – deux mois

→ ....

g. avoir rendez-vous – fin trimestre prochain

→ ....

h. donner réponse définitive – six semaines

→ ....

---

356 **Assemblez les éléments pour en faire des phrases (parfois plusieurs possibilités).**

Vous serez convoqué :

a. début   1. décembre.

b. en ———————————————→ 2. automne.

c. au   3. 3 avril.

d. à la   4. l'été.

e. Ø   5. fin juin.

f. le   6. printemps.

g. après   7. Noël.

h. dans   8. un mois.

i. avant   9. 14 h 30.

j. à   10. mi-mars.

                               11. fin de la semaine prochaine.

---

357 **Retrouvez le sens voisin de l'expression soulignée.**

   Exemple : <u>À mesure que</u> la journée avançait, le froid se faisait plus intense.

         1. ☐ Dans la mesure où   **2.** ☒ En même temps que   **3.** ☐ À peine

a. Il se mit à neiger <u>dès que</u> la nuit fut tombée.

   1. ☐ tant que   **2.** ☐ jusqu'à ce que   **3.** ☐ aussitôt que

b. Ils ont chanté <u>jusqu'à ce que</u> le jour se soit levé.

   1. ☐ dès que   **2.** ☐ avant que   **3.** ☐ une fois que

c. <u>Au cours de</u> cette année-là, elle avait connu de nombreux revers de fortune.

   1. ☐ Pendant   **2.** ☐ À partir de   **3.** ☐ Au bout de

d. <u>Sitôt</u> leur café avalé, ils enfilèrent leur manteau et partirent.

   1. ☐ Avant   **2.** ☐ Une fois   **3.** ☐ Dès

e. Nous avons vécu <u>près de</u> dix ans dans la région.

   1. ☐ pour   **2.** ☐ durant   **3.** ☐ environ

 f. <u>Au fur et à mesure qu'elle grandissait</u>, sa beauté devenait éblouissante.

   1. ☐ En grandissant   **2.** ☐ Chaque fois qu'elle grandissait   **3.** ☐ Aussitôt qu'elle grandissait

g. <u>Dès</u> sa vingtième année, elle entra au couvent.

   1. ☐ Vers   **2.** ☐ À partir de   **3.** ☐ Au cours de

h. Elle y resta <u>jusqu'à</u> la fin de ses jours.

   1. ☐ pour   **2.** ☐ durant   **3.** ☐ vers

358 Trouvez un sens voisin de l'expression soulignée.

> *Exemple :* Il pleut <u>en ce moment</u> sur la Côte d'Azur.
>
> **1.** □ à ce moment-là   **2.** ☒ actuellement   **3.** □ de nos jours

a. <u>Tout à coup</u>, un violent orage éclata.

    1. □ Subitement   **2.** □ D'un seul coup   **3.** □ Auparavant

b. <u>Dès que</u> le dessert fut servi, elle prit la parole.

    1. □ Lorsque   **2.** □ Après que   **3.** □ Aussitôt que

c. Vous recevrez votre convocation <u>dans les</u> huit jours.

    1. □ d'ici   **2.** □ après   **3.** □ en

d. En marchant vite <u>durant</u> quinze minutes, on peut aller de la Concorde à l'Odéon.

    1. □ dans   **2.** □ avant   **3.** □ pendant

e. Ils partiront <u>pour</u> six mois au Venezuela.

    1. □ pendant   **2.** □ dans   **3.** □ avant

f. <u>Jadis</u>, les gens voyageaient moins.

    1. □ Autrefois   **2.** □ De nos jours   **3.** □ Naguère

g. Les cours reprendront <u>dès</u> la semaine prochaine.

    1. □ avant   **2.** □ après   **3.** □ à partir de

h. <u>Par les temps qui courent</u>, il vaut mieux économiser pour ses vieux jours.

    1. □ Actuellement   **2.** □ Ces derniers temps   **3.** □ Avec le temps

B. LA DURÉE

359 Rayez ce qui ne convient pas.

> *Exemple :* Aujourd'hui, il a fait (~~un jour~~/une journée) magnifique.

a. Le samedi (matin/matinée), les écoles primaires sont ouvertes.

b. Yves entre (cet an/cette année) en apprentissage chez un décorateur.

c. Antoine aura 12 (ans/années) en avril prochain.

d. Leur fille est admise en deuxième (an/année) de médecine.

e. (Ce soir/Cette soirée), aimeriez-vous faire une partie de cartes ?

f. Il n'a pas cessé de pleuvoir (du matin/de la matinée).

g. Ont-ils passé (le soir/la soirée) chez leurs enfants ?

h. (Ces derniers jours/Ces dernières journées), il a fait très doux pour la saison.

360 **Assemblez les éléments pour en faire des phrases.**

a. Nous passerons
b. Ça fait trois
c. Léo a dansé une grande partie
d. Nous avons rendez-vous lundi
e. Je vais au cinéma au moins
f. Il fait très beau
g. Elle n'est pas sortie depuis
h. Dimanche, on est resté enfermé la moitié

1. ans que ton père est mort ?
2. ce matin, tu ne trouves pas ?
3. un soir par semaine.
4. de la journée.
5. trois jours.
6. toute l'année 2002 en Belgique.
7. de la soirée.
8. matin à 10 h 30.

361 **Exprimer la durée avec** *depuis, il y a, ça fait*. **Mettez les verbes au présent ou au passé composé.**

Exemple : Sophie est partie vivre aux États-Unis l'année de ses 20 ans ; ça fait maintenant trois ans qu'elle y **habite** (habiter).

a. Alain était mon copain au lycée ; on .... (ne pas se revoir) depuis douze ans.

b. Depuis que tu .... (comprendre) comment marchait le magnétoscope, tu l'utilises souvent.

c. Il y a six mois que son père est malade ; depuis le début de sa maladie, il .... (ne plus boire) une goutte d'alcool.

d. Depuis qu'on .... (déménager), on n'a plus de nouvelles de nos cousins.

e. Il y a quinze ans que vous .... (jouer) au tennis ? Alors vous devez avoir un excellent niveau !

f. Ça fait seulement une semaine que je .... (travailler) ici et je ne connais pas encore tous les employés.

g. Depuis qu'il .... (arrêter) de fumer, Jean-Marc se sent beaucoup mieux.

h. Ça fait des années qu'on .... (ne plus se parler) et je le regrette.

362 **Répondez aux questions suivantes en employant** *depuis, il y a... que* **ou** *ça fait... que*.

Exemple : Vous n'avez pas reçu de nouvelles de Damien depuis longtemps ?
→ *Non, ça fait une semaine qu'il ne m'a pas écrit.*
→ *Non, il y a une semaine qu'il ne m'a pas écrit.*
→ *Non, il ne m'a pas écrit depuis Pâques.*
→ *Non, il ne m'a pas écrit depuis une semaine.*

a. Il y a longtemps que tu t'es inscrite à ce cours de dessin ?
→ ....

b. Vous jouez au bridge. Ça fait longtemps ?
→ ....

c. Anne étudie le japonais. Depuis quand ?
→ ....

d. Je ne savais pas que vous faisiez de la voile. C'est nouveau ?
→ ....

e. Comme il a changé ! Il marche depuis combien de jours ?

→ ....

f. Tu t'es fait couper les cheveux. C'est récent ?

→ ....

g. Elle suit un régime. De quand ça date ?

→ ....

h. Vous faites du sport régulièrement. C'est nouveau ?

→ ....

C. LA PÉRIODICITÉ

363 Exprimer la périodicité. Répondez aux questions suivantes par une opposition (parfois plusieurs réponses possibles).

Exemple : Allez-vous souvent au concert ?

→ *Non, je n'y vais jamais.*

a. Assistez-vous parfois à la messe le dimanche ?

→ ....

b. Avez-vous déjà utilisé ce nouveau logiciel ?

→ ....

c. Prenez-vous souvent l'avion ?

→ ....

d. Avez-vous lu récemment les journaux ?

→ ....

e. Visitez-vous de temps en temps des expositions ?

→ ....

f. Faites-vous encore des études ?

→ ....

g. Vous arrive-t-il de vous asseoir à la terrasse d'un café ?

→ ....

h. D'habitude, écoutez-vous les informations à la radio ?

→ ....

364 Exprimer la régularité. Faites des phrases avec *chaque, tou(te)s* ou *le*.

Exemple : La relève de la garde républicaine se fait à 8 heures, à midi et à 16 heures.

→ La relève de la garde républicaine se fait *toutes les quatre heures*.

a. Ce magazine paraît jeudi, comme d'habitude.

→ ....

b. Lundi et mardi, la piscine accueille les groupes scolaires.

→ ....

c. On mange du poisson vendredi.

→ ....

d. Les employés reçoivent leur salaire à la fin du mois.

→ ....

e. On a ravalé l'immeuble en 1986 et en 1996. Le prochain ravalement aura lieu en 2006.

→ ....

f. On lui fait une piqûre trois fois par semaine : lundi, mercredi et vendredi.

→ ....

g. Jacqueline va régulièrement à la salle de gymnastique, le samedi matin.

→ ....

h. L'autobus scolaire passe devant la porte à 8 heures du matin invariablement.

→ ....

365 **Commentez ces phrases en employant des adverbes de fréquence :** *toujours, (peu)*
(assez) (très) souvent, fréquemment, régulièrement, (très) rarement, de temps en temps,
parfois, occasionnellement, peu **ou** *ne... jamais* **(parfois plusieurs possibilités).**

> **Exemple :** Le lundi, on joue au basket.
>
> → On joue **régulièrement** au basket.

a. Nous allons au cinéma une ou deux fois par mois.

→ ....

b. Je n'ai pas encore assisté à un spectacle à l'Opéra-Bastille.

→ ....

c. Claire a un abonnement au Théâtre de la Ville.

→ ....

d. Il lui arrive de visiter une exposition de peinture, peut-être une fois par an.

→ ....

e. Cette pompe à essence est ouverte 24 heures sur 24.

→ ....

f. Vous dînez au restaurant trois fois par semaine !

→ ....

g. Je ne suis allé qu'une seule fois dans ma vie dans une salle de concert.

→ ....

h. Ils font quelques parties de tennis dans l'année.

→ ....

D. L'ANTÉRIORITÉ

366 *Avant* ou *après*. **Rayez ce qui ne convient pas.**

> **Exemple :** (~~Avant~~/Après) que tu auras éteint la lumière, je pourrai peut-être dormir.

a. Michel sera parti en forêt (avant/après) que nous arrivions.

b. Leurs amis avaient trouvé un hôtel (avant/après) que Marie leur ait proposé de dormir chez
elle.

c. La pluie aura cessé (avant/après) que vous ne repreniez la route.

d. Ils sont allés se coucher (avant/après) que tu leur as raconté la fin de cette histoire.

e. J'ai appris la nouvelle de ton mariage (avant/après) que tu ne m'envoies le faire-part.

f. (Avant/Après) que Jean aura terminé ses études, il fera un stage chez Thomson.

g. Il a quitté la table (avant/après) que le café a été servi.

h. On a décidé de déménager (avant/après) que les travaux ne soient achevés.

367 **Réécrivez les phrases suivantes en employant des infinitifs présents ou passés.**

Exemples : Après qu'il a été admis à HEC*, Paul s'est senti soulagé.

→ ***Après avoir été admis*** à HEC, Paul s'est senti soulagé.

J'ai acheté cette voiture avant que je parte en province.

→ J'ai acheté cette voiture ***avant de partir*** en province.

a. Avant que tu passes cet entretien, relis tes notes.

→ ....

b. J'ai rencontré mon mari après que j'ai fini mes études.

→ ....

c. On a changé d'avis après qu'on a lu ce livre.

→ ....

d. Avant que tu ne mettes le contact, vérifie le niveau d'huile.

→ ....

e. Il avait déjà les pieds trempés avant qu'il n'ait mis ses bottes.

→ ....

f. Tu ne prendras le dessert qu'après que tu auras terminé ton assiette de poisson !

→ ....

g. Nous avons mieux compris son attitude après que nous avons fini la lecture de sa lettre.

→ ....

h. Avant que vous ne veniez, surtout prévenez-nous !

→ ....

368 **Réduisez ces phrases selon le modèle. Employez** *lors de, sitôt, pendant, dès* **ou** *une fois*
suivi d'un nom ou d'une proposition participiale.

Exemple : Aussitôt que la voiture aura été réparée, ils reprendront la route.

→ ***Sitôt la voiture réparée***, ils reprendront la route.

a. Tes parents sont passés pendant que tu dormais.

→ ....

b. Une fois qu'ils ont connu les résultats, ils sont allés faire la fête.

→ ....

c. Ta secrétaire a appelé pendant que tu t'étais absenté.

→ ....

d. Dès que le film sera fini, vous irez vous coucher.

→ ....

e. Lorsque tu visiteras Notre-Dame, n'oublie pas d'admirer la vue sur Paris.

→ ....

---

* HEC : Hautes Études Commerciales.

f. Dès que les enfants ont été rentrés de l'école, ils ont commencé à se disputer.

→ ....

g. Ton mari a changé d'attitude aussitôt qu'il a eu terminé la lecture de ta lettre d'adieu.

→ ....

h. Lorsque vous êtes passés en Bretagne, vous auriez pu nous rendre visite.

→ ....

369 | **Complétez les phrases suivantes.**

Exemple : Louis s'est mis au travail aussitôt qu'**il est arrivé chez lui**.

a. Tu téléphoneras à tes parents dès ....
....

b. Nous commanderons nos plats avant que ....
....

c. Dès ....
.... , ils se sont compris.

d. Nous avons décidé d'avoir un enfant avant que ....
....

e. Pendant que ....
.... , elle a fait la sieste.

f. On est sorti sitôt ....
....

g. Avant d' ....
.... , je dormais déjà.

h. Je suis certaine qu'elle vous approuvera dès que ....
....

Bilans

370 | **Complétez ce dialogue par** *par, d'ici, au début, ça fait, sur, dès, tout à coup,*
durant, en, pendant, à partir, dès que, depuis, entre, au bout de **ou** *après* **et faites**
les choix nécessaires.

Entretien d'admission dans une école de stylisme :

– Mademoiselle, votre CV a retenu toute mon attention mais pouvez-vous me
préciser ce que vous avez fait .... (1) les trois (ans/années) (2) qui se sont
(écoulés/écoulées) (3), ... (4) 1995 et 1998 ?

– Eh bien voilà : .... (5) avoir obtenu mon bac, je suis partie au pair en
Angleterre. J'ai pris des cours cinq heures .... (6) semaine et
.... (7) six mois ; ainsi je parlais assez bien anglais pour m'inscrire dans
une école de gestion à Londres. Mes études ont très bien marché puisque ....
(8) un an, j'ai obtenu mon diplôme de premier degré de gestion.

– Et ensuite, qu'avez-vous fait ?

– Comme j'en avais assez d'être fille au pair, j'ai pris un studio mais ....
...... (9) le premier mois, j'ai compris que je n'y arriverais pas financièrement. Alors j'ai
emprunté de l'argent, un emprunt .... (10) cinq ans pour continuer mes
études.

– Et vous étudiiez la gestion .... (11) un an quand vous avez voulu
changer d'orientation ?

– C'est vrai, mais en fait, ... (12) du moment où j'ai commencé mes
études de gestion, j'ai su que ça ne me correspondait pas. En fait, j'ai toujours aimé le
dessin et la mode. .... (13) j'ai eu une dizaine d'années et ....
...... (14) toute mon adolescence, je passais mes (soirs/soirées) (15) à dessiner des
modèles. Alors, en mars 1997, j'ai eu beaucoup de chance car j'ai trouvé par hasard un
poste de stagiaire chez un créateur. .... (16), j'étais enchantée. J'y ai
travaillé avec plaisir et .... (17) j'ai voulu rentrer en France pour suivre les
cours dans votre école de stylisme. Voilà, mais .... (18) déjà longtemps
que je travaille dans ce domaine alors j'ai de bonnes connaissances pour entrer en
deuxième année !

– Je vous remercie mademoiselle, nous allons étudier votre candidature et vous
recevrez notre décision par écrit .... (19) deux mois.

371 **Rayez ce qui ne convient pas dans ce texte.**

(Il y a/Depuis) (1) quelques années, on a organisé une collecte de fonds au profit
d'une œuvre humanitaire. (Après/Après avoir/Après que) (2) l'argent a été donné, on
devait attribuer une récompense à l'agglomération dont le plus grand nombre d'habi-
tants (a répondu/aurait répondu/avait répondu) (3) à cette quête. (Avant/Avant de/Avant
que) (4) le début de cette opération, la récompense avait été arrêtée : il s'agissait d'une
fontaine monumentale, offerte par l'association et un mécène. (Sitôt/Aussitôt que/Dès
que) (5) la collecte terminée, on a procédé à l'analyse des dons et c'est un petit village
de Normandie qui a gagné le prix. En effet, trois cent cinquante-six habitants sur les
quatre cents qui vivaient dans le village (ont contribué/auraient contribué/avaient
contribué) (6) à la collecte.

Le conseil municipal a dû se réunir pour discuter de l'installation de cette fontaine
prévue pour (l'an suivant/l'année suivante) (7) : allait-on déplacer l'école, le bureau de
poste ou la mairie ? Car (lorsque/dès que/lors de) (8) la définition de la récompense,
personne (n'a imaginé/n'imaginait/n'avait imaginé) (9) qu'un aussi petit village pourrait
la remporter.

Aujourd'hui, la fontaine monumentale se dresse à l'emplacement de l'ancienne école
qui (avant/il y a/pendant) (10) deux ans a été reconstruite à l'entrée du village. Et (ça fait/
depuis/au bout de) (11) quatre ans que les contribuables se plaignent de payer trop
d'impôts locaux pour couvrir les dépenses exorbitantes en eau et en électricité
occasionnées par cette fontaine.

XV. LA CONSÉQUENCE

Comme on fait son lit, on se couche.

 Soulignez les mots introduisant la conséquence.

Exemple : Dominique s'est mis au travail <u>si bien qu'</u>il a terminé sa page d'exercices.

a. Nous finirons nos études ainsi aurons-nous plus de chances de trouver un emploi.

b. Sandrine a tant de charme qu'elle obtient tout ce qu'elle veut de ses amis.

c. Les bagages sont dans la voiture de sorte que nous pouvons partir.

d. Nicolas est parti en Angleterre, c'est pourquoi vous ne le verrez pas.

e. Jean se conduit très mal au point qu'il n'est plus invité nulle part.

f. Valentin est assez intelligent pour ne pas nous en vouloir.

g. Est-ce si important que ça ne puisse pas attendre la fin de la semaine ?

h. Nos enfants sont en vacances, aussi pouvons-nous sortir tous les soirs.

 Distinguez la cause de la conséquence. Soulignez les éléments indiquant la consé-quence.

Exemple : <u>Thierry ne viendra pas</u> puisque vous ne l'avez pas invité.

a. Nous allons au théâtre car nous avons reçu deux invitations pour *L'Homme difficile*.

b. Étant très enrhumé depuis deux jours, Philippe a gardé la chambre.

c. Les pluies de ces derniers jours ont provoqué de gros dégâts.

d. Alice était vraiment émue, au point d'essuyer quelques larmes.

e. Laurent n'aime pas beaucoup écrire ; Pauline reçoit donc peu de nouvelles de lui.

f. Ses petites-filles vivent à la Réunion, aussi ne les voit-elle pas grandir.

g. M. Leroux s'est fâché à cause de vos remarques.

h. Sans votre aide, je n'y serais jamais arrivée.

374 **Distinguez la conséquence du but. Soulignez les phrases exprimant une conséquence.**

Exemples : Mathieu a travaillé toutes les vacances afin de se payer une moto.

<u>Sa famille habite à quelques kilomètres de sorte qu'ils se voient souvent.</u>

a. Je perfectionne mon anglais en vue de mon prochain départ pour Boston.

b. Tu as bu trop de café pour avoir sommeil.

c. Elle a loué une voiture pour la semaine de manière à rester indépendante.

d. Il vous a rendu ce qu'il vous devait ; dès lors, vous êtes quittes.

e. Il suffit que tu le décides pour que nous fassions ce voyage.

f. Il est trop tard pour sortir.

g. Je me suis habillée de façon à être à mon aise.

h. Elles ont tant de soucis qu'elles ne dorment plus.

375 Reliez les phrases suivantes.

a. La galerie Matisse était ouverte.   1. alors on a passé une bonne soirée.

b. Je n'avais pas faim.   2. Je suis donc allé la rejoindre.

c. On a vu un beau film   3. On l'a donc visitée.

d. Frédéric a raconté ses mésaventures en Afrique.   4. alors nous n'aurons pas à faire la queue.

e. Leur loyer est trop cher   5. Vous n'avez donc pas vu le début du spectacle.

f. Anne m'a demandé d'aller la voir.   6. Je me suis donc mis directement au lit.

g. J'ai réservé nos places d'entrée pour l'exposition au Grand Palais   7. alors ils cherchent un autre appartement.

h. Vous êtes arrivés dix minutes en retard.   8. Nous avons donc beaucoup ri.

376 Exprimer la conséquence. Terminez ces phrases en employant des verbes à l'indicatif.

Exemple : Il a commencé à faire nuit, aussi ***avons-nous regagné la maison d'un pas rapide***.

a. Comme tu ne connais pas les romans de Nathalie Sarraute, ...
....

b. À la fin de la soirée, nous avons eu envie de revoir Jean-Marc et Jacqueline, ainsi ....
....

c. Il n'avait plus de travail, plus d'amis, par conséquent ....
....

d. Tu n'as pas encore vu le dernier film d'Agnès Jaoui, *Le Goût des autres*, ...
.... donc ....

e. Elle avait déposé une liste de cadeaux de mariage dans un magasin prestigieux, par conséquent ....

f. J'étais un peu triste hier soir alors ....
....

g. Fanny s'est fait une entorse à la cheville, c'est pourquoi ....
....

h. Tu te plains souvent qu'on ne fasse jamais rien le week-end, ...
.... donc ....

377 Complétez les phrases suivantes par *de* ou *d'* si nécessaire.

Exemples : Ils ont tant ***d'***amis qu'ils ne peuvent pas tous les inviter.
Vous courez tellement ... vite que j'abandonne l'idée de vous suivre.

a. Il y a tant ...... choses à faire dans Paris que nous serons heureux d'y revenir.

b. Comment se fait-il que vous ayez tant ...... ennuis ?

c. Nous avions tellement ...... soif que nous avons vidé la bouteille d'eau.

d. Il y a tellement ...... fleurs dans la serre que leur parfum me monte à la tête.

e. Nous avons tant ...... marché que nous avons des ampoules aux pieds.

f. La file d'attente était tellement ...... longue qu'ils ont décidé de voir un autre film.

g. Cet homme a tellement ...... esprit qu'on en oublie sa laideur.

h. Le voyage a duré tant ...... jours que j'ai perdu le fil du temps.

378 **Reformulez ces phrases en employant** *tant (de)... que* **ou** *si... que*.

Exemples : Tu grandis beaucoup, plus rien ne te va.

→ Tu grandis **tant que** plus rien ne te va.

Elle roulait très vite ; elle n'a pas pu freiner.

→ Elle roulait **si** vite **qu'**elle n'a pas pu freiner.

a. Ma sœur a mangé beaucoup de chocolats ; elle a le foie malade.

→ ....

b. Julien est très bavard ; j'ai du mal à le supporter.

→ ....

c. La tour Montparnasse est très haute ; personne n'y monte à pied.

→ ....

d. Beaucoup d'automobilistes empruntent le boulevard périphérique ; la circulation y est difficile.

→ ....

e. Sa mère a beaucoup vieilli ; j'ai failli ne pas la reconnaître.

→ ....

f. Ils étaient très pressés ; ils n'ont même pas pris le temps de s'asseoir.

→ ....

g. Beaucoup de gens sont malheureux ; on n'a pas le droit de se plaindre.

→ ....

h. Elles ont parlé très longtemps ; elles n'ont pas vu le temps passer.

→ ....

379 **Complétez les expressions suivantes par** *tellement* **ou** *tellement de*.

Exemple : Michel a **tellement de** cordes à son arc qu'il sait tout faire.

a. Il se casse .... la tête qu'il ne peut plus fermer l'œil.

b. Elle a .... veine que tout lui réussit.

c. Elle a les nerfs .... à vif qu'on ne peut rien lui dire.

d. Il est .... rapide que rien ne lui échappe.

e. Elle a .... qualités qu'elle met tout le monde dans sa poche.

f. Il a le bras .... long qu'il obtient tout ce qu'il désire.

g. Elle a .... tours dans son sac qu'elle ne risque pas d'être prise au dépourvu.

h. Il a .... bagout qu'on lui ferait vendre n'importe quoi.

380 **Rayez ce qui ne convient pas.**

Exemple : La Bibliothèque nationale renfermait une (~~tel~~/telle/~~tels~~/~~telles~~) quantité de livres et un public (tel/~~telle~~//~~tels~~/~~telles~~) que la Grande Bibliothèque a été créée.

a. La foule était (tel/telle/tels/telles) sur les Champs-Élysées le soir de la Coupe du monde de football que l'on ne pouvait pas bouger.

b. Les températures ont atteint un (tel/telle/tels/telles) niveau qu'on se croirait en plein été.

c. Les touristes sont (tel/telle/tels/telles) qu'ils se promènent en short dans Paris.

d. La réputation de ces statues est (tel/telle/tels/telles) que tous les médias en ont parlé.

e. Il y a un (tel/telle/tels/telles) échantillonnage de sculptures qu'on peut admirer des œuvres de Rodin, César, Léger, Maillol et d'autres artistes.

f. Il y a une (tel/telle/tels/telles) diversité artistique dans la capitale qu'il n'est pas nécessaire d'entrer dans un musée pour l'apprécier.

g. On découvre un (tel/telle/tels/telles) nombre de fontaines, de statues et de façades ouvragées que Paris est une véritable ville-musée.

h. Les centres d'intérêt sont (tel/telle/tels/telles) qu'on trouve toujours une activité à Paris.

381 | **Reliez les phrases suivantes.**

a. Nous avions du temps devant nous,

b. Le musée de Cluny était fermé.

c. Il s'est mis à pleuvoir,

d. De beaux livres étaient présentés en vitrine

e. Nous étions libres comme l'air,

f. Elle devait l'attendre deux heures.

g. On avait une telle faim

h. Le Panthéon lui a semblé si imposant

1. au point qu'il a dû se réfugier dans un café.

2. alors nous avons décidé de remonter le boulevard Saint-Germain.

3. qu'elle a eu envie de le visiter.

4. C'est la raison pour laquelle elle a décidé d'aller voir *Beaumarchais l'insolent*.

5. de sorte que je suis entrée dans cette grande librairie.

6. ce qui explique que nous avons passé l'après-midi dans les jardins du Luxembourg.

7. Par conséquent, elle a fait quelques achats dans le quartier.

8. qu'on a commandé deux sandwichs chacun.

382 | Terminez ces phrases.

Exemples : Ne pas stationner sous peine d'**enlèvement**.

Leur fils avait trop peu préparé son exposé pour **obtenir une bonne appréciation**.

a. Le président a réorganisé la société. Il en résulte ....

b. Nous n'avions pas assez d'argent, de sorte que ....

c. L'amélioration du réseau routier est remarquable, d'où ....

d. Le nombre des automobilistes s'est accru de façon assez sensible pour ....
....

e. L'été, la pollution augmente de manière que ....

f. La consommation d'alcool est interdite aux mineurs sous peine de ....
....

g. Certaines rues étroites ont été fermées à la circulation ; il en résulte ....
....

h. La mairie a pris des mesures importantes concernant le stationnement au point de ....
....

383 Simplifiez ces phrases en employant l'infinitif lorsque c'est possible.

Exemples : Le musée du Louvre est trop grand pour que tu puisses le visiter dans la journée. → *impossible*

Guillaume est assez sensible pour qu'il s'intéresse à la peinture.

→ Guillaume est assez sensible pour *s'intéresser* à la peinture.

Il fait trop froid pour qu'on sorte.

→ Il fait trop froid pour *sortir*.

a. Sa grand-mère est trop âgée pour qu'elle vive seule.

→ ....

b. Cette bâtisse me semble trop endommagée pour que vous puissiez la restaurer.

→ ....

c. Elle est trop polie pour qu'elle soit honnête.

→ ....

d. Ces étudiants ne sont pas assez sérieux pour que vous leur demandiez de suivre vos cours régulièrement.

→ ....

e. Ce film est trop ancien pour que la critique en parle.

→ ....

f. Ces photos me paraissent trop récentes pour qu'elles soient de vos enfants.

→ ....

g. Il n'est pas trop tard pour qu'on l'appelle.

→ ....

h. Ce serait trop beau pour que ce soit vrai.

→ ....

384 Complétez les phrases suivantes en employant l'indicatif ou le subjonctif.

Exemples : Il fait trop chaud pour que *nous fassions une promenade à bicyclette*.

Il neige la nuit de sorte que *les pistes sont magnifiques*.

a. Ses ennuis sont tels qu' ....
....

b. Leur salaire n'est pas assez élevé pour que ....
....

c. J'espère que ta maladie n'est pas telle que ....
....

d. Cette voiture coûte trop cher pour que ....
....

e. Véronique avait pris sa journée mercredi de façon que ....
....

f. On a acheté une maison de campagne, si bien que ....
....

g. Joseph a terminé son doctorat de manière qu' ....
....

h. Le trajet Lille-Nice est trop long pour que ....
....

385 Complétez ces phrases.

Exemple : L'annonce de l'augmentation des cotisations sociales a suscité ***des manifestations importantes***.

a. La violente tempête de l'hiver 1999 a provoqué ....
....

b. Le vote de la loi sur le PACS* a soulevé ....
....

c. Des accidents en chaîne sur l'autoroute A6 ont occasionné ....
....

d. Le gel des salaires entraînera pour l'année à venir ....
....

e. Le dernier concert de Johnny Halliday a déchaîné ....
....

f. Les mouvements de revendication des lycéens ont déclenché ....
....

g. L'annonce de la réduction des tarifs de France Télécom a eu pour effet ....
....

h. L'action humanitaire a éveillé ....
....

Bilans

386 Tirez les conséquences de ces faits : faites des phrases complètes en vous aidant des éléments entre parenthèses.

Quelques informations sur les valeurs des Français en ce début de XXIe siècle :

a. (vigilance accrue envers la pollution de l'eau, de l'air et respect du tri des déchets) Ils commencent à prendre conscience des dangers concernant l'environnement de sorte que ....
....

b. (achat en augmentation de produits issus de la culture biologique et méfiance envers les organismes génétiquement modifiés) Ils sont plus soucieux de la qualité de leur alimentation, ainsi ....
....

c. (refus de ces pratiques vécues comme des violations de leur vie privée) Ils n'apprécient pas la surveillance électronique dans les entreprises et dans les villes ainsi

---

* *PACS : PActe Civil de Solidarité : contrat reconnaissant une union entre deux personnes de sexe opposé ou de même sexe.*

que les fichiers de renseignements si bien qu' ....
....

   d. (acquisition de nouveaux comportements dans leur consommation) Ils ont vécu pendant plusieurs années dans la crainte du chômage et de la précarité, de ce fait ....
....

   e. (sensibilisation et participation accrues à des mouvements de solidarité) Ils ont pris conscience d'une nouvelle pauvreté avec l'apparition des SDF*, de ce fait ....
....

   f. (actualité suivie avec beaucoup plus de recul et volonté de vérifier les sources de l'information) Ils se sont parfois sentis tellement manipulés par les informations véhiculées par les médias qu' ....
....

   g. (abstentions de plus en plus nombreuses lors des élections) Ils se sentent souvent trahis par les promesses des hommes politiques d'où ....
....

   h. (vote d'une loi sur la parité dans les institutions gouvernementales) Ils sont choqués par le faible pouvoir donné aux femmes au niveau des décisions de l'État ; par conséquent ....
....

387 **Complétez cette lettre par** *de sorte que, si... que, tellement... que, aussi, telle que, afin que* **ou** *de ce fait.*

Monsieur le Directeur,

   Un article dans un magazine m'a permis de connaître les formations en informatique que vous proposez et elles m'ont .... *intéressé* .... *(1) j'aimerais obtenir davantage d'informations.*

   J'ai actuellement un BTS** et j'aimerais poursuivre des études dans ce domaine .... (2) j'aurai plus de chance d'obtenir un poste de chargé de clientèle. Je travaille actuellement comme employé à temps partiel dans une entreprise, ... (3) je ne suis libre que le soir après 17 heures, le vendredi après-midi et le samedi. J'ai lu dans cette brochure que vous proposiez des cours du soir, ... (4) pourrais-je peut-être trouver des cours qui correspondraient à mes disponibilités. Cependant, ma motivation à suivre cette formation est .... (5) je pourrais toujours aménager mes horaires de travail.

   Je vous envoie mon CV .... (6) vous me connaissiez mieux et je suis .... impatient de vous rencontrer .... (7) j'espère que vous me répondrez rapidement.

   Je vous remercie à l'avance et vous prie d'agréer, Monsieur le Directeur, mes sentiments distingués.

   Charles Legendre

---

* SDF : Sans Domicile Fixe.
** BTS : Brevet de Technicien Supérieur.

XVI. L'OPPOSITION

Tantôt frère, tantôt larron.

388 Soulignez les éléments marquant l'opposition.

Exemple : Je lis beaucoup d'essais <u>mais</u> je déteste les romans.

a. Les Français lisent moins de quotidiens, en revanche la lecture des hebdomadaires est en hausse.

b. Votre client n'est pas venu, par contre il a envoyé un e-mail.

c. Nous avons dîné avec Guy hier soir ; il était fatigué contrairement à sa femme qui a l'air radieuse.

d. René travaille pour un grand groupe industriel alors que son frère termine ses études de médecine.

e. Cette année, les cerisiers n'ont rien donné. Au contraire, les pommiers croulaient sous les fruits.

f. Sylvie est une femme vive et autoritaire. À l'opposé, son mari est plutôt nonchalant et débonnaire.

g. Si j'ai une vraie passion pour Diderot, je trouve Sade illisible.

h. J'ai vu deux ou trois clients, des habitués du café ; sinon, je n'ai rien de spécial à signaler, Monsieur le Commissaire.

389 Complétez ces phrases par l'élément marquant l'opposition. Choisissez dans la liste :
non, alors que, au lieu de, contre, et non pas, pas moi, non seulement... mais encore, autrement, non content de.

Exemple : Vous avez du feu ? – **Non** monsieur, je n'ai jamais de feu !

a. En 1998, la France a remporté la Coupe du monde de football .... le Brésil.

b. .... elle travaille à plein temps .... elle a repris ses études en psychologie.

c. Débarrasse la table .... regarder cette émission idiote.

d. .... mener son entreprise à la faillite, il détourne une partie des recettes pour ses besoins personnels.

e. Toni est corse .... sarde.

f. Tu lui as demandé de te prêter de l'argent .... il n'a pas un sou.

g. Ce soir, tu n'es pas libre ? .... on peut déjeuner ensemble demain.

h. Vous voulez aller voir ce film ? .... !

390 Entourez l'élément qui convient pour exprimer l'opposition.

Exemple : Je suis sorti (cependant – (malgré) – toutefois) le froid.

a. Étienne est un garçon très laid, (cependant – bien que – nonobstant) il a un certain charme.

b. Murielle a quitté Charles, ce qui est très dur pour lui. (Malgré – Bien que – D'un autre côté), je la comprends.

c. Les jeunes abandonnent tous la région. (Malgré – Pourtant – D'un autre côté), il y a encore du travail pour eux.

d. Personne ne pensait que le candidat de droite remporterait les élections. (Bien que – Néanmoins – Nonobstant), il a été élu avec une belle avance.

e. Le film de Jean-Pierre Bacri a obtenu un grand succès public (bien qu' – pourtant – toutefois) il n'ait bénéficié d'aucune publicité.

f. Je n'ai pas de vacances cet été. (Malgré – D'un autre côté – Toutefois), je passerai vous voir en Bretagne le week-end du 14 Juillet.

g. (Nonobstant – Cependant – Néanmoins) ses déclarations du mois de janvier, le Premier ministre n'a pas augmenté les salaires des fonctionnaires.

h. Tu dis que Géricault est un peintre mineur. (D'un autre côté – N'empêche que – Malgré) son exposition au Grand Palais a déplacé des centaines de milliers de visiteurs.

391 Reconstituez les phrases suivantes.

a. Michel a raté son bac

b. Amélie s'est cassé trois fois la jambe en skiant.

c. L'État a réduit le budget de la recherche

d. J'ai dit à Camille d'éteindre la lumière

e. Roland a très envie de démissionner.

f. On dit qu'il fait très chaud cet été ;

g. En dépit de la concurrence asiatique,

h. Malgré leurs propos rassurants,

1. bien que les besoins soient de plus en plus importants.

2. les automobiles françaises continuent à bien se vendre en Europe.

3. pourtant elle ne m'a pas écouté.

4. j'ai peur.

5. Elle n'a pas pour autant renoncé à la compétition.

6. en dépit de ses excellents résultats en mathématiques et en physique.

7. D'un autre côté, il sait qu'à 50 ans, il aura du mal à trouver un autre travail.

8. n'empêche que l'année dernière, c'était bien pire.

392 Conjuguez les verbes entre parenthèses au conditionnel, à l'infinitif ou à l'indicatif.

Exemple : Plutôt que de **venir** (venir) en train, prenez votre voiture, vous serez plus autonomes.

a. Je n'ai pas très envie de sortir, néanmoins je t'......................... (accompagner) ce soir.

b. Il faut manger pour vivre et non pas .... (vivre) pour manger.

c. J'ai acheté des steaks parce que tu déjeunais ici, autrement j'......................... (manger) des œufs.

d. Tu ferais mieux de lire au lieu de .... (regarder) la télévision.

e. Anne veut aller à la campagne et Philippe .... (prétendre) devoir rester à Paris pour travailler.

f. Au lieu de .... (passer) par la Lorraine, vous feriez mieux d'aller directement en Alsace.

g. On a construit un immeuble de bureau sur ce terrain alors que le maire .... (devoir) y faire bâtir un bureau de poste.

h. Garçon ! Plutôt que le gigot d'agneau, je .... (prendre) la cuisse de canard.

---

393 **Associez les phrases suivantes de façon à exprimer l'opposition.**

Exemple : En 1998, 47,6 % des Françaises de plus de 16 ans occupaient un emploi. Elles ne représentaient que 10 % des dirigeants.

→ En 1998, 47,6 % des Françaises de plus de 16 ans occupaient un emploi, **par contre/cependant/mais** elles ne représentaient que 10 % des dirigeants.

a. Il faut un capital de 7 620 euros pour ouvrir une SARL*. Il ne faut aucun capital pour exercer une profession libérale.

→ ....

....

b. Le taux de chômage en France atteint à peine 10 % en 2000. Il était de 12,1 % en 1998.

→ ....

c. 9,8 % des salariés sont syndiqués en France. 82,5 % le sont en Suède.

→ ....

d. Le télétravail était pratiqué par 30 000 salariés en 1997. Il devrait concerner 500 000 personnes en 2005.

→ ....

....

e. Les salariés français mettent en moyenne 58 minutes par jour pour aller et revenir de leur travail. Les non-salariés mettent 30 minutes.

→ ....

....

f. 47 % des Français font confiance aux syndicats. 34 % estiment qu'ils exercent une influence insuffisante.

→ ....

g. 167 452 entreprises ont été créées en 1997. 52 265 entreprises ont fait faillite la même année.

→ ....

....

h. S'ils décidaient de travailler à l'étranger, 30 % des Français partiraient en Suisse. 8 % seulement choisiraient l'Angleterre.

→ ....

---

* SARL : Société À Responsabilité Limitée.

394 Imaginez une suite ou un début pour chacun des éléments suivants.

Exemple : Vous avez tort de rester chez vous par une si belle journée. En revanche **ça vous donnera l'occasion de faire un peu de ménage**.

a. Bernard ne se fait pas à l'idée de partir en retraite. D'un autre côté, ...
....

b. Il a remonté cette rue en sens interdit en dépit de ....
....

c. ....
.... néanmoins, elle se porte beaucoup mieux depuis le début de la semaine.

d. ....
.... bien que tout le monde l'y ait encouragé.

e. Véronique n'est pas davantage assidue ce trimestre que le précédent. Au contraire, ...
....

f. Non seulement les Dubois vont venir habiter en face de chez nous mais encore ....
....

g. ....
.... alors que je vous avais dit de ne rien apporter.

h. Nonobstant les propos rassurants de l'avocat, ...
....

395 Remettez dans le bon ordre les éléments proposés pour en faire une phrase.

Exemple : Thérèse est en excellente forme – elle a perdu son travail – en revanche
→ ***Thérèse a perdu son travail, en revanche elle est en excellente forme.***

a. avoir gagné trois millions au tiercé – elle se met en grève pour être augmentée – non contente de
→ ....

b. Louis est en excellente santé – il est au chômage – par contre
→ ....

c. un cahier – je t'ai dit de rapporter – une rame de papier – et non pas
→ ....

d. tandis que moi – je suis laid, pauvre et intelligent – il est beau, riche et stupide
→ ....

e. je n'aimerais pas vivre ailleurs – pourtant – Paris est une ville très polluée
→ ....

f. malgré – nous avons adoré le spectacle de Planchon – la chaleur qu'il faisait dans la salle
→ ....

g. j'exige une garantie d'un an – toutefois – je suis d'accord pour acheter cette montre
→ ....

h. je ne peux pas aller au cinéma ce soir – j'aimerais me changer les idées – bien que
→ ....

396 Reconstituez les phrases suivantes.

a. Nous sommes heureux de partir en Suisse, —————

b. Philippe a rapporté quatre truites de la rivière

c. Jacques Chirac a obtenu 52 % des voix

d. Le proviseur a menacé Nadège de la renvoyer

e. Paris n'est pas une très grande ville,

f. Tous ont envie de jouer aux cartes.

g. Je ne déteste pas le bordeaux.

h. Il ne parle pas un mot de hollandais

Pas moi, contrairement à cependant contre mais En revanche, n'empêche qu' malgré

1. j'adore le bourgogne.

2. Londres qui est bien plus étendue.

3. elle est toujours aussi dissipée.

4. j'ai horreur de ça.

5. il va passer ses vacances à Amsterdam.

6. 48 % à son adversaire.

7. l'interdiction formelle de pêcher.

8. nous aurions aimé y aller avec vous.

397 Réunissez ces deux phrases en y introduisant un terme d'opposition.

Exemple : Jeanne veut aller au bord de la mer. Yvonne n'en a pas envie.

→ Jeanne veut aller au bord de la mer, *par contre* Yvonne n'en a pas envie.

a. Philippe adore la viande. Sa femme est végétarienne.

→ ....

b. Tout le monde regarde le match à la télévision. Alain termine sa maquette de bateau.

→ ....

c. Tu préfères lire ton roman. Tu devrais travailler ton examen.

→ ....

d. Vous ne détestez pas la campagne. Vous ne supportez pas la montagne.

→ ....

e. L'avion a explosé en vol. Le pilote a pu s'éjecter.

→ ....

f. Il est très dur avec ses élèves. Elle est particulièrement douce avec les siens.

→ ....

g. Il n'a jamais su la vérité sur sa maladie. Je pense que ce n'est pas plus mal.

→ ....

h. Je rentrerai tard ce soir. Je te téléphonerai en sortant du bureau.

→ ....

Bilans

398 Choisissez le mot le mieux adapté pour marquer l'opposition.

Les Français et le cinéma :

(Bien que/Pourtant/Même si) (1) la fréquentation des salles obscures ait été divisée par quatre depuis la fin des années 40, elle a tendance à reprendre depuis 1997. (En dépit de/Malgré/En revanche) (2) elle a été beaucoup plus nette en province que dans la région parisienne. (Nonobstant/Pourtant/Malgré) (3) la forte concurrence de la télévision et de la vidéo, 57,1 % des Français sont allés au moins une fois au cinéma pendant l'année 1997. (En revanche/Pourtant/Sinon) (4), si la fréquentation est plus élevée parmi les personnes ayant un niveau d'instruction élevé, les moins de 25 ans constituent 60 % des entrées. (Nonobstant/Mais/Pourtant) (5) le grand succès des films américains, le cinéma français a réalisé 35 % des entrées en 1997, (contre/en dépit de/malgré) (6) 54 % pour les productions américaines. (D'un côté/Non seulement/Non pas) (7) les Français aiment leur cinéma, (mais/de plus/mais encore) (8), la production française reste la plus importante d'Europe.

399 Complétez ce texte en utilisant : *pas moi, non, cependant, en revanche, non seulement... mais encore, contrairement à, néanmoins, malgré, d'un autre côté, au lieu de, mais, bien que, pourtant, toutefois, en dépit des, à l'opposé.*

.... (1) toi, j'aimerais bien aller en Corse pour les vacances. .... (2), Murielle n'y tient pas non plus. .... (3), compte tenu de la situation politique, elle a peut-être raison. .... (4), c'est une région merveilleuse .... (5) il y fasse une chaleur terrible en août. .... (6), si les bords de mer sont caniculaires, ... (7) l'air est très frais le soir en montagne. .... (8) abandonnons cette idée.

.... (9), je sais qu'elle adore la Bretagne. .... (10), il y pleut tout le temps. .... (11), je reconnais que c'est un beau pays. Les bords de mer sont très sauvages .... (12) hordes de Parisiens qui les arpentent. On y mange bien .... (13) les tarifs prohibitifs pratiqués par les restaurateurs l'été.

.... (14) un bord de mer, si nous envisagions la montagne ? .... (15), les vacances d'été doivent être prises à la mer. .... on peut y pratiquer des tas d'activités, ... (16) on peut ne rien faire en se prélassant sur le sable chaud.

XVII. LA RESTRICTION ET LA CONCESSION

Il n'y a que la vérité qui blesse.

A. LA RESTRICTION

 Soulignez les éléments qui introduisent une restriction dans les phrases suivantes.

Exemple : Ce couloir est <u>réservé</u> aux ressortissants de l'Union européenne.

a. Le stationnement est interdit sauf aux riverains.

b. Seuls les véhicules portant un macaron sont admis dans l'enceinte de l'université.

c. Pour obtenir un laissez-passer, faites-en simplement la demande auprès du gardien.

d. Présentez-vous à jeun le jour des analyses de sang. Vous avez uniquement droit à un café sans sucre.

e. Le col Agnel n'est ouvert que d'avril à novembre.

f. Pour le bureau des douanes, munissez-vous juste de votre passeport.

g. La seule condition pour se présenter à ce concours est d'avoir la nationalité française.

h. L'hôtesse réserve ces cartes d'embarquement aux passagers du vol 312.

 Faites des phrases en exprimant une restriction. Utilisez *ne... que, seulement, uniquement, seul(e)(s), juste, le/la/les seul(e)(s)***.**

Exemple : Un employé travaille 5 jours par semaine.

→ Un employé travaille ***seulement/uniquement/juste*** 5 jours par semaine.

→ Un employé ***ne*** travaille ***que*** 5 jours par semaine.

a. Les salariés ont en général 5 semaines de congés par an.

→ ....

b. On comptabilise 11 jours fériés chaque année.

→ ....

c. La semaine de travail compte 35 heures.

→ ....

d. On peut prendre sa retraite après 42 années de travail.

→ ....

e. Les professions non salariées représentaient 12,8 % de la population active en 1997.

→ ....

f. En 1997, une femme sur trois avait le statut de cadre.

→ ....

g. En 1997, le salaire des cadres a progressé de 1 % contre 2,9 % pour celui des ouvriers.

→ ....

h. 20 % des actifs occupent des emplois précaires.

→ ....

402 À partir des informations données, établissez des règles restrictives. Faites deux phrases.

Exemple :   Visites autorisées : 14 heures/18 heures.

→ **Les visites ne sont autorisées que de 14 heures à 18 heures.**

→ **Les visites sont autorisées uniquement de 14 heures à 18 heures.**

a. Accès réservé : personnel administratif.

→ ....

→ ....

b. Stationnement livraison : 8 heures/10 heures.

→ ....

→ ....

c. Entrée du musée. Tarif réduit : après 16 heures.

→ ....

→ ....

d. File d'attente : 15 minutes.

→ ....

→ ....

e. Prix des billets : gratuit jusqu'à 6 ans ; demi-tarif jusqu'à 12 ans.

→ ....

→ ....

f. Durée de l'exposition : du 30 avril au 9 juin.

→ ....

→ ....

g. Admission : personnes munies d'un billet.

→ ....

→ ....

h. Invitation au parc Astérix pour les enfants non accompagnés.

→ ....

→ ....

B. LA CONCESSION

403 Soulignez les phrases qui indiquent une concession seule.

Exemples :   Le sucre lui est interdit mais elle ne fait que manger des gâteaux.

<u>Son mari suit un régime sévère pourtant il accepte les déjeuners d'affaires.</u>

a. Tu restes d'humeur égale bien que tu aies arrêté de fumer.

b. Prête-moi 2 euros juste pour acheter *Télérama*.

c. Nous écoutons seulement les informations à la radio.

d. Vous avez beau travailler tard, vous réussissez à sortir le soir !

e. On ne veut pas vous déranger, on passera simplement pour le café.

f. Les températures resteront basses pour la saison cependant les pluies cesseront.

g. En dépit de la file d'attente, les touristes se présentent nombreux pour admirer l'exposition Toulouse-Lautrec.

h. Il a su que vous étiez fatigué mais il a quand même mal accepté votre absence.

404 **Assemblez les éléments suivants pour faire des phrases.**

a. En dépit d'un travail régulier,

b. Joseph n'a pas intégré cette école

c. M. Lafarge est absent pour la semaine ;

d. Quitte à changer d'endroit,

e. Pour venir chez nous, c'est très simple :

f. Si tu prends cet emploi,

g. Emportez ce bouquet,

h. Les vacances se sont bien passées,

1. bien qu'il ait réussi le concours d'entrée.

2. on préfère s'installer à la campagne.

3. il n'en demeure pas moins que tu devras te remettre à l'italien.

4. vous aurez au moins un petit souvenir du week-end.

5. bien que le temps ait été maussade.

6. il suffit que vous preniez le bus 156 : il s'arrête devant l'immeuble.

7. Suzanne n'a pas été admise dans la classe supérieure.

8. toutefois, vous pouvez lui laisser un message.

405 **Continuez ces phrases pour exprimer une concession. Employez le subjonctif.**

Exemple : Nous voyagerons de nuit à moins que *les routes (ne) soient verglacées.*

a. M. et Mme Lefranc critiquent leurs employés quoi qu' ....

b. Où que ...., il est toujours possible de téléphoner.

c. Les Legrand prendront bientôt leur retraite encore que ....

d. Cet enfant n'est jamais content, que ....

ou que ....

e. On commandera le nouveau modèle de chez Renault, encore faut-il que ....

....

f. Pour intéressante que ...., je refuse d'y aller.

g. Quoi que ...., vous devriez réfléchir davantage.

h. Nous vous soutiendrons quelque ....

406 **Cochez la ou les phrase(s) ayant le même sens.**

Exemple : Quoiqu'il soit étranger, il parle parfaitement le français.

1. ☒ Il est étranger et il parle parfaitement le français.

2. ☐ Comme il est étranger, il parle parfaitement le français.

3. ☒ Il est étranger pourtant il parle parfaitement le français.

a. Vous exagérez les faits, quoi que vous racontiez.

1. ☐ Vous exagérez les faits, lorsque vous racontez.

2. ☐ Vous n'exagérez que les faits que vous racontez.

3. ☐ Vous exagérez n'importe quel fait que vous racontiez.

b. Jeanne a beau avoir trois enfants, elle travaille toujours comme documentaliste.
   1. ☐ Même avec trois enfants, Jeanne travaille toujours comme documentaliste.
   2. ☐ Alors que Jeanne a trois enfants, elle travaille toujours comme documentaliste.
   3. ☐ Jeanne travaille toujours comme documentaliste car elle a trois enfants.
c. À défaut de vacances, nous partons le week-end au bord de la mer.
   1. ☐ Comme nous n'avons pas de vacances, nous partons le week-end au bord de la mer.
   2. ☐ Nous n'avons pas de vacances, nous partons le week-end au bord de la mer.
   3. ☐ Nous n'avons pas de vacances, alors nous partons le week-end au bord de la mer.
d. Ta journée a été longue ; il n'en reste pas moins que tu dois terminer tes devoirs.
   1. ☐ Bien que ta journée ait été longue, tu dois terminer tes devoirs.
   2. ☐ Tu dois terminer tes devoirs alors que ta journée a été longue.
   3. ☐ De manière que ta journée soit longue, tu dois terminer tes devoirs.
e. Frédéric semblait content de ce cadeau, néanmoins il ne l'a pas ouvert.
   1. ☐ Frédéric semblait content de ce cadeau qu'il n'a pas ouvert.
   2. ☐ Frédéric semblait content de ce cadeau, bien qu'il ne l'ait pas ouvert.
   3. ☐ Frédéric semblait content de ce cadeau, donc il ne l'a pas ouvert.
f. Béatrice tenait à acheter cette robe de Christian Lacroix quitte à s'endetter.
   1. ☐ Béatrice tenait à acheter cette robe de Christian Lacroix même si elle devait s'endetter.
   2. ☐ Béatrice tenait à acheter cette robe de Christian Lacroix pourtant elle s'est endettée.
   3. ☐ Puisque Béatrice tenait à acheter cette robe de Cristian Lacroix, elle s'est endettée.
g. Quelque sport que tu pratiques, ça ne peut te faire que du bien.
   1. ☐ Si tu pratiques un sport, ça ne peut te faire que du bien.
   2. ☐ Comme tu pratiques un sport, ça ne peut te faire que du bien.
   3. ☐ Quoi que tu pratiques comme sport, ça ne peut te faire que du bien.
h. De n'importe quel peintre que soit cette œuvre, je la trouve superbe.
   1. ☐ Cette œuvre est de ce peintre, alors je la trouve superbe.
   2. ☐ Qui que soit le peintre de cette œuvre, je la trouve superbe.
   3. ☐ C'est ce peintre qui a fait cette œuvre, par contre je la trouve superbe.

407 Reliez ces phrases par *bien que*.

> *Exemple :* Les Français voudraient vivre en maison individuelle. Un ménage sur cinq habite en HLM*.
>
> → ***Bien que les Français veuillent vivre en maison individuelle, un ménage sur cinq habite en HLM.***

a. 80 % des logements disposent de tout le confort. Les logements inconfortables sont plus nombreux à la campagne.

→ ....

....

b. Les logements coûtent plus cher. Les Français occupent des habitations plus spacieuses.

→ ....

....

---

* HLM : Habitation à Loyer Modéré.

c. Le nombre d'habitants par foyer baisse. La surface des logements augmente.

→ ....

....

d. Les consommateurs sont mieux informés. Le taux de surendettement reste élevé.

→ ....

....

e. Le prix de l'habillement a diminué. On dépense autant d'argent pour les vêtements.

→ ....

....

f. La qualité de l'alimentation baisse. On vit de plus en plus vieux.

→ ....

....

g. Les prix des appareils électroménagers ont baissé. Les jeunes sont les moins bien équipés.

→ ....

....

h. Les Français sont très attachés à leur intérieur. Ils achètent de moins en moins de meubles.

→ ....

....

408 **Émettez des réserves et complétez les phrases suivantes.**

Exemples : D'ici cinq ans, on aura réduit le temps de travail à moins que ***les syndicats ne s'y soient opposés***.

On disposera d'un meilleur système de santé encore qu'***il soit déjà très convenable***.

a. On avancera l'âge de la retraite à moins que ....

....

b. On se déplacera plus rapidement encore qu' ....

....

c. À moins que ....

...., les enfants parleront plusieurs langues.

d. On communiquera mieux à distance encore que ....

....

e. La nouvelle génération vivra plus longtemps que nous à moins que ....

....

f. L'environnement sera davantage respecté à moins que ....

....

g. Les tâches domestiques seront simplifiées à moins que ....

....

h. On bénéficiera d'avantages sociaux supérieurs encore que ....

....

409 Complétez les phrases suivantes par *quoique* ou *quoi que*.

Exemple : ***Quoi que*** vous lui offriez, votre mère sera toujours contente.

a. Je préfère qu'on prenne le café dedans .... il fasse grand soleil.

b. .... tu lui dises, tu ne la feras pas changer d'avis.

c. Tu te salis, ... tu manges.

d. Son oncle a assisté à leur mariage, ... il soit souffrant.

e. On fera ce que tu voudras .... tu décides.

f. .... il fasse, il sera toujours critiqué.

g. .... elle choisisse, ça ne lui convient jamais.

h. Marie s'est arrangée pour venir .... elle n'ait pas de voiture.

---

410 Imaginez le début de la phrase suivante en reliant ces éléments.

... n'hésitez pas à nous appeler.

1. l'heure,
2. vos dates,

a. Quel que soit

b. Quelle que soit

3. votre problème,
4. vos préoccupations,
5. vos projets,

c. Quels que soient

d. Quelles que soient

6. votre statut,
7. le jour,
8. la raison,

---

411 Faites des phrases avec *quelque... que* ou *quel(le)(s) que*.

Exemples : C'est un garçon brillant mais il n'obtiendra pas cette promotion.

→ ***Quelque*** brillant ***que*** soit ce garçon, il n'obtiendra pas cette promotion.

Ils sortent par un temps pareil !

→ ***Quel que*** soit le temps, ils sortent.

a. On ne peut pas leur téléphoner entre 20 heures et 9 heures du matin.

→ ....

b. Sophie louera cette maison, à n'importe quel prix.

→ ....

c. Cet élève est travailleur mais il ne réussira pas ce concours.

→ ....

d. Leur chien est très gentil mais ils ne pourront pas le garder.

→ ....

e. Cette femme est très généreuse mais elle n'améliorera en rien la condition des enfants malades.

→ ....

f. Cette cause est juste mais aucun avocat n'acceptera de la défendre.

→ ....

g. Nous acceptons ce marché, peu importent les conditions.

→ ....

h. Le cadeau n'a pas d'importance, c'est le geste qui compte !

→ ....

412 **Complétez les phrases suivantes par** *qui que, quoi que* **ou** *où que*.

Exemple : *Où que* vous vous trouviez, nous viendrons vous rejoindre.

a. Delphine sera toujours ravissante .... elle porte.

b. Avec .... tu te trouves, tu finis par te disputer.

c. .... vous en pensiez, je crois avoir raison.

d. Le même charme se dégage de votre appartement, ... vous habitiez.

e. Invite .... ce soit pour qu'il n'y ait pas treize personnes à table.

f. Je ne veux pas entendre parler de .... ce soit : les gens ne m'intéressent plus.

g. Par .... vous passiez, la route vous semblera toujours trop longue !

h. Il fera ce qui lui chante, ... vous lui conseilliez.

413 **Faites des phrases en employant l'expression** *avoir beau*.

Exemple : Même si elle sort un disque, elle ne deviendra pas une grande chanteuse.

→ ***Elle a beau sortir un disque, elle ne deviendra pas une grande chanteuse.***

a. Il pleut mais la cité de Carcassonne reste une merveille.

→ ....

b. Bien qu'il ait une solide expérience, cet homme ne trouve pas de travail.

→ ....

c. Quoique vous soyez un peu âgé, vous n'aurez aucune difficulté lors de cette randonnée.

→ ....

d. Malgré notre bonne connaissance de la région, nous nous sommes perdus entre Auch et Toulouse.

→ ....

e. Même si vous parlez mal le français, vous aurez plaisir à traverser le Sud-Ouest.

→ ....

f. Monique suit un régime pourtant elle n'a pas perdu un gramme.

→ ....

g. Les températures rafraîchissent, cependant le printemps approche.

→ ....

h. Malgré mes efforts, je n'arrive pas à jouer correctement ce morceau.

→ ....

Bilans

414 Complétez cette lettre par les expressions suivantes : *quoi que, toutefois, il suffit que, qui que, en dépit de, quelle que, même si, ne... que, il n'en reste pas moins que, à moins que, malgré, avoir beau*.

Monsieur le Directeur,

Je .... travaille dans votre entreprise .... (1) depuis six mois mais j'......................... (2) faire beaucoup d'efforts pour m'intégrer dans le service, je n'y arrive pas. .... (3) je fasse, ... (4) soit l'idée que je propose, ... (5) soit la personne avec laquelle je collabore, rien ne marche. .... (6) la bonne volonté dont je fais preuve depuis mon arrivée et .... (7) une réelle motivation pour m'intégrer à votre équipe, je crains de ne pouvoir continuer à travailler dans votre entreprise. .... (8) ce bref passage dans vos services m'aura permis d'acquérir de nouvelles compétences, ... (9) j'aurais pu les approfondir en restant plus longtemps.

.... (10) vous ne vous opposiez à ma décision, je souhaite démissionner, ... (11), j'aimerais vous rencontrer avant de vous quitter. Pour cela, ... (12) vous m'accordiez une entrevue.

En espérant que vous comprendrez ma décision, je vous prie d'agréer, Monsieur le Directeur, l'expression de ma considération.

Béatrice Michaux

415 Rayez ce qui ne convient pas et mettez les verbes entre parenthèses à la forme convenable.

– Allô, Marie, c'est Vanessa ; il faut que je te parle, je n'en peux plus.

– Allons, calme-toi. Qu'est-ce qui t'arrive ?

– Je ne supporte plus mes parents : quoi que je (faire) .... (1), où que j' (aller) .... (2), ils me surveillent. Ils sont toujours sur mon dos. Ils n'ont (pas/qu') (3) une seule idée en tête : savoir tout de ma vie.

– Peut-être que tu exagères, non ?

– Pas du tout ! Tiens, hier soir, ils m'avaient autorisée à sortir jusqu'à minuit avec des copines. Eh bien, quand je suis arrivée, ils étaient (évidemment/en tout cas) (4) dans le salon en train de regarder une bêtise à la télé.

– Et alors ?

– D'habitude, à 2 heures du matin ils sont couchés depuis longtemps (au moins/sauf s') (5) ils ont des invités !

– Donc, tu n'es pas rentrée à l'heure ?

– Bien sûr que non ! Je pensais qu'ils ne s'en apercevraient pas. (Quitte à/Tout de même) (6) sortir, autant ne pas s'ennuyer avec l'heure !

– Tu as *(du moins/quand même)* **(7)** des parents sympas, ils te laissent sortir le soir et tu ne respectes *(malgré/pourtant)* **(8)** pas leurs demandes.

– D'accord, mais tu ne veux pas que je respecte n'importe *(quels/quelles)* **(9)** conditions de leur part !

– *(Pourtant/Tu as beau me dire)* **(10)** ce que tu veux, je trouve que tu vas trop loin ! D'ailleurs, qu'est-ce que tu as fait hier soir ?

– *(À moins que/Bien que)* **(11)** tu sois ma meilleure amie, je ne peux pas te le dire : c'est un secret.

– Je t'aime bien, *(aussi/il n'en reste pas moins que)* **(12)** je trouve que tu changes en ce moment.

– Je croirais entendre parler ma mère ! *(Or/Il suffit que)* **(13)** je ne réponde pas à une question et aussitôt elle imagine le pire. *(Heureusement/Malheureusement)* **(14)** on n'est plus dans la même classe et on se voit *(seulement/que)* **(15)** de temps en temps.

– On pourrait même ne plus se voir du tout.

Marie raccroche le téléphone.

Vanessa seule :

– *(Au moins/Pourtant)* **(16)**, je n'ai rien dit de mal. *(Il n'en reste pas moins/Il suffit)* **(17)** qu'elle est bizarre, Marie.

XVIII. LES ARTICULATEURS DU DISCOURS

Je pense donc je suis.

A. LES ARTICULATEURS TEMPORELS

416 Remettez dans l'ordre chronologique le déroulement de ce séjour touristique en Turquie.

a. Trois jours après l'arrivée, vous visiterez le musée d'Antalya. ( )

b. La soirée précédant votre départ, un spectacle folklorique vous sera présenté à l'hôtel. ( )

c. Une hôtesse vous attendra à l'atterrissage de votre avion pour vous accompagner à votre hôtel. *(1)*

d. Le surlendemain de votre arrivée, vous serez conduits sur le site d'Aspendos. ( )

e. L'avant-veille du retour, vous ferez une excursion à Sidé que vous gagnerez par la mer. ( )

f. Le lendemain de votre arrivée, vous serez guidés à travers la nécropole de Termassos. ( )

g. Le départ pour l'aéroport est prévu dans la matinée. ( )

h. La veille de votre retour, vous pourrez profiter des plaisirs de la plage : des activités nautiques vous seront proposées. ( )

417 Vous êtes en Turquie. Vous écrivez à une amie ; vous lui racontez le début de votre séjour et le programme des derniers jours. Utilisez les mots suivants : *dans, il y a, ça fait, hier, avant-hier, demain, après-demain, prochain, dernier, aujourd'hui*. **Inspirez-vous des activités décrites dans l'exercice précédent.**

Ma chère Alice, **ça fait** déjà trois jours que je suis arrivée.

....

....

....

....

....

....

....

....

418 Commentez cette journée de conférences sans donner d'indications horaires. Utilisez les expressions suivantes : *après, avant de, peu après, tout d'abord, puis, plus tard, enfin, ensuite.*

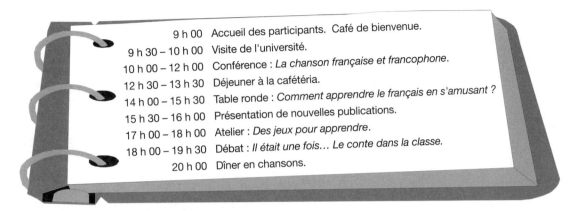

9 h 00	Accueil des participants. Café de bienvenue.
9 h 30 – 10 h 00	Visite de l'université.
10 h 00 – 12 h 00	Conférence : *La chanson française et francophone.*
12 h 30 – 13 h 30	Déjeuner à la cafétéria.
14 h 00 – 15 h 30	Table ronde : *Comment apprendre le français en s'amusant ?*
15 h 30 – 16 h 00	Présentation de nouvelles publications.
17 h 00 – 18 h 00	Atelier : *Des jeux pour apprendre.*
18 h 00 – 19 h 30	Débat : *Il était une fois... Le conte dans la classe.*
20 h 00	Dîner en chansons.

Tout d'abord, les organisateurs nous accueilleront.

....
....
....
....
....
....
....
....
....
....

419 Présentez au passé les activités de l'exercice précédent en utilisant : *à la suite de quoi, après quoi, auparavant, enfin, en premier lieu, au bout de, par la suite, juste après, une (demi-)heure plus tard, peu avant.*

En premier lieu, nous avons été accueillis par les organisateurs.

....
....
....
....
....
....
....
....
....
....

B. LES ARTICULATEURS LOGIQUES

420 Complétez les phrases suivantes par *ou, et, ni* ou par une virgule.

> *Exemple :* Je ne sais pas qui nous accompagnera à la gare ; ce sera Alain **ou** son frère.

a. Que prendrez-vous ensuite : fromage ...... dessert ?

b. Pour moi, ... l'un ...... l'autre. Apportez-moi un café.

c. Nous avons invité Catherine ...... Sophie pour dimanche midi : toutes deux sont ravies de venir.

d. Je n'aime ...... Lyon, ... Grenoble ...... Chambéry ; je préfère les villes méditerranéennes.

e. Entre ce roman ...... cette B.D. ...... ce livre d'art, que choisirais-tu ?

f. On a visité deux maisons mais ...... l'une ...... l'autre ne correspond vraiment à ce qu'on cherche.

g. ...... alcool ...... féculents ...... sucres : elle s'est mise au régime.

h. En revanche elle mange des légumes verts ...... des viandes maigres ...... du poisson.

421 Complétez ce texte par *puis, comme, une fois, enfin, particulièrement, ainsi que, surtout, aussi* (parfois plusieurs possibilités).

> *Exemple :* La semaine dernière, Jacques, Dominique (et) **ainsi que** leurs amis italiens sont allés dans la vallée de la Loire.

Ils ont visité le château de Blois, ... (a) celui de Chambord mais ils ont .... (b) aimé le cadre du château d'Azay-le-Rideau. Le soir, ils ont dîné dans une petite auberge près de Cheverny, ... (c) ont-ils dégusté le vin de la région, ... (d) une spécialité de tarte ; .... (e) ils y ont passé la nuit. Le lende-main, le petit déjeuner pris et .... (f) la voiture chargée, ils ont décidé de rentrer par les petites routes. Après avoir pique-niqué, ... (g) il faisait très chaud et .... (h) qu'ils n'étaient pas pressés de rentrer, ils se sont baignés dans un lac aménagé. .... (i), ils sont rentrés au Mans à la nuit tombante.

422 Dites le contraire en utilisant *sans, excepté, sauf (si), sans compter, même (si), avec, y compris, pendant, inclus*.

> *Exemple :* La boulangerie est ouverte tous les jours, <u>même</u> le lundi.
>
> → La boulangerie est ouverte tous les jours, **sauf/excepté** le lundi.

a. <u>Sans</u> les taxes, la réparation s'élève à 190 euros.

→ ....

b. Les boissons sont <u>exclues</u> du prix du séjour.

→ ....

c. Ce film est visible par tout public, <u>excepté</u> les personnes sensibles.

→ ....

d. <u>En comptant</u> les enfants, nous serons douze.

→ ....

e. Vous devez assister à ce cours <u>sauf si</u> vous êtes souffrant.

→ ....

f. Les bureaux sont ouverts <u>en dehors du</u> mois d'août.

→ ....

g. Ce circuit serait plus envisageable <u>avec</u> une voiture.

→ ....

h. Nous vous téléphonerons <u>même si</u> nous rentrons tard.

→ ....

423 **Remplacez dans les phrases suivantes** *et* **par** *de sorte que, mais, alors que, puis, ainsi,* **ou** *enfin* **(parfois plusieurs possibilités).**

    Exemple : Ils sont sortis sans imperméable et il tombait des cordes.

                → Ils sont sortis sans imperméable ***alors qu'***il tombait des cordes.

a. Nous avons pris une dernière bière et nous sommes rentrés chez nous.

→ ....

b. Jean a commandé l'addition et il n'a plus dit un mot.

→ ....

c. Ma jeune voisine a réussi son baccalauréat et ses parents lui ont payé des cours de conduite.

→ ....

d. Ils se marièrent et ils furent heureux. Ils l'avaient bien mérité, ce bonheur !

→ ....

e. Marc a envoyé sa candidature et elle n'a pas été retenue.

→ ....

f. Il fait un temps de rêve et on est seulement en mars !

→ ....

g. Vous les inviterez au restaurant et ce sera plus simple pour vous.

→ ....

h. Ce coureur est arrivé vainqueur avec quelques secondes d'avance et il avait failli renoncer à cette course.

→ ....

424 **Complétez ces phrases.**

    Exemple : Patrice a réussi son bac aussi ***entrera-t-il l'an prochain en fac de droit.***

a. On dîne rapidement ainsi ....

....

b. Je quitterai le bureau tôt ce soir de façon que ....

....

c. Il fait assez beau ce matin alors ....

....

d. Hélène a été souffrante aussi ....

....

e. Mon fils m'a écrit alors que ....

....

f. Elle ne travaille plus même si ....

....

g. L'entreprise est en difficulté encore que ....

....

h. Il pleut sans cesse depuis trois jours bien que ....

....

425 Établissez un lien entre ces phrases en utilisant *d'ailleurs* ou *par ailleurs*.

    Exemple :   Le vent se lève ; j'ai l'impression qu'il va y avoir un orage.

        → Le vent se lève, ***d'ailleurs*** j'ai l'impression qu'il va y avoir un orage.

a. La nourriture est excellente et le cadre magnifique ; je me suis fait de nouveaux amis.

→ ....

b. Hubert ne nous rejoindra pas au théâtre ; il a quelque chose de prévu pour ce soir.

→ ....

c. Les enfants sont sages ; ils jouent tranquillement dans leur chambre.

→ ....

d. Je me suis coupé le doigt en épluchant des légumes ; tout va très bien.

→ ....

e. Elle n'a pas réussi à se lever ce matin ; elle a de la fièvre.

→ ....

f. On se plaît beaucoup à Cannes ; nous envisageons de nous marier.

→ ....

g. Cette semaine, je n'ai pas beaucoup de travail et j'en suis ravie ; je me demandais où vous en étiez de votre recherche d'appartement.

→ ....

h. Hier soir, on a vu le dernier film de Lelouch ; j'aimerais bien voir ce film anglais dont on parle tant.

→ ....

426 Complétez ces phrases à l'aide de *outre* ou *en outre*.

    Exemple :   La fille au pair devra ***outre*** s'occuper de Stéphanie, faire le repassage et préparer les repas.

a. .... le sucre et l'alcool, les féculents sont interdits dans ce régime.

b. Mes amies vont souvent au cinéma, ... elles apprécient beaucoup le théâtre.

c. .... le piano et la sculpture, Antoine étudie la guitare.

d. Nicolas adore le tennis ; .... il joue très bien au volley-ball.

e. Cet hôtel accueille .... un groupe de personnes âgées, une vingtaine de jeunes Irlandais.

f. Son fils a de très bons résultats au collège, ... il prépare l'examen d'entrée au conservatoire de musique.

g. .... le samedi après-midi et le dimanche, les enfants n'ont pas de classe le mercredi.

h. Hier soir, je suis rentrée fatiguée, ... j'avais un affreux mal de tête.

427 Reliez les éléments de ces phrases à l'aide de *en fait* ou *en effet*.

> *Exemples :* Je l'ai trouvée nerveuse : ***en effet***, elle a arrêté de fumer depuis avant-hier.
>
> Il pensait s'être fait une entorse ; ***en fait***, il s'était cassé le pied.

a. Richard est timide ? – ...., il n'avait rien à faire dans ce dîner, il s'ennuyait.

b. Il ne lui reste plus beaucoup d'argent ; ...., je crois qu'il a dépensé tout ce que tu lui avais donné.

c. Avez-vous compris ? – ...., j'y vois plus clair maintenant.

d. Marie est passée me voir ; ...., elle est venue voir Philippe.

e. On n'a pas de voiture en ce moment ; ...., elle est chez le garagiste.

f. M. Rouquier est absent pour une semaine ; ...., il suit une formation en bureautique.

g. Elle croit avoir perdu son sac ; ...., elle l'aura laissé dans le métro comme ça lui est déjà arrivé !

h. Ma mère va prendre sa retraite à la fin de l'année ; ...., elle demande à partir en préretraite car elle n'a que 58 ans.

428 Complétez les phrases suivantes par *en fait* ou *effectivement*.

> *Exemples :* Vous avez froid ? – ***Effectivement***, je n'ai plus très chaud, je rentre.
>
> Tu as aimé ce film ? – Non, je crois ***en fait*** que je n'ai rien compris à l'histoire.

a. Elle a pris l'avion ? – ...., elle ne tenait pas à passer six heures dans le train.

b. Avez-vous réussi à joindre M. Michaud ? – Non, ... je crois qu'il est absent pour quelques jours.

c. Sa fille paie demi-tarif ? – ...., elle n'a que cinq ans et demi.

d. Vous parlez très bien l'anglais ! – ...., j'ai passé deux ans à Boston.

e. Tu as besoin de ce numéro ? – ...., j'ai promis d'appeler les Dubois avant midi.

f. Ils avaient projeté de passer le week-end à Cabourg. – ...., ils sont allés en Bourgogne voir leurs amis.

g. Elle n'a pas loué cet appartement ? – .... il ne plaisait pas à son copain.

h. Il pleut ? – ...., il s'est mis à pleuvoir vers midi.

429 Complétez les phrases suivantes par *enfin* ou *finalement*.

> *Exemple :* La journée est ***enfin*** terminée. Quel plaisir de rentrer chez soi !

a. On ne savait pas que choisir et .... on lui a offert une B.D. pour son anniversaire.

b. Ils sont restés longtemps fâchés mais ils se sont .... réconciliés.

c. Madeleine est .... arrivée, va le dire à sa mère.

d. Mais ...., pourquoi pleurez-vous ?

e. ...., je ne suis pas allé voir ce match de boxe.

f. .... seuls ! J'attendais ce moment depuis longtemps.

g. .... qu'avez-vous décidé pour vos prochaines vacances ?

h. Catherine a longtemps réfléchi et .... elle a choisi d'entrer à la faculté de lettres.

430 Remplacez dans ces phrases *ainsi* **par** *de cette façon* **ou** *par exemple*.

> *Exemple :* Le logement représente la première dépense des Français ; ainsi, il occupe 22,5 % de leur budget.
> → Le logement représente la première dépense des Français ; **de cette façon**, il occupe 22,5 % de leur budget.

a. Au cours des quinze dernières années, la surface des logements a augmenté ; ainsi, on prend les repas fréquemment dans la cuisine.

→ ....

b. Les Français accordent de plus en plus d'importance à la famille ; ainsi, 20 % d'entre eux souhaiteraient avoir quatre ou cinq enfants.

→ ....

c. Depuis le début des années 90, les personnes âgées sont de gros consommateurs ; ainsi, elles se déplacent souvent pour le plaisir.

→ ....

d. La population grandit ; ainsi, les femmes ont pris trois centimètres au cours de ces quarante dernières années.

→ ....

e. L'hygiène des Français s'est beaucoup améliorée ; ainsi, la plupart se lavent les dents deux fois par jour.

→ ....

f. Les Français consacrent en moyenne 1 800 euros par an à leur santé ; ainsi se sentent-ils rassurés.

→ ....

g. Nombreux sont les Français qui partent en vacances ; ainsi, 40 % sont allés au bord de la mer en 1998.

→ ....

431 Complétez ces phrases de la langue parlée en employant : *de toute façon, c'est-à-dire, en fin de compte, et encore, de fait, en revanche, sinon, soit... soit.*

> *Exemple :* On ne peut pas te faire de reproches : **de fait**, tu n'avais pas été prévenu.

a. Tu prendras le dernier métro .... on viendra te chercher en voiture.

b. Je n'ai jamais vu cet acteur au théâtre, ... je l'ai vu dans plusieurs films.

c. .... vous venez avec nous, ... vous restez à la maison mais décidez-vous.

d. ...., pour les vacances, ils ont loué une maison avec piscine ; c'était le plus simple à cause des enfants.

e. Je n'ai pas pu faire cet exercice, ... que je n'ai pas bien compris la consigne.

f. Que tu aies envie ou pas de voir ce film, ... j'irai seule.

g. Elle pensait accoucher en octobre ; .... son fils est né le 15 septembre.

h. Patrice aura peut-être la moyenne à son devoir .... ce n'est pas certain !

202

432 Complétez ces phrases par *ni... ni, tantôt... tantôt, soit... soit, ou (bien)... ou encore*.

Exemple : Rien n'intéresse mon neveu : ***ni*** la musique ***ni*** le sport ***ni*** le cinéma. Qu'est-ce que je vais faire de lui dimanche ?

a. Le soir, ... on va au cinéma, ... on dîne avec des amis ; on peut dire qu'on sort assez souvent.

b. Plusieurs possibilités vous sont offertes : .... vous prenez un billet d'avion seul, ... vous choisissez le forfait voyage et demi-pension, ... vous réservez une semaine tout compris dans un village de vacances.

c. Que dire ? .... on accepte cette invitation, ... on trouve une excuse. Moi, je n'ai vraiment pas envie d'aller chez les Dufour samedi !

d. Vos cousins de Bretagne arrivent la semaine prochaine ; qu'allez-vous leur proposer ?
– .... de visiter le château de Versailles, ... de faire un tour dans Paris ; je ne sais pas ce qui leur plaira le plus.

e. .... il pleut, ... il fait beau ; c'est un vrai temps de printemps.

f. .... trop cher, ... ordinaire, ce restaurant est à retenir.

g. .... vous nous attendez ici .... vous rentrez chez vous. Il faut nous le dire !

h. Elle arrive toujours .... trop apprêtée, ... négligée. À son âge, elle devrait quand même savoir s'habiller.

433 Rayez ce qui ne convient pas.

Exemple : Nous n'avons pas trouvé cette pièce bonne (~~car~~/alors que/~~de fait~~) la critique était enthousiaste.

a. Valérie lit beaucoup (quoique/tout compte fait/au contraire) son travail l'accapare.

b. L'ambiance était agréable ; (par ailleurs/en bref/par contre) la nourriture était quelconque.

c. Le voyage ne leur a pas semblé fatigant, (or/encore que/du moins) c'est ce qu'ils ont affirmé.

d. Les magasins du centre-ville étaient de moins en moins achalandés ; (néanmoins/c'est pourquoi/c'est-à-dire), ils restaient ouverts.

e. Il se sentait vieillir, (néanmoins/ainsi/or) a-t-il pris la décision de rentrer dans une maison de retraite.

f. Pauline aura 18 ans le mois prochain, (d'ailleurs/en revanche/de plus) elle veut organiser une petite fête.

g. Ne vous arrêtez pas à Vierzon, il n'y a rien à voir dans cette ville ; (toutefois/en effet/par contre) je peux vous donner l'adresse d'un bon restaurant.

h. Passez-nous un coup de fil (quoique/pourtant/sinon) nous nous ferons du souci.

434 Indiquez la nuance exprimée par la conjonction soulignée : opposition, hypothèse, addition, restriction, explication, cause, concession.

Exemple : Elle travaille à trois-quarts de temps, <u>soit</u> une trentaine d'heures par semaine.
(explication)

a. Il prétend être riche <u>or</u> il n'a pas un sou. (.............................)

b. <u>Malgré</u> la nuit, ils prirent la route. (.............................)

c. Je partirai au Canada, <u>même si</u> vous vous y opposez. (..............................)

d. Il s'est mis à bouder, <u>c'est-à-dire</u> qu'il n'a plus rien dit. (..............................)

e. <u>Non seulement</u> vous dansez <u>mais encore</u> vous chantez bien ! Quelle artiste accomplie vous faites. (...........................)

f. Je la trouve sympathique ; <u>en revanche</u> je ne lui fais pas confiance. (..............................)

g. <u>Puisque</u> je ne la connais pas, comment voulez-vous que je vous parle d'elle ? (..............................)

h. Je passerai vous chercher vers 10 heures ; <u>toutefois</u>, il est possible que j'aie quelques minutes de retard. (............................)

Bilans

435 Organisez une argumentation à partir de ce texte en employant chacun des mots de liaison suivants : *même si, néanmoins, alors que, soit, ou encore, de ce fait, de même, soit, ainsi.*

Les Français se sentent concernés par l'écologie. .... **(1)**, 96 % se disent favorables au développement des transports en commun .... **(2)** qu'à la création de parkings obligatoires à l'entrée des grandes villes.

.... **(3)** plus de la moitié restent hostiles à la circulation alternée les jours de forte pollution .... **(4)** les véhicules sont responsables de 60 % des émissions de monoxyde et de dioxyde de carbone. .... **(5)**, les Français préfèrent accuser .... **(6)** les industries .... **(7)** les politiques .... **(8)** les scientifiques de ne pas avoir suffisamment protégé la nature. Ils n'ont .... **(9)** pas tous encore le réflexe, à l'échelon individuel, de participer à cet effort, ... **(10)** ils se déclarent concernés par la sauvegarde de l'environnement.

436 Complétez cette lettre par un des mots suivants : *soit, ainsi, néanmoins, bien que, afin que, outre, désormais, ou encore, car, par conséquent, or, cependant* **(parfois plusieurs possibilités).**

Chère Madame,

Notre service a bien reçu votre demande de place en crèche pour votre enfant. .... **(1)**, vous n'êtes pas sans savoir que les places disponibles sont réservées aux personnes qui travaillent. .... **(2)** vous m'écrivez que vous allez faire des études dès la rentrée prochaine ; .... **(3)** je comprends que vous ne pourrez pas garder votre enfant.

.... **(4)** votre situation ne soit pas tout à fait conforme au règlement général, nous allons nous efforcer de répondre favorablement à votre demande. .... **(5)** votre nom est .... **(6)** inscrit sur la liste d'attente.

.... **(7)** je ne pourrais que vous conseiller de chercher de votre côté un mode de garde pour votre enfant, ... **(8)** je ne peux rien vous promettre de façon ferme.

.... **(9)** nous puissions procéder à la pré-inscription de votre enfant, vous serait-il possible de nous faire parvenir .... **(10)** son extrait de naissance, une attestation de domicile : .... **(11)** une quittance de loyer, ... **(12)** d'électricité .... **(13)** de téléphone.

Dans l'attente de ces documents, je vous prie d'agréer, Madame, l'expression de mon dévouement.

Le chef du Service de l'Enfance.

XIX. LA PONCTUATION

Qui va à la chasse perd sa place !

437 Restituez aux phrases suivantes les points qui manquent (pensez à rétablir la majuscule lorsque cela est nécessaire).

> *Exemple :* Les anciens bâtiments de l'OTAN ont été transformés en locaux universitaires ceux de l'ambassade de Russie sont situés sur le même boulevard
> → Les anciens bâtiments de l'OTAN ont été transformés en locaux universitaires. **C**eux de l'ambassade de Russie sont situés sur le même boulevard.

a. M. Léonardini a annoncé les résultats du concours ce matin : je suis admis maintenant, je dois remplir les formalités d'inscription

→ ....
....

b. Nous avons demandé au docteur Joss de passer voir maman j'espère que cette visite lui aura fait plaisir

→ ....
....

c. J'ai acheté tout ce qu'il fallait pour prendre la route : une bouteille d'eau, trois sandwichs, des fruits secs, etc je pense ne rien avoir oublié

→ ....
....

d. Odile a téléphoné aux renseignements de la SNCF on lui a confirmé qu'aucun train ne circulerait demain à cause de la grève la reprise du trafic est prévue pour lundi

→ ....
....

e. Vous savez, j'ai téléphoné à René ; il m'a annoncé son divorce j'ai été très surpris

→ ....

f. La plaidoirie de maître Lamy a duré près d'une heure il a réussi à convaincre les jurés de l'innocence de Mlle Cordier qui a été libérée le soir même elle a pu réintégrer son poste à l'Unesco

→ ....
....

g. Le musée des Arts premiers ouvrira prochainement ses portes c'est une création originale qui permettra de présenter des œuvres primitives de tous les continents

→ ....
....

h. Le médecin impose à Jean-Louis de suivre un régime très strict mais il ne l'écoute pas je l'ai vu hier en train de dévorer un hamburger

→ ....

....

438 Rétablissez les points, les points d'interrogation, les points d'exclamation et les majuscules manquant à ces phrases.

Exemple : Quelle heure est-il je me demande si elle n'est pas en retard oh, la voilà

→ Quelle heure est-il **?** **J**e me demande si elle n'est pas en retard**.** **O**h, la voilà **!**

a. « Pour qui sont ces serpents qui sifflent sur vos têtes » demande Oreste dans son délire à la fin d'*Andromaque* quel vers magnifique

→ ....

....

b. Tu te rappelles ce qu'a dit René « J'ai vu Christine avec Antoine hier matin » oui, inutile de me le répéter

→ ....

....

c. « À quoi bon prendre la voiture » me dis-je

→ ....

d. Henri voulait savoir à quelle heure arriverait mon train

→ ....

e. Ô rage ô désespoir ô vieillesse ennemie

→ ....

f. « Tu passes tes vacances en Corse » me demanda-t-elle l'air surpris

→ ....

g. Jean ignore la date à laquelle sa fille doit passer le voir

→ ....

h. Je me demande quelle langue vont parler ces enfants : l'anglais ou le français oh, ils parleront sans doute les deux

→ ....

....

439 Ponctuez ces phrases avec des virgules.

Exemple : Je ne sais pas si je vais prendre du camembert du reblochon du cantal ou directement une glace un parfait au chocolat ou une tarte tatin.

→ Je ne sais pas si je vais prendre du camembert**,** du reblochon**,** du cantal ou directement une glace**,** un parfait au chocolat ou une tarte tatin.

a. Avec ma femme j'ai visité Tours Azay-le-Rideau Blois Chambord et Chenonceaux.

b. Mon père ingénieur agronome me désignait chaque arbre chaque fleur par son nom lors de nos promenades.

c. Patrice a vu ces œuvres de Picasso à Antibes où il habite avec ma sœur qui a visité le musée en même temps que lui.

d. Ses amis ses frères ses sœurs et même quelques-uns de ses collègues étaient là.

e. Pendant les vacances Lucien passe son temps à bricoler dans la maison à entretenir le jardin à jouer avec les enfants à faire les courses pour toute la famille et à préparer les biberons des bébés.

f. Quand j'étais jeune j'ai vu des pièces formidables j'allais au cinéma cinq fois par semaine je lisais cinq livres par mois et en plus j'étais tout le temps amoureux.

g. Le métier de mon mari lui-même le reconnaît n'a pas grand intérêt.

h. Alain Jean-Marc et Jacqueline Philippe et Stéphanie Anne et Roland sont des amis chez qui nous allons très souvent.

 Ponctuez le texte suivant à l'aide de points et de virgules. Pensez à rétablir les majuscules en début de phrase.

Au nord de Paris, entre la rue Stephenson et le boulevard Barbès, la rue Ordener et le boulevard de la Chapelle, la Goutte d'or est le territoire traditionnel avec son frère siamois Barbès de la population maghrébine de la capitale tout comme le Marais est celui de la population juive à l'époque où on ne parlait pas de « ville lumière » la Goutte d'or était un petit village célèbre pour son vin le « goutte d'or » au XIXe siècle le développement industriel attira à Paris une importante population d'ouvriers immigrés des quatre coins de France c'est dans ce quartier que se situe l'action de *L'Assommoir* qu'Émile Zola publia en 1868 si vous passez un jour devant le numéro 20 de la rue de la Goutte d'or sachez que c'était l'adresse de Gervaise l'héroïne de Zola qui allait laver son linge un peu plus loin aux 11 et 15 de la rue des Islettes

 Ponctuez le texte suivant en utilisant le point-virgule, la virgule et, lorsque cela est possible, les points de suspension (pensez à rétablir les éventuelles majuscules).

Exemple : Je voulais te dire que l'autre soir / / nous / / non / / rien / / je t'en parlerai demain.

→ Je voulais te dire que l'autre soir, nous... Non, rien ; je t'en parlerai demain.

a. Jeanine est sortie samedi / / vers 7 heures / / elle s'est immédiatement rendue au kiosque à journaux.

b. Jacques a reçu des tas de cadeaux pour son anniversaire : un Meccano / / des livres / / des maquettes / / bref / / c'est un enfant gâté.

c. Nadine m'a dit que / / en fait / / elle ne m'a rien appris de spécial.

d. Constantin a revu Nina plusieurs années après leur séparation / / elle semblait triste / / surtout perdue / / déçue par la vie.

e. J'aurais voulu que tu viennes / / j'aurais aimé te voir une dernière fois / / mais à quoi bon ?

f. Je crois que nous allons vendre la maison / / les écuries et toutes les terres / / je sais que tu en auras le cœur brisé / / tout comme moi.

g. Jean était un séducteur et / / dans la région / / chacune des jeunes femmes / / ou presque / / avait été sa / / son amie.

h. Le devoir du professeur est d'enseigner / / celui de l'étudiant d'écouter.

442 Virgule, point ou point-virgule ? Mettez la ponctuation qui convient (plusieurs possibilités).

> *Exemple :* La voiture entre dans la cour / / elle se gare devant la grange / / un homme en sort / / vêtu d'un costume sombre.
>
> → La voiture entre dans la cour *;* elle se gare devant la grange*.* *U*n homme en sort*,* vêtu d'un costume sombre.

a. Je suis certain que tu as raison / / j'ai toute confiance en toi / / tu le sais / / mais ce sont les jurés qu'il faut convaincre.

b. Tableaux / / sculptures / / objets d'art divers… Richard connaît presque toutes les pièces du Louvre / / il connaît aussi parfaitement les musées Picasso / / d'Art moderne et Gustave-Moreau.

c. Nous avons à te parler : nous avons bien réfléchi / / nous avons pris une décision importante / / grave et définitive.

d. Les oiseaux chantent / / il fait beau / / la vie est belle.

e. Depuis que vous avez rencontré nos amis Cohen / / vous les voyez plus souvent que nous / / nous en sommes d'ailleurs un peu jaloux.

f. Range ces photos / / fais un tri / / sans cela / / on oubliera très vite à quoi elles correspondent.

g. Pour monter votre ordinateur / / il suffit de relier l'unité centrale à l'écran / / le clavier et la souris à l'unité centrale / / les lecteurs de CD-ROM et de disquettes sont intégrés.

h. Christelle s'est mariée avec André / / pour leur voyage de noces / / ils ont pris l'avion / / ils sont allés en Martinique / / en Guadeloupe puis en Haïti.

443 Redonnez à ces phrases toute leur lisibilité en leur restituant leurs guillemets, leurs tirets, leurs parenthèses, leurs deux-points et leurs majuscules.

> *Exemple :* Dans *Britannicus*, Agrippine dit à son fils Néron empereur de Rome avec ma liberté, que vous m'avez ravie, si vous le souhaitez prenez encor* ma vie. Voilà une mère qui aimait furieusement son enfant.
>
> → Dans *Britannicus*, Agrippine dit à son fils Néron *(*empereur de Rome*) :* « *A*vec ma liberté, que vous m'avez ravie, si vous le souhaitez prenez encor ma vie. » Voilà une mère qui aimait furieusement son enfant.

a. Comme le dit Louis Aragon, la femme est l'avenir de l'homme.

→ ....

b. Sébastien a eu 19 enfants 10 garçons et 9 filles. Tous sont devenus musiciens.

→ ....

c. Fabienne, qui est une fanatique de Daniel Pennac non seulement elle a lu tous ses livres de *La Fée carabine* à *Monsieur Malaussène* mais elle a même essayé de faire inscrire sa fille dans son lycée vous saviez que Pennac était professeur n'est-ce pas ?, vient d'écrire une adaptation théâtrale de *Comme un roman*.

---

* Encor : forme poétique ancienne pour « encore ».

→ ....

....

....

....

d. J'ai entendu une interview intéressante de Poupou, Raymond Poulidor, notre éternel numéro 2. Il disait qu'il admirait beaucoup les jeunes champions actuels. Il a même ajouté certains sont encore plus forts que nous.

→ ....

....

....

e. Je suis désolé d'être en retard je n'ai pas entendu le réveil sonner.

→ ....

f. Et le Général déclara j'ai faim. Alors, tout le monde sauf Suzy et moi qui avions mieux à faire passa à table.

→ ....

....

g. Chaque fois que nous dînons avec les Lantiez nous nous connaissons depuis plus de vingt ans nous nous disputons avec eux à cause de la politique, de l'éducation des enfants, des films autant de ceux que nous avons vus que de ceux que nous aurions dû voir, que sais-je encore si bien que je me demande si nous ne ferions pas mieux de refuser leur invitation.

→ ....

....

....

....

h. Il n'y a que les petits hommes qui redoutent les petits écrits, se disait Figaro en attendant Suzanne. *Le Mariage de Figaro*, Acte V scène 3.

→ ....

....

444 **Chacune de ces phrases est sans ponctuation. Rétablissez-la afin de les rendre compréhensibles (plusieurs possibilités).**

Exemple : Où as-tu rangé les clés dans le bureau ou dans la cuisine
→ Où as-tu rangé les clés *:* dans le bureau ou dans la cuisine *?*

a. Donne-moi la main que je t'aide à traverser la rivière

→ ....

b. Est-ce que vous avez acheté le programme non il est beaucoup trop cher

→ ....

c. Sur les quais les estivants se détendent en dévorant d'énormes glaces des gâteaux à la crème ou des assiettes de frites → ....

....

d. Baignade et pêche interdites si on avait su on serait allé ailleurs

→ ....

e. Bonjour Monsieur Ferran comment allez-vous et comment se portent Madame Ferran vos enfants et vos beaux-parents → ....
....

f. Il voulait d'après ce qu'on m'a dit épouser une fille de trente ans sa cadette vous rendez-vous compte → ....
....

g. Qui veut aller loin ménage sa monture dit la sagesse populaire
→ ....

h. J'ai ouvert les volets j'ai laissé entrer le soleil dans la chambre
→ ....

 445 Écrivez plusieurs phrases en ajoutant des signes de ponctuation conformément à l'exemple (plusieurs possibilités).

Exemple : Tout le monde a vu le dernier film de Patricia Mazuy (moi, je l'ai vu avec ma sœur qui était de passage à Paris – où j'habite – après son divorce) et en dit le plus grand bien ce qui m'étonne parce que de mon point de vue ce n'est pas son meilleur (même si, tout compte fait, elle n'en a pas réalisé beaucoup) et que du dire de mon ami François lui-même (qui est très cinéphile) « *Saint-Cyr*, c'est loin d'être un chef-d'œuvre ».

→ ***Tout le monde dit le plus grand bien du dernier Patricia Mazuy. Ceci m'étonne car, de mon point de vue, ce n'est pas le meilleur de ses quelques films. François, mon ami cinéphile, pense aussi que*** Saint-Cyr ***n'est pas un chef-d'œuvre.***

J'ai vu ce film à Paris, où j'habite, avec ma sœur qui était de passage après son divorce.

a. Aline a croisé Loïc (le garçon roux qu'elle avait rencontré en Bretagne – à côté de Pont-l'Abbé – l'année dernière) sur les Champs-Élysées et elle l'a abordé en lui disant : « bonjour » mais lui (quel mufle) a fait semblant de ne pas la reconnaître.

b. Ils sont entrés par la fenêtre (celle qui donne sur le jardin) de la cuisine où ils ont vidé le réfrigérateur (j'avais fait les courses la veille) avant de s'installer tranquillement devant la télévision pour regarder le match de football et vider nos bouteilles d'apéritif (en brûlant bien entendu les fauteuils et le tapis avec leurs cigarettes).

c. Au marché, nous avons acheté un poulet, une livre de navets (petits ronds) un kilogramme de pommes de terre (nouvelles), trois oignons (pas trop gros) et une glace chez le boulanger (celui qui est en face du charcutier où tu m'as dit qu'on trouvait du museau excellent – d'ailleurs, il faudra que je le goûte mardi prochain –) mais comme nous avions oublié de faire vider le poulet (Frédéric m'a dit : « quand on n'a pas de tête on a des jambes ») on a dû retourner chez le volailler qui nous a fait ça très bien (il voulait jeter le gésier et le foie mais Frédéric lui a dit : « Laissez-les »).

d. Les enfants sont venus passer une semaine avec nous (à Toulon) ce qui nous a fatigués, surtout les grands qui sont insupportables (ils bougent tout le temps et comme dit Paul : « on dirait qu'ils marchent avec des piles inusables ») ce qui fait que cette semaine n'a pas été de tout repos.

e. La maison avait été construite dans les années 60 sur un sol trop meuble ce qui fait qu'à cause des infiltrations elle s'est lentement affaissée et qu'aujourd'hui elle menace de s'effondrer ce que les assurances refusent de couvrir.

f. On a entendu toute la journée les sirènes de police et de pompiers (avec ce temps, on laisse les fenêtres grandes ouvertes) et on s'est dit qu'il avait dû se passer quelque chose de grave, un peu comme à l'époque des attentats terroristes et finalement quand on a allumé la télévision le soir : personne n'en a parlé, pas même au journal de 20 heures.

g. Je crois qu'il faut que je change ma paire de lunettes : j'ai l'impression de ne plus rien y voir, surtout le soir (c'est sans doute à cause de l'écran de l'ordinateur devant lequel je passe au moins huit heures par jour or, dans la notice ils précisent : « ne restez pas plus de deux heures consécutives devant l'écran ») et ça m'inquiète parce que je sais que dans ma famille, plusieurs personnes sont devenues aveugles avant l'âge de 60 ans.

h. Des centaines de milliers de civils (on les estime à 250 000) ont été victimes des bombardements et une quantité au moins équivalente de personnes (selon le rapport d'Amnesty International) meurent encore depuis la fin de la guerre à cause de l'embargo qui oppresse non pas le dirigeant du pays mais son peuple.

 À partir de ces énoncés, n'écrivez qu'une seule phrase en utilisant la ponctuation la plus simple possible.

> *Exemple :* J'ai retrouvé Paul, Sylvie, André, Charles. Ce sont des anciens du lycée ; mes meilleurs amis de l'époque.
> → ***J'ai retrouvé mes meilleurs amis de lycée, Paul, Sylvie, André et Charles.***

a. Ils ont entrepris des travaux importants chez eux. Ils ont peint les plafonds ; ils ont posé un nouveau papier peint dans le salon. De plus, ils ont changé la moquette.

→ ....
....

b. Ce matin, j'ai écouté la radio. Ils ont annoncé : « Une importante vague de froid va s'étendre sur toute l'Europe occidentale ». Ils ont précisé que des records de basses températures allaient être atteints.

→ ....
....
....

c. Pour aller à Étoile, prenez le métro. Changez à Villiers. Prenez la direction Porte Dauphine et descendez à Charles-de-Gaulle-Étoile.

→ ....
....

d. Je vais aller à la foire du Trône cette année. J'ai envie d'essayer les nouveaux manèges. J'irai avec Hubert.

→ ....
....

e. J'ai acheté le livre que tu m'avais conseillé. J'ai essayé de le lire. Je n'ai rien compris. Il est clair que c'est trop intellectuel pour moi.

→ ....
....

f. Prenez l'annuaire du téléphone. Feuilletez les pages jaunes jusqu'à la rubrique « peinture ». Arrêtez-vous à « Botitch ». C'est le magasin de mon père.

→ ....
....

g. Le chef de l'État passe en revue le régiment. Tous les soldats sont au garde-à-vous. Il fait une chaleur torride.

→ ....
....

h. Le rideau va se lever. Dans trente secondes résonneront les premières mesures de l'opéra. J'adore cet instant.

→ ....
....

 Choisissez la ponctuation qui convient.

Exemple : Quelle horreur [! / ~~X~~ / ~~X~~] je déteste le poisson et toi [~~X~~ / ~~X~~ / ,] tu m'en sers chaque fois que je viens te voir.

a. Hep [? / ! / ,] Taxi [! / : / ?] Vous êtes libre [? / ! / .]

b. Pourquoi me demandes-tu si je vais bien [; / . / ?] Je sais parfaitement que tu t'en fiches [! / . / ?]

c. Je crois que vous êtes allés voir le maire [. / ? / ;] il vous a trouvé [, / (/ –] ou plutôt elle [! / , / :] c'est une femme [ ) / ; / !] une place en crèche [. / ? / –]

d. Vous avez rêvé de cet appareil [! / ; / ,] nous l'avons fabriqué [. / ! / ;]

e. Ce livre [(/ : / ,] que j'ai lu dès sa sortie [ ) / : / ,] s'est vendu à 500 000 exemplaires [. / ? / !]

f. Elle m'a demandé [: / , / «] [: / , / «] Pourquoi ne viens-tu jamais chez moi [. / ? / »] [. / ? / »]

g. Attention [! / . / :] Vous n'avez pas vu que le feu était rouge [. / ? / !]

h. J'ai des remords [. / ; / ,] j'ai aussi des regrets [! / : / .] Si j'avais su [. / ! / ?]

 Mettez la ponctuation qui convient en rétablissant les majuscules lorsque cela est nécessaire.

Le terrorisme est devenu omniprésent dans la réalité contemporaine / **.** / **C**ependant / **,** / qu'en sait-on / **?** / **Q**ue savons-nous de ces hommes et de ces femmes qui ont fait le choix de se mettre à dos l'ensemble de la société // allant à l'encontre de ses fondements moraux // rien // ou à peu près // les terroristes appartiennent à notre univers médiatique au même titre que les vedettes de la politique // des médias ou du show-business // tout comme la leur // leur existence paraît abstraite au public // comme s'ils étaient d'un autre monde // mais si l'univers des stars peut être comparé à une sorte d'Olympe moderne ou de paradis céleste // c'est dans le ciel que brillent les étoiles / // // / celui des terroristes s'apparente à un enfer dont ils seraient les démons ou les anges déchus // nous sommes tous virtuellement victimes et cibles du terrorisme // nous le savons mais n'en faisons aucun cas // comment // du reste // vivre autrement //

Bilans

449 Restituez à ce texte sa ponctuation.

La balade de l'ado* à rollers :

Je roulais dans ma Twingo sur les quais de la Seine en même temps je téléphonais à ma sœur ou non plutôt je me remettais du rouge à lèvres j'étais invitée chez Georges et Marie enfin je faisais autre chose et j'étais fatiguée par ma journée de travail comme tout le monde non tout à coup un ado monté sur ses rollers s'est accroché à l'arrière de ma voiture la peur de ma vie je n'osais pas accélérer j'avais trop peur qu'il tombe je ne pouvais pas freiner la voiture derrière moi pouvait l'écraser alors que faire j'ai envoyé de l'eau sur la vitre arrière en me disant que ça le ferait lâcher prise en ralentissant mais là il m'a crié avance mémère j'étais furieuse et angoissée à la fois après cinq bonnes minutes il est arrivé à hauteur de ma vitre et m'a dit merci madame pour la balade à la prochaine je lui ai dit mais tu es fou tu pourrais te tuer et il m'a répondu c'est ça qui est drôle stupéfaite mais rassurée de l'avoir laissé sain et sauf j'ai poursuivi ma route pensive que peuvent bien avoir ces ados dans la tête

450 Ponctuez le texte suivant et mettez des majuscules lorsque cela est nécessaire.

C'est lundi c'est ravioli cette réplique comme d'autres extraites de La Vie est un long fleuve tranquille *d'Étienne Chatiliez est entrée dans le langage courant preuve du grand succès populaire que remporta ce film lors de sa sortie 1988 aujourd'hui encore lorsqu'il est diffusé sur une chaîne de télévision il séduit un large public de téléspectateurs*

Comédie burlesque La Vie est un long fleuve tranquille *peut pourtant être vu sous un angle sérieux une petite ville du Nord fortement marquée par son héritage industriel à l'est la zone ouvrière celle de la famille Groseille à l'ouest le quartier des notables comme le docteur Mavial ou la famille Le Quesnoy*

Aucune circonstance ne permet jamais aux uns de croiser les autres tout sépare les Le Quesnoy des Groseille tant géographiquement que sur le plan des valeurs ils ont pourtant une chose en commun laquelle les deux familles sont nombreuses cinq enfants pour les Le Quesnoy il faut croître et se multiplier ainsi que les préceptes chrétiens l'exigent et neuf pour les Groseille qui ne vivent que des allocations familiales

Or un jour une nouvelle va bouleverser la vie de ces deux familles les forçant à se rencontrer

Vous voulez en savoir davantage alors allez voir le film nous vous garantissons 90 minutes d'excellent cinéma

---

* *Ado : adolescent.*

INDEX

Les chiffres renvoient aux numéros d'exercices

A-B

À + pronom *(lui, elle, eux, elles...)* 131-135

À/Au *(préposition de temps)* 352-353, 356

À, au, à la, à l', aux 47, 49-51

À *(derrière verbe)* voir : *Constructions verbales*

Accord des participes passés voir : *Participes passés*

Adjectif qualificatif *(accord et place)* 38-40

Adjectif verbal 326-330

Ailleurs (d'/par) 425, 433

Ainsi 423, 430, 433, 435-436

Alors *(conséquence)* 375-376

An/Année 359-360

Antériorité *(expression de l')* 366-369

Article défini/indéfini 34-37, 43

Articulateurs logiques 420-436

Articulateurs temporels 416-419

Assez (de) 43

Aucun(e) 20

Auquel, à laquelle, auxquels, auxquelles *(interrogatif)* 13-15 *(relatif)* 155-156, 158, 160, 164-165

Aussi 372-373, 387

Avant 355-356

Avoir beau 403, 406, 413-415

Beaucoup (de) 43

Bien que 407, 415

C

C'est, Il/Elle est 41

Ça fait (que) 361-362

Ce dont voir : *Dont*

Ce que voir : *Que*

Ce qui voir : *Qui*

Celui, celle, ceux, celles voir : *Pronom démonstratif*

Combien 9-10, 12, 16-17, 32

Comme *(exclamatif)* 31

Comment 4, 9-11, 32-33

Concession *(expression de la)* 403-415

Concordance des temps *(avec le conditionnel)* 187-195 *(dans le discours rapporté)* 97-103

Conditionnel 166-195
– *concordance* 187-195
– *passé (forme/emplois)* 174-186
– *passif* 231-234
– *présent (emplois)* 166-173

Conséquence *(expression de la)* 372-387

Constructions verbales 247-283
– *avec à et de* 250-262, 265, 273
– *avec l'indicatif* 268-271, 277-283
– *avec l'infinitif* 263-267, 270, 272, 274, 282-283
– *avec le subjonctif* 272-283
– *formes impersonnelles* 247-249

D

Dans *(temporel)* 353-356

De, du, des *(préposition)* 45-55 *(déterminant)* 37-39

De/Par *(avec passif)* 235-238

Démonstratifs voir : *Pronoms démonstratifs*

Depuis 361-362, 370

Déterminant 34-44 *(temporel)* 351

Discours rapporté *(concordance des temps)* 97-103

Donc 373, 375-376

Dont *(relatif)* 143-146, 149, 154, 159, 164-165
Ce dont 147, 150

Duquel, de laquelle, desquels, desquelles *(interrogatif)* 13-15, 300 *(relatif)* 154-155, 157, 160, 165

Durée *(expression de la)* 359-362

E-F-G-H

Effectivement 428

En *(préposition)* 48-49, 352-354, 356 *(pronom)* 28, 106-110, 115, 117, 130, 137-138 *(pronom neutre)* 124-129

En effet 427

En fait 427-428

Enfin 429

Exclamation *(expression de l')* 29-31, 33

Finalement 429

Futur simple/proche 309-312, 324-325

Futur antérieur 313-325

Gérondif 331-339

Guère (ne) 20

Hypothèse *(expression de l')* 168, 184, 186-192, 194-195, 216

I-J-L

Il y a (que) 361-362

Imparfait 71, 75-76, 78-79, 82, 84-87, 97-99, 104

Impératif (avec pronom) 115-118

Infinitif 263-275, 282-283, 383

Interrogation 1-17, 32-33, 166-167

Interro-négation 23-28, 33

Interrogatifs (pronoms)
voir : Pronoms interrogatifs

Jamais 19-21

Jour/Journée 359-360

Le, la, l', les (pronoms) 28, 106, 108-110, 112, 114-115, 117, 119-120, 139-140

Le (pronom neutre) 123-130

Le mien/tien/sien/nôtre/vôtre/ leur...
voir : Pronoms possessifs

Lequel, laquelle, lesquels, lesquelles
(pronom interrogatif) 13-15, 294, 297-298, 300
(pronom relatif) 152-153, 157-158, 160-162, 164-165

Leur (pronom personnel) 106, 108-110, 117, 133-135, 139

Lui (pronom complément) 108-110, 117, 133-135, 139-140

À lui, à elle... 131-135, 140

De lui, d'elle... 136-140

M-N-O

Me/M' (pronom) 107, 109, 139-140

Mise en relief 161-163

Moi 117

Ne... aucun voir : Aucun

Ne... guère voir : Guère

Ne... jamais voir : Jamais

Ne... ni ... ni 22

Ne... personne
voir : Personne

Ne... que voir : Restriction

Ne... plus 20

Ne... rien voir : Rien

Négation 18-22, 33, 42

Nous (pronom complément) 109

Ne... nulle part 19-20

On (actif/passif) 224-225

Opposition (expression de l') 388-399

Où (interrogatif) 4, 9-11, 17 (relatif) 145-146, 149, 165

Oui/Si 25-28

Outre (en) 426, 436

P

Participe passé (accord) 72-74, 111-112, 114

Participe présent et participe présent passé 340-350

Partitif 43

Passé (temps du) 71-105

Passé antérieur 88-91, 95-96

Passé composé 72-76, 78-79, 92, 95, 100, 102, 104, 119

Passé simple 80-87, 91, 95-96, 103-105

Passé surcomposé 92-95

Passif 221-246
– avec par ou de 235-238
– du conditionnel et du subjonctif 231-234
– de l'indicatif 221-230

– verbes pronominaux à sens passif 239-245

Périodicité (expression de la) 363-365

Personne 19-20

Peu (de) 43

Place des pronoms compléments
voir : Pronom complément

Plus-que-parfait 77-79, 85-87, 99-104

Pourquoi (interrogatif) 4, 9-11

Possessif voir : Pronom possessif

Prépositions 45-70
– de lieu 56-59, 69
– de temps 60-62, 69-70, 352-358

Pronom complément 28, 106-140
– construction indirecte avec à et de 131-140
– place et emplois 106-122
– pronoms neutres (le, en, y) 123-130

Pronoms démonstratifs 287-293, 307-308

Pronoms indéfinis 301-308

Pronoms interrogatifs 294-300, 307

Pronoms possessifs (le mien, le tien, le sien...) 284-286

Q-R

Quand (interrogatif) 9-10, 12, 33

Quantitatif 43

Que (pronom interrogatif) 4-6, 10, 16-17, 296
(pronom relatif) 141-142, 145-146, 149, 164-165
Ce que 147, 150

Que de (exclamatif) 31-33

Quel, quelle, quels, quelles
(exclamatif) 29-31, 33
(interrogatif) 12, 15-17

Quel/quelle/quels/quelles que/ Quelque 410-411, 414

Qui *(interrogatif)* 5, 8, 14, 294-297 *(relatif)* 141-142, 145-146, 148-149, 152, 156, 159, 162, 164-165 **Ce qui** 147, 150

Quoi *(interrogatif)* 4-8, 14, 16-17, 33 *(relatif)* 151

Quoi que/Quoique *(concession)* 405-406, 409, 412, 414

Restriction *(expression de la)* 400-402, 434

Rien 19-21

S-T-U-V-Y

Si voir : *Hypothèse*

Si/Oui 25-28

Si... que 378, 381

Style courant/soutenu 1-2, 4, 6, 11

Subjonctif 196-220
– *passé* 202-208, 219-220
– *passif* 232-234
– *présent* 196-201, 219-220
– *valeurs et emplois* 209-220, 384, 405

Sur *(temporel)* 353-354, 370

Tant (de)/que 377-378

Te/T' 107, 109-110

Tel, telle, tels, telles 380, 387

Tellement (de) 377, 379, 387

Trop (de) 43

Verbes *(forme impersonnelle)* 247-249

Verbes pronominaux à sens passif 239-244

Vous *(pronom complément)* 109-110, 140

Y *(pronom)* 28, 107-109, 119 *(pronom neutre)* 124-130, 132, 134-135

Imprimé en Italie par

LA TIPOGRAFICA VARESE
Società per Azioni

Varese

N° d'Editeur 10133430 - Desk - Avril 2006